Smidt, Joh.

Ein Gedenkbuch zur Saucularfeier seines Geburtstags

Smidt, Johann

Ein Gedenkbuch zur Saucularfeier seines Geburtstags

Inktank publishing, 2018

www.inktank-publishing.com

ISBN/EAN: 9783750124196

Johann Smidt.

Ein Gedenkbuch

zur

Säcularfeier seines Geburtstags,

[illegible]

[illegible]

[illegible]

[illegible]

[illegible]

BREMEN.

Verlag von C. Ed. Müller.

1873.

Inhalt

Vorwort.

Der 5. November 1773 ist Johann Smidt's Geburtstag, derselbe Tag, an dem in seinem 40. Lebensjahre seine Vaterstadt von drückender Fremdherrschaft befreit, zu neuem Leben und staatlicher Unabhängigkeit wiedergeboren ward. Von dem seit jenem Tage verflossenen Jahrhundert hat er selbst den grösseren Theil — vom Jahre 1800 bis zu seinem am 7. Mai 1857 erfolgten Tode — in der Regierung und an der Spitze des bremischen Freistaats verlebt, und in einem Masse, wie es selten in einer Republik der Fall ist, darf dieses Gemeinwesen in seiner heutigen Gestalt als das Werk seines grossen Bürgermeisters anerkannt werden. Denn wie glänzend auch in den anderthalb Jahrzehnten seit seinem Tode [illegible] in commercieller Beziehung Bremen sich entwickelt hat, auch diese Blüthe ist doch zunächst als eine Frucht der Schöpfungen zu würdigen, die sich an Smidt's Namen knüpfen und es bewirkt haben, dass seine Geschichte schreiben ungefähr dasselbe heissen würde, als Bremens Geschichte während der ersten Hälfte des 19. Jahrhunderts darstellen.

Der Vorstand der historischen Gesellschaft des Künstlervereins hat daher die hundertjährige Wiederkehr jenes Tages nicht können vorübergehen lassen, ohne zu der Feier desselben einen Beitrag zu liefern, der wo möglich ein dauerndes Denkmal sein und dazu helfen sollte, das Wirken und die Persönlichkeit Smidts vor Allem den Bürgern Bremens in lebendiger Erinnerung zu erhalten. Zwar vermögen wir nicht eine vollständige Biographie darzubieten

[illegible]

für den zweiten und dritten vor Allem die Acten des [illegible] das erforderliche Material geliefert; für das bereitwillige Entgegenkommen, welches von beiden Seiten dem Werke zu Theil geworden ist, statten wir auch an dieser Stelle unseren Dank ab.

An die erwähnten Darstellungen schliessen sich Briefe und Aufsätze von [illegible] selbst, die ebenfalls aus den beiden schon genannten Quellen geflossen sind. Es sind einzelne Proben aus dem ausserordentlich reichen Vorrath solcher Schriften, welche seine unermüdliche Feder uns hinterlassen, ausgewählt der Zeit entnommen, welche auch die vorausgegangenen drei Arbeiten behandeln. Die Mittheilung dieser Schriftstücke bezweckt zunächst, das Bild seiner [illegible] und so [illegible] [illegible] [illegible] Persönlichkeit zu vervollständigen, einige derselben sind aber auch als werthvolle Beiträge zur Geschichte jener Zeit von selbständiger Bedeutung.

Gern benutzen wir diese Gelegenheit, auf die von anderer Seite [illegible] gleichzeitig erscheinende Sammlung der öffentlich gehaltenen Reden [illegible] als einen weiteren Beitrag für jenen Zweck aufmerksam zu machen, und [illegible] [illegible] um an die bereits vorliegenden Producte seiner literarischen Thätigkeit zu erinnern, [illegible] auch auf die [illegible] Aufsätze hin, welche er selbst in seinen 1831 herausgegebenen „Beiträgen zur Förderung des [illegible] und republikanischen Staatslebens“ veröffentlicht hat.

Der Verleger hat sich zu unserer Dankverpflichtung bereit finden lassen, das Werk durch ein Bildniss [illegible] zu schmücken, welches ihn in der Zeit seines [illegible] [illegible] (ältere Abbildungen aus früherer Zeit sind nicht erhalten) darstellt. Das demselben beigefügte Facsimile seiner Handschrift hat der [illegible] wegen leider auf dem Theil des Ausspruchs, der für den [illegible] [illegible], mit der [illegible] Vaterlandsliebe als [illegible] [illegible] Heimathsgefühl verbindenden Staatsmannes so [illegible] charakteristisch ist, beschränkt werden müssen; vollständig findet er sich auf S. 306 des Bandes in den Aphorismen über Deutschlands [illegible] Verfassung [illegible]. Die [illegible], welche bei [illegible] in sehr verschiedener Gestalt und bald in deutscher bald in lateinischer Schrift erscheint, ist unter unserem Bilde nach einem Briefe vom Jahre 15[illegible] angefertigt.

Smidt und was er geschaffen, wird auch in [illegible] Bremens [illegible] bleiben; das gegenwärtige Gedenkbuch aber mag vielleicht beitragen, auch in weitern Kreisen die Erkenntniss zu [illegible], dass der Name Johann Smidt's nicht nur der bremischen, sondern der deutschen Geschichte angehört.

Bremen, im October 1873.

Der Vorstand
der Historischen Gesellschaft des Künstlervereins

Johann Smidt.

Eine Lebensskizze von Otto Gildemeister.

Johann Smidt ist der dritte bremische Bürgermeister seines Namens und seiner Familie. Im Jahre 1731 ward Dr. Henricus Smidt, im Jahre 1767 Dr. Diedericus Smidt zur consularischen Würde erhoben. Ueber die Personen wissen wir freilich nicht viel zu sagen, was übrigens seinen etwaigen Verdiensten keinen Abbruch thun kann, da über die Wirksamkeit unserer Rathsmitglieder nur in seltenen Fällen etwas in die Oeffentlichkeit gedrungen ist. Dr. Diedericus Smidt, der Oheim unseres Bürgermeisters, wird als ein bedeutender und gelehrter Mann geschildert. Er war Professor der Rechtskunde am hiesigen Gymnasium illustre, bis er 17[illegible]1 in den Rath erwählt ward. Er bekleidete das Amt eines Richters bei dem kaiserlichen Niedergericht. In Folge der Resignation des Bürgermeisters Dr. Henricus Kühnen ward er Bürgermeister, bei welcher Gelegenheit die bremische Muse nicht ermangelte seine strahlenden Tugenden zu verherrlichen. Das im Jahre 1767 bei Eines Hochedlen Hochweisen Rathes Buchdrucker erschienene Carmen führt folgenden Titel:

> „Als der Herr Bürgermeister Doct. Henrich Kühnen Magnificenz die Bürgermeisterwürde niederlegte und an dessen Stelle der Herr Richter Doct. Diedrich Smidt erwählet wurde, entwarf nachfolgende Gedanken C. R.“

1

[illegible] Gedanken [illegible]:

„[illegible]
[illegible]
[illegible]
[illegible]
[illegible]
[illegible] — der Trojan — [illegible]."

Der Bruder dieses [illegible] Trojan (welcher letztere 1787 starb) war Herr Johannes Smidt, Prediger an der St. Stephanikirche daselbst, geboren im Jahre 1712, — einer der Letzten von jenem Geschlechte bremischer Geistlichen, welche von holländischen Universitäten ihre theologische [illegible] in die Vaterstadt zurückbrachten und mit [illegible] Ernsthaftigkeit die Reinheit der reformirten Lehre, mitten im Jahrhundert der Aufklärung und der Freidenkerei, bewahrten. Der würdige Herr, welcher in seinem [illegible] Jahre zu seiner dritten Ehe, mit Katharina Heller, Tochter des Rathsherrn Dr. Melchior Heller, schritt, stand bereits in seinem 62 Lebensjahre, als ihm der einzige Sohn, der ihn überleben sollte, — am 5 November 1773, — geboren ward. Pastor Johannes Smidt, um dies hier gleich zu erledigen, starb im Jahre 1796, also in dem nämlichen Lebensalter, in welchem 61 Jahre später sein berühmter Sohn sterben sollte. Er hinterließ außer diesem nur eine Tochter, die spätere Gattin des Senators Dr. Gerhard Caesar [illegible], eine durch hervorragende Eigenschaften des Geistes und Charakters ausgezeichnete Frau, welche eine Zeitlang für vielfache Bestrebungen den [illegible] Mittelpunkt bildete.

Der Sohn, Johann, genoss die gewöhnliche Erziehung seiner Zeit. Auf den Bänken des [illegible] „Lateinischen Paedagogii", saß er zu den Füßen der damaligen Verkündiger „göttlicher und weltlicher Gelehrsamkeit". Herr Johann Christophorus Bening, SS Theol. Doctor, ertheilte den Unterricht in der Religion und den [illegible] Sprachen; er war der Vater des späteren Senators Bening, ein [illegible] Mann der alten holländischen Schule, strenger Reformirter, aber dabei freundlich und gemüthlich. In der Religionsstunde pflegte er die Schüler zu fragen, ob die Hofaufgaben [illegible] gearbeitet, und wenn die Knaben dann Ja zu sagen sich scheuten, ihm bemerkte: „Es ist erschrecklich hart, aber wir können's nicht helfen." Dominus Eberhardus Tiling, ein feiner und wissenschaftlicher Mann, und Dominus Nicolaus Heller, ein origineller Schultyrann, von welchem unsere Väter manche ergötzliche Anecdote zu erzählen wussten, aber dabei nicht ohne Verdienst um die vaterländische Geschichte, — diese und andere brachten dem Knaben die Rudimente der humanistischen und weltlichen Wissenschaften bei.

Man darf annehmen, dass neben der Schulbildung eine selbständige Pflege der Literatur den heranwachsenden Jüngling beschäftigte, dass die Werke der grossen deutschen Dichter und Denker, welche theils in dem Menschenalter vor seiner Geburt erschienen waren, theils während seines Heranwachsens entstanden, ihre Anziehungskraft auf ihn nicht verfehlten; wenigstens wusste er noch in hohem Alter zahlreiche Aussprüche und Verse, die jener Literaturepoche angehören und die schwerlich bei späterer Lectüre so fest gehaftet wären, auswendig zu citiren, und schon der Umstand, dass, als er 1792 die Universität beziehen sollte, nicht Leyden, sondern Jena den Vorzug erhielt, lässt uns vermuthen, dass der junge Smidt den [illegible] und dass er sehr wohl gewusst hat weshalb. Der Vater gab sich zufrieden, als ihm aus officiellen lateinischen Schriften nachgewiesen ward, dass in Sachen der Gnadenwahl, der Abendmahlslehre und sonstiger controverser Dogmen die theologische Facultät der thüringischen Hochschule „orthodoxen" Ansichten ergeben war, und so schloss sich denn der junge Bremer jener Schaar strebender und begeisterter Jünglinge an, welche damals nach Jena strömten, nicht um die orthodoxen Spitzfindigkeiten der Theologie des 17. Jahrhunderts kennen zu lernen, sondern um die neue Lehre einer verjüngten Wissenschaft und Bildung zu vernehmen, die aus dem Munde von den ersten Männern der Nation verkündet ward.

Smidt, der in Predigerfamilien herrschenden Sitte getreu, widmete sich dem Studium der Theologie. Aber wie wenig er einseitig demselben sich gefangen gab, beweist nicht allein

1*

sein späteres Leben, sondern namentlich auch der nahe Verkehr, in welchen er mit Lehrern und Jüngern der andern Facultäten trat. Fichte, damals in voller Jugendkraft stehend, würdigte ihn seines täglichen Umgangs und lud ihn bei Tische neben sich, eine Menge andere bedeutender Männer schenkten ihm ihre Freundschaft, die in den meisten Fällen eine lebenslängliche war. Als er 1795 nach Bremen zurückkehrte, war er nicht allein in seinem Fache wohl vorbereitet zu selbständigem Wirken, sondern auch mit einer gediegenen philosophischen, humanistischen und historischen Bildung ausgerüstet. Gleichwohl ist die Theologie bis an sein Lebensende immer die Wissenschaft geblieben, welche seinem Herzen am nächsten war, die grossen Fragen, mit denen sie es zu thun hat, beschäftigten nicht allein seinen Geist, sondern auch sein Gemüth beständig unablässig, und wenn seine wissenschaftliche Ueberzeugung ihm nicht erlaubte, die kirchlichen Dogmen in derjenigen Weise aufzufassen, welche die orthodoxe Schule als die allein gültige erklärt, so war doch der ethische Kern und Inhalt der christlichen Glaubenslehre für ihn ein Gegenstand, in welchem die Betrachtung nie ermüdete, bei welchem mit den vertrautesten Freunden das Gespräch am liebsten weilte, aus welchem sein Leben immer neuen Nahrungsstoff gewann.

Die ersten Jahre in Bremen verflossen dem jungen Candidaten ohne bemerkenswerthe Ereignisse in einem angeregten und heiteren geselligen Verkehr mit gebildeten und strebsamen Freunden. — Smidt schrieb um diese Zeit einige Dutzend Distichen gegen die Verfasser der Xenien unter dem Titel „An die Xenophoren", da er nicht für die Oeffentlichkeit bestimmt hatte, die aber ein indiscreter Freund hinter seinem Rücken drucken liess. Das kleine Heftchen ist jetzt eine literarische Rarität; der Inhalt, wenn auch nicht wesentlich bedeutend, zeichnet sich vor vielen anderen Antixenien doch mindestens durch unverkennbare Wahrung des Anstandes aus und bekämpft die berühmten Gegner weniger aus Interesse für ihre Schlachtopfer als in ihrem eigenen, welches er durch die Herabsteigung mit so vielen kleinen Gegnern gefährdet darstellt.

Bis zu seines Vaters Tode blieb Smidt, ohne feste Anstellung, mit gelegentlichen Hülfspredigten und mit Unterrichtertheilen beschäftigt. Zu seinem vertrautesten Umgang gehörte damals der spätere Prediger Stolz an der St. Martinikirche, ein geborener Züricher, welcher Veranlassung gewesen sein mag, dass nach des Vaters Ableben Smidt eine Reise in die Schweiz unternahm (1797) und sich in Zürich zum Prediger ordiniren liess. „Herr Prediger“ Smidt, wie er nun betitelt ward, erhielt im Jahre 1797 in Bremen die Stelle eines Professors in der philosophischen Facultät des Gymnasii illustris, mit welcher, ausser einigen Steuerfreiheiten ein Jahrgehalt von hundert Thalern „in festen Zweidrittelstücken zahlbar“ verbunden war, die aber auf der anderen Seite auch keine schwere Verpflichtungen auferlegte und reichliche Musse gewährte. Diese letztere nun benutzte der junge Professor in zwiefacher Weise, — einmal zu einem eifrigen Eingehen auf die Politik, die damals freilich anziehend genug war, die für Smidt aber ihren Ausgangspunkt — charakteristisch für sein ganzes Leben — immer innerhalb der vaterstädtischen Mauern hatte, — und zweitens zu Vorlesungen vor weiteren Kreisen über populär-wissenschaftliche Gegenstände, deren Ertrag — man zahlte für einen Wintercyclus ein Eintrittsgeld von einer Pistole — eine höchst nothwendige Zubusse zu dem schmalen Professorengehalt war. Als Einleitung zu einer dieser Vorlesungsreihen (1798—1799) liess Smidt ein kleines Heftchen unter dem Titel „Etwas über das Interesse an der Menschengeschichte“ drucken.

Am 1. Januar 1798 verheirathete er sich mit Wilhelmine Rode, Tochter des Apothekers Rode, von der Sternapotheke in der Sögestraße. Diese Ehe, welche die goldene Hochzeit überdauerte, begründete für den rastlosen und nach hundert Seiten hin wirkenden Staatsmann ein häusliches Glück, ohne dessen erquickenden und beruhigenden Einfluss ihm die vielbewunderte Ausdauer auf seiner mühevollen Laufbahn vielleicht nicht zu Theil geworden wäre. Neben dem Bildnisse des schaffenden, strebenden, immer bewegten Mannes steht für alle die ihn in seinem Hause kannten, als unzertrennliche Ergänzung das Bild seiner treuen Lebensgefährtin, welche in stiller Liebe,

dem alten Cäsaren- und Curtiusrepublik ähnliche Minorität, zu welcher der [illegible] Rathsherr Johann Gildemeister, und die Doctoren Gondela und von Lingen gehörten.

Im December 1800, an der Schwelle des 19. Jahrhunderts trat durch des Herrn G. Dreyer Tod eine Vacanz im Rathe ein. Nach uraltem Wahlstatut fand die Wiederbesetzung einer solchen Lücke so statt, dass vier Mitglieder des Rathes, welche durch Würfelung ausgeloost waren, in ein Gemach eingeschlossen wurden, um in demselben einen neuen Rathmann zu wählen. Am 13. December versammelte sich die „Wittheit" (das Plenum des Raths) in der Rathhausdiele, um das verhängnissvolle Würfelspiel vorzunehmen. An Smidts Erwählung dachten die Wenigsten. Da traf es sich, dass die Augen der Würfel die Rathsherren Gildemeister, Gondela, v. Lingen und mit ihnen Dr. Franciscus Tidemann zum Conclave bestimmten, und dass — wie erzählt wird, zur nicht geringen Ueberraschung gar mancher hochgelehrten Doctores utriusque juris — „Herr Johannes Smidt" (wie ihn der alte Staatskalender nennt) von dem geistlichen in den weltlichen Staat der kaiserlichen Reichsstadt Bremen überging.

In den ersten Jahren seiner neuen Würde musste Smidt, altem Herkommen gemäss, sich mit denjenigen theils geringfügigen, theils schwierigen Geschäften befassen, welche der Rath seinen jüngsten Mitgliedern aufzubürden pflegt; die Protokollführung in der Wittheit, die städtische Polizei, Morgensprachen bei den Zünften und ähnliche [illegible] Functionen wurden ihm nicht erspart, bis seine Talente in den Lebensfragen der vaterstädtischen Politik eine angemessenere Thätigkeit fanden.

Mit diesem Zeitpunkte, welcher schon in die ersten Jahre des 19. Jahrhunderts fällt, tritt der Augenblick ein, welcher eine Lebensgeschichte Smidts abgesondert von einer Geschichte Bremens, unmöglich macht. Eine solche zu schreiben, dazu ist der gegenwärtige Augenblick nicht angethan. Der grössere Theil der Erfolge, welche Smidt errang, ward in diplomatischen Verhandlungen und in dem Ohre des Publikums verschlossenen Debatten gewonnen, und nur die Früchte sind ein Gemeingut Aller. Ueber die Wege, welche eingeschlagen wurden um so manches schwierige Ziel zu erreichen, lagert sich noch undurch-

[illegible] Geheimniss. Nur ganz selten ist es dem Publikum vergönnt gewesen auch in die innere Geschichte dieser Wirksamkeit einen flüchtigen Blick zu werfen, wie z. B. in die glänzenden Staatsschriften mit denen vor der Bundesversammlung die freie Weserschifffahrt verfochten und [illegible] behauptet ward, neuerer Vorgänge nicht zu gedenken.

Indem wir der politischen Laufbahn Smidt's folgen, müssen wir einen Vorbehalt machen. Es wäre ungerecht, es wäre vor allen Dingen gegen den Sinn Smidt's wenn man den Aufschwung, welchen Bremen seit dem Anfange des Jahrhunderts genommen hat, als sein ausschliessliches Verdienst bezeichnen wollte. Der Unternehmungsgeist und die Tüchtigkeit der Bevölkerung, namentlich der Kaufleute, bei der Benutzung der von Smidt geöffneten Bahnen das Beste thun müssen, und bei den Arbeiten, deren Resultat diese Bahnen waren, sind ausser Smidt manche Andere in einer Weise thätig gewesen, welche ihnen den Dank der Nachwelt sichern muss selbst wenn diese allmählich ihre Namen vergisst. Smidt's unbestreitbares Verdienst bleibt es immer die erste Idee angeregt und bis zu ihrer Verwirklichung festgehalten und in dem [illegible] sich mit den Männern verbündet zu haben, welche nach ihrer besonderen Begabung die Ausführung zu fördern am meisten im Stande waren. Diese Männer auszuwählen, zu inspiriren, trotz aller Hindernisse warm zu halten, — mit einem Worte die eigentliche Kunst des Regierens, — das war das Unterscheidende seiner Wirksamkeit. Diese Kunst war bei ihm ebenso sehr Ergebniss der Bildung wie Gabe der Natur, und eben deshalb gehörte er zu den genialen Menschen. Er hatte einen gewissen Instinct, der allerdings durch Nachdenken und Uebung vervollkommnet war, im Wesen aber immer Instinct blieb, welcher ihm Wege und Mittel an die Hand gab seine Zwecke zu fördern. Wie oft konnte man beobachten, dass auf Gebieten, auf denen geschulte Sachverständige rathlos hin- und hertappten, Smidt, ohne von der eigentlichen Technik des Gegenstandes viel zu verstehen, sofort das Richtige traf, oder dass er Menschen, über deren Begabung alle Anderen im Dunkeln waren, nach flüchtiger Bekanntschaft, manchmal nach kleinen Äusserungen, nach einem einzigen charakteristischen

Zeit, nach ihrem wahren Werthe erkannte und dahin stellte, wo sie dem Staate nützen konnten. In höherem Alter führte allerdings die Gewöhnung, diesem erprobten Sinne zu folgen, manchmal zu einer Hingabe an „erste Eindrücke", die sich nicht berichtigen und deren Herrschaft über den Geist hin und wieder an „fixe Ideen" erinnern konnten; allein wenn einerseits der Einfluss der Jahre eine derartige Verdunkelung jener bewundernswerthen Geisteskraft erklärte, so musste man auf der andern Seite doch oft genug bewundern, wie bis in die spätesten Tage dieser [illegible] Thätigkeit der Intelligenz sich mit der ganzen Feinheit und Schärfe geltend machte, die ihm früher eigen gewesen war, oder wie — was noch mehr sagen will — die Reflexion und die Wahrheitsliebe des hochbetagten Mannes manche jener „fixen Ideen" noch zu überwinden und durch neue Anschauungen [illegible] Vorstellungen zum Trotz zu ersetzen vermochte.

Aber wir schweifen von unserem Thema ab, welches uns in den Anfang des Jahrhunderts zurückführen sollte.

Man muss sich vergegenwärtigen, wie es damals in Bremen und [illegible] aussah, um zu ermessen, was wir Smidt und seinen Helfern schuldig sind.

Das heilige römische Reich war in voller Auflösung begriffen, aber seine Formen und seine Traditionen blühten in den Reichsstädten noch mit alter [illegible] fort. Ein steter [illegible] Krieg mit [illegible] Nachbarn, [illegible] und [illegible] gegen [illegible] Reichsgenossen, daher neben einander ein [illegible] mit fremden Unterbehörden, manchmal um die erbärmlichsten Bagatellen, und unablässige Verbeugungen vor den Regierungen der grösseren Reichsstände, denen gegenüber man nicht genug Betheuerungen einer unterthänigen Gesinnung finden konnte, während man im Herzen vielleicht ihnen allen [illegible] Unheil gönnte. In solchen Dingen bestanden die auswärtigen Angelegenheiten, deren wichtigsten Theil noch die Bemühungen der Städte ausmachten, den Handel — freilich meistens in engster monopolistischer Auffassung — gegen die Plackereien fürstlicher Zollkammern zu vertheidigen. Bremens diplomatische Beziehungen reichten über die europäischen Hauptstädte nicht hinaus;

gemeinsam mit den anderen Hansestädten hatte es seine „Agenten“ zu Wien, Petersburg, Paris, London und Kopenhagen, welche — weit entfernt von der Haltung alter fürstlicher Gesandten — in geschäftlicher Bescheidenheit ihre Stelle zu erfüllen hatten.

Im Innern herrschten der reichsstädtische Schlendrian und die reichsstädtische Rechtsunsicherheit in voller Souveränität. Confessionelle Spaltung in kirchlichen, Kastensonderung in gesellschaftlichen, Geheimnisskrämerei und Monopolsucht in kaufmännischen, Zunftzwang in gewerblichen, engherziger Corporationsgeist in bürgerlichen Dingen. Zänkereien um hohle Rangfragen, Streitigkeiten um gothische Gerechtsame, Schatten der alten trotzigen Kämpfe bürgerlicher Genossenschaften, erfüllten das öffentliche Leben oder beschäftigten die noch Wenigen bis die Gerichte, und wenn auch in dem Collegio Senatus und „Deren ansehnlichen deputirten“ neben dem Rathe das bürgerliche Element zu einiger Geltung kam, so war doch der in der officiellen Titulatur des Rathes vorkommende Ausdruck „Hochgebietende Herren und Obern“ keineswegs eine blosse Phrase, sondern eine ernsthafte Realität. Der Rath hatte das Bewusstsein einer unmittelbar von Gott verordneten Obrigkeit; er stand — namentlich in seiner Spitze, in den Bürgermeistern — hoch erhaben über dem Volke; er übte Polizei und Gerichtsbarkeit mit schrankenloser Gewalt, erhob mancherlei Abgaben, Gebühren und Sporteln ohne Concurrenz der Bürgerschaft, bezog Einnahmen aus einem ihm ausschliesslich gehörigen Domanium, ertheilte nach Belieben Vorrechte, kurzum regierte mit einer Machtvollkommenheit, welche nur an den fernen Reichsgerichten und an der precairen Bürgschaft eines altgewohnten Herkommens ihre formelle, an dem guten sittlichen Kern des Volksstammes ihre moralische Grenze fand. Aber dieser sittliche Kern zeigte doch schon Spuren bedenklicher Anfechtung. Mochten die altväterlichen Laster der Rohheit und der Völlerei als historisch berechtigt gelten, so zeigte neben ihnen das Ende des 18. Jahrhunderts manche Corruptionserscheinungen modernster Natur. Die Bestechlichkeit ging bis zu sehr hohe Regionen hinauf; die Gemeinnützigkeit bei Verwaltung des öffentlichen Gutes widerstand

patriotische, gebildete, thatkräftige Männer, eine aufstrebende Jugend vorhanden war, und daß diese Minorität, diese Jugend das Heft in die Hand bekam, ehe es zu spät war. Smidt's Eintritt in den Rath bezeichnet diesen Umschwung. Die neue Zeit, außerhalb des Rathhauses bereits auf einzelnen Kanzeln, auf einzelnen Lehrstühlen, in einzelnen Druckschriften vorbereitet, gewann damit ein öffentliches Organ und glücklicher Weise ein Organ von ausnehmender Tüchtigkeit. An ihn schlossen sich bald nicht allein alle jüngeren Kräfte, sondern — wie rühmend anerkannt werden muß — auch mancher von den einsichtsvolleren älteren Herren an, ohne deren selbstverleugnende Unterstützung Smidt nicht so rasch zur Entfaltung seiner Talente hätte gelangen können. Denn es war auf dem Rathhause alte Sitte, daß die Alten regierten und die Jungen schwiegen. Die Noth und Gefahr der Zeit löste den letzteren die Zunge.

Gefahr und Noth waren auch nun genug. Schon seit 1793 hatte sie die Einsetzung einer Art von Directoire zur Folge gehabt. Rath und Bürgerschaft setzten eine „geheime Deputation“ nieder, welche nicht allein mit unbeschränkter Machtvollkommenheit nach außen verhandelte und Verträge abschloß, sondern auch Gelder aufnahm und verausgabte, ohne dafür Rechenschaft schuldig zu sein. Diese Deputation hatte sich bisher wesentlich in der Defensive gehalten, sich mit fremden Kriegsvölkern möglichst glimpflich abzufinden, die Einquartierungen, Feldfahren und ähnliche Unbequemlichkeiten einer wildbewegten Zeit zu organisiren und unablässig Geld und wieder Geld für die gesteigerten Ausgaben herbeizuschaffen gesucht. Mit dem neuen Jahrhundert gestalteten die Dinge sich gefahrdrohender. Das Pumpen im leckgewordenen Schiffe genügte nicht länger; der Cours mußte geändert werden, wollte man nicht von den hochgehenden Wellen verschlungen werden.

Der Gedanke, das stadtbremische Gebiet von den zahlreichen Exclaven und Hoheitsrechten zu befreien, welche sich noch im Besitze Kurhannovers als Erben des ehemaligen Erzstifts Bremen befanden, ist nicht Smidt ausschließlich zuzuschreiben. Er lag nahe genug, um auch in anderen Köpfen zu entstehen. Der Wunsch, Herr im eigenen Hause zu sein, mußte von selbst sich immer mehr steigern, da dies Hineinragen einer fremden Autorität in das Herz der Stadt nicht anders als eine unversiegliche Quelle von Belästigungen, Nachtheilen und Reibungen sein konnte. Wie bedrohlich musste nicht in solchen Zeiten die Aussicht auf völlige Mediatisirung erscheinen, wenn man den umgebenden Mächten darstellen konnte, wie Hannover bereits die Dörfer Hastedt, Schwachhausen, einen Theil der Vorstadt und in der Stadt selbst den Dom mit seinen Anbauten und viele andere Grundstücke sein eigen nenne. Schon 1787 regte sich daher die Idee, die hannoverschen Enclaven für die Stadt zu erwerben, aber erst 1801 kamen die Unterhandlungen in vollen Gang. Dr. Horn, ein geborner Braunschweiger und Smidt's Universitätsfreund, war bei denselben anfangs als bremischer Agent thätig, — derselbe, der 1806, obwohl Ausländer und Lutheraner, in den Rath gewählt ward. Dr. Gondela, gleichfalls ein vertrauter Freund Smidt's, leitete von Bremen aus die Correspondenz. Er selbst nahm an dem Allen unmittelbar den lebhaftesten Antheil. Mitten in einer entmuthigten, von Finanznoth und Kriegsdruck erschöpften Zeit hielt er das Werk in Schwung, welches nicht Erhaltung des Bestehenden, sondern einen Erwerb bezweckte. Nicht aber konnte Bremen festzuhalten hoffen, als bis es auch geographisch einen geschlossenen, in sich selbständigen Organismus darstellte. Nur wer begehrend auftrat, konnte hoffen nicht begehrt zu werden. Mit rastloser Energie ward in Hannover, in Berlin, zu Regensburg, in Paris auf das eine Ziel hingearbeitet, und als im Frühjahr 1803 der Reichsdeputationshauptschluss zu Stande kam, welcher fast alle anderen Reichsstädte mediatisirte, ward nicht allein Bremens Selbständigkeit gerettet, sondern es sah auch sein Territorium von allen fremdherrlichen Enclaven und Hoheiten befreit und die vielangefochtene Freiheit der Weserschifffahrt „bis in die salze See" als Reichsrecht anerkannt. Unter Mehreren, welche zu diesem grossen Resultate mitwirkten, verdient neben Smidt besonders ein Mann als um Bremen hochverdient genannt zu werden, Dr. Georg Gröning,*) damals Rathsherr, später

*) S. über seine Thätigkeit in diesen Angelegenheiten: Bremer Jahrbuch Bd. V p. 315 ff.

Hansa[illegible], welcher damals in Paris, im Haag und in London mitten unter dem Waffenlärm europäischer Kriege mit glänzendem Erfolge unsere Interessen zu vertreten wußte, und der im Hause mit Smidt, Gondela und Vollmers dem kleinen Staate noch Jahren bis die feste und kluge Haltung gab, welche ihn rettete.

Freilich, menschlichem Ansehen nach, nur auf wenige Jahre. Aber wer möchte behaupten, daß wenn diese Haltung 1806 nicht gelungen und nicht bis 1811 behauptet worden wäre, 1813 uns niemals das Gut der Selbständigkeit wiedergebracht haben würde, dessen wir uns erfreuen? In jener Zeit war sie ein Kleinod von sehr zweifelhaftem Werthe, wenigstens für das kurzsichtige Auge des Spießbürgers. Mit der förmlichen Auflösung des Reichs im Jahre 1806 ward Bremen ein souveräner Staat, d. h. ein schutzloses, offenes Boot auf einem Ocean des Verderbens. Von 1807 bis 1810 folgten sich Kriegsplagen aller Art; Franzosen, Engländer, Preußen, Holländer, [illegible] das Freicorps des Helden von Braunschweig, zogen in bunter Reihe durch die geängstigte Stadt; unaufhörlich mußte mit übermüthigen Kriegscommissairen, mit hungrigen Generalen verhandelt, bald ein polternder Soldat versöhnt, bald ein gefährlicher Agent abgefunden, bald gegen diese, bald gegen jene Unbill remonstrirt, confiscirtes Eigenthum zurückgefordert, übertriebene Verpflegungslast abgewehrt, rechts und links vorsichtig geboten, protestirt werden. Mitten in diesem Getreibe ward das Vertrauen zu der eigenen Lebenskraft nicht aufgegeben; je heftiger es draußen stürmte, desto fester schloß man sich im Innern an einander. In Bremen ward am 19 August 1806 die Annahme fremder Aemter, Titel und Orden den Mitgliedern des Rathes unbedingt, den Bürgern ohne besondere Erlaubniß des Rathes verboten und das Verbot in den Bürgereid aufgenommen, damit alle Intrigue und Bestechung, von welcher die Reichsgeschichte mancher städtischen Freiheit so vielfache Beispiele aufbewahrt, möglichst ausgeschlossen würde. Keiner sollte mehr sein wollen als ein guter Bürger, keiner eine höhere äußere Ehre kennen als die, welche die Vaterstadt ihm bieten konnte. Die Maßregel war ganz und gar in Smidt's Geiste gedacht. Er war nicht [illegible]

Neid, sondern ein politischer Gedanke, wenn er es verwerflich fand, dass bremische Bürger sich unrepublikanischer Auszeichnungen freuten. Es war ein berechtigter Stolz, wenn er verlangte, dass jedermann in unseren bürgerlichen Verhältnissen seine Befriedigung finden oder aus ihnen ausscheiden sollte. Er citirte gern den alten Bremer Spruch, der Jeden gastlich willkommen heisst, „de sik mit us behelpen und [illegible] [illegible] will." Darum konnte er nicht leiden, wenn der Briefadel sich mit seinem „von" breit machen oder wenn der Doctortitel als solcher eine besondere Würde im Staatsleben beanspruchen wollte. Bis zu seiner Zeit war der Titel „Senator" in der Amtsrede nicht gebräuchlich, die studirten Rathsmitglieder nannten sich Doctor, die unstudirten hiessen einfach Herr. Die nicht senatorischen Doctoren bildeten die erste Kaste der Bevölkerung neben dem Rathe, ja es war bestritten, ob sie nicht eigentlich vornehmer seien als die unpromovirten Rathsherren. Im 17. Jahrhundert hatten langjährige Processe vor dem Reichskammergericht über diese wichtige Frage geschwebt; Doctores juris non Senatores contra Doctores juris Senatores [illegible] praecedentiam, war der Name mancher voluminösen Acte in Wien, Speyer und Wetzlar, und wenn man um das Jahr 1800 auch nicht mehr processirte, so war man doch noch immer eifrig bemüht, einen Zollbreit Ehre vor seinen Mitbürgern vorauszuhaben. Smidt meinte, es könne keine höhere Ehre in Bremen geben als die im Rathe der Stadt zu dienen, und wer dieser Ehre theilhaftig sei, der müsse sich genügen lassen den Titel zu führen der diesen Dienst bezeichne, Senator. Nur langsam und nicht ohne manchen herben „Strit" mit älteren Collegen setzte er diese Ansicht durch, die erst seit 1848 volle officielle Geltung gewonnen hat. — Es sind dies Kleinigkeiten, die aber auch ihren symbolischen Sinn haben. Dahin darf man auch rechnen, dass seine Persönlichkeit das Meiste beitrug, um die Schranken gesellschaftlicher [illegible] niederzureissen, in welchen sich des Anstandes wegen die Mitglieder des Rathes bewegen mussten. Der Anstand erheischte für sie so viel ceremonielle Ehrerbietung, dass sie kaum mit Anderen als ihren Collegen verkehren konnten; der Anstand verbot ihnen, Clubs und öffentliche Gesellschaften zu besuchen;

der Anstand [illegible] ihnen, bei Festmahlzeiten keinen anderen als Rheinwein zu trinken, und was dergleichen, heute unglaublich erscheinende Absurditäten mehr waren. Manchen solchen alten Zopf hat Smidt entweder mit scharfer Scheere abgeschnitten oder mit leiser Hand allmählich kahlgerupft.

Noch im Jahre 1806, unmittelbar nach Auflösung des Reichs ward auf Smidt's Veranlassung in Lübeck von den drei Ueberresten des Hansabundes eine hansische Tagsatzung gehalten, auf welcher er Bremen vertrat, und deren Zweck es war ein engeres Zusammenhalten der drei Schwesterstädte in den gefahrvollen Zeiten herbeizuführen, ihre Selbständigkeit zu vertheidigen und für manche durch die Reichsauflösung entstandene Lücke, namentlich in der Rechtspflege, Ersatz zu schaffen. In diesem Kreise, welchem Syndicus Amsinck und Syndicus Sieveking aus Hamburg, Syndicus Curtius aus Lübeck und die mehrgenannten Bremer Freunde theils unmittelbar, theils durch Briefwechsel angehörten, reiften die Ideen hanseatischer Lebensfähigkeit und Solidarität, welche zwar bald genug durch die Einverleibung der Städte in das französische Kaiserreich zum Verstummen verurtheilt wurden, die aber in den grossen Befreiungsjahren 1813—1815 eine frohe und fruchtbare Auferstehung feiern sollten.

Wenn es für den Staatsmann die schwerste Prüfung ist, das eben vollendete Gebäude durch einen plötzlichen Unfall zusammengebrochen sehen zu müssen, so ist diese bitterste Empfindung Smidt nicht erspart geblieben. Kaum war das seit Jahrhunderten erstrebte Ziel, die Unabhängigkeit Bremens von oldenburgischen Einflüssen, durch ein Decennium unermüdlicher Arbeit erreicht, so schien es bereits auf immer wieder den Händen entrissen zu werden. Im Jahre 1810 beschloss der Kaiser Napoleon, „in seiner steten Fürsorge um das Wohl der Hansestädte" denselben das Glück zu Theil werden zu lassen, Glieder seines grossen und glorreichen Reiches zu werden. Mit dem Anfange des Jahres 1811 wurden die französischen Adler in Bremen aufgepflanzt. Der Senat hatte zum letzten Male die Bürgerschaft vor den Rathsstuhl beschieden und forderte sie in bewegten Worten auf, in das Unvermeidliche sich zu fügen, nicht ohne leise Hindeutung auf die Möglichkeit einer dermaligen Wiederbefreiung. Dann lieferte er die obrigkeitliche Gewalt mit allen Acten und Cassen in die Hände der Franzosen ab und löste sich selber auf. Die alte Reichsstadt sah sich mit einem Schlage in eine französische Municipalität verwandelt. Bremen wurde Hauptort des Departements der Wesermündung; ein kaiserlicher Präfect schlug sein Hoflager in seinen Mauern auf, ein Maire und ein Stadtrath setzte sich in die Sessel der alten Räthe, französisches Gerichtswesen mit Geschworenen, Greffiers, Procureurs u. s. w. verdrängte die städtische Justiz, ein Heer [illegible] Beamten, Douaniers, Gensdarmen, Receveurs, legte das Joch starren bureaukratischen Regiments auf den bequem gewöhnten Nacken seiner Bevölkerung, welcher nur patriarchalische Gemüthlichkeit und Ungezwungenheit im Staate gekannt hatte. Militärischer Despotismus setzte seinen klirrenden Fuß auf die friedlichen Straßen, wo die reichsstädtische Soldateska so lange in der Erheiterung der Jugend und in der ehelichen Verbindung mit wohlhabenden Köchinnen den schönsten Beruf des Kriegers erkannt hatte, eine zugleich brutale und verschmitzte Polizei vernichtete das Gefühl häuslicher Sicherheit und persönlicher Würde, das Schreckgespenst der Conscription streckte, eine [illegible] Charybdis, in regelmäßigen Terminen ihren unersättlichen Rachen aus, um den Müttern ihre Söhne zu entreißen. Für behaglich lebende Republiken wie Bremen war der Zustand ein unsäglich quälender; die Bürger mußten etwas von jenem zerschmetternden Gefühle empfinden, das in Goethe's Egmont die flandrischen Gewerksleute ergreift, wenn Alba's geschlossene Cohorten über die Straßen defiliren. Die Continentalsperre schnitt alle Verkehrsfäden mit England und Amerika ab, die Weser verödete, und nur auf verborgenen Schleichpfaden ward von Einzelnen ein halsbrechendes Geschäft aufrecht erhalten.

Von den annectirten Städten ward begehrt, daß sie Deputirte nach Paris schickten, um der kaiserlichen Regierung die erforderliche Auskunft über ihre heimischen Verhältnisse zu geben. Smidt übernahm für Bremen den schweren Weg. Monate lang wurden die Abgeordneten in Paris zurückgehalten, um „Messegesprächen" für die Minister auszuarbeiten und um den Hofstaat des regierenden Imperators anzuschauen. Es war bei dieser Gelegenheit, wo im Tuilerienhofe eine seltsame Scene vorfiel. Nach schon beendigter Cour trat der Kaiser plötzlich in den Empfangssaal zurück, ging auf Smidt zu, sah ihn einige Augenblicke starr an, und verliess dann, ohne ein Wort zu sagen, das Gemach. Er hatte, wie Smidt später erzählte, eben einen Bericht Davoust's erhalten, in welchem Smidt als einer der gefährlichsten Menschen (un homme des plus mal-intentionnés) bezeichnet worden war, und hatte diesen Gegner sich einmal ansehen wollen. So standen einige Augenblicke zwei Extreme einander gegenüber, der blendende Glanz eines genialen Egoismus im Kaisermantel und die schlichte Einfachheit einer selbstlosen Bürgertugend. Marschall Davoust bezeichnete den Contrast sich wohl, indem er höhnisch Smidt den „Franklin Bremens" nannte.

Es gereicht der damaligen Zeit zur Ehre, dass nur wenige Personen in Bremen sich fanden, welche mit der Fremdherrschaft sich in eine amtliche Beziehung zu setzen trachteten. Fast alle Mitglieder des Rathes traten in den Privatstand zurück. Smidt, nachdem er die letzten Tage der Freiheit benutzt hatte, um in fast permanenter Arbeit so viel als möglich das öffentliche Gut vor den raubsüchtigen Händen der Franzosen sicher zu stellen, was in vielen Fällen durch seine Ueberweisung an gemeinnützige Stiftungen gelang, ergriff das Gewerbe seines Vaters, um sich und die Seinigen zu ernähren und beschränkte seine öffentliche Wirksamkeit auf eine Theilnahme an der Inspection der öffentlichen Schulen, des einzigen neutralen Gebietes, auf welchem er damals der Vaterstadt zu dienen vermochte, — wenn man nicht dahin rechnen will, dass er hin und wieder eine vertrauliche Mission übernahm, um von höheren Machthabern Abhülfe gegen die Uebergriffe der niederen zu erwirken, oder dass er es nicht ablehnte bei Staatsfeierlichkeiten, wie sie von Zeit zu Zeit zur Verherrlichung des Kaisers befohlen wurden, die Bürger „der guten Stadt Bremen" zu vertreten. So musste er z. B. einmal nach Hamburg an den Hof des Marschalls Davoust, um die Geburt des Königs von Rom zu feiern, — freilich seltsam genug, dass man zu solchen Zwecken eine so missliebige Persönlichkeit verwandte, ein Missgriff, der nur dadurch erklärlich wird, dass die guten Bremer keine Ahnung von der Thätigkeit der geheimen Polizei Napoleons hatten.

Die geheime Polizei machte sich in Deutschland, wie sie gewöhnlich that, eine überflüssige Mühe. Sie überwachte die Bewegungen einiger Hundert Personen und übersah, dass Millionen nichts anders dachten als jene bevorzugten Wenigen. Smidt hatte die Ehre zu den Verdächtigen zu gehören, obwohl er nichts weniger als ein Verschwörer war. Er war fest überzeugt, dass die napoleonische Herrschaft früher oder später zusammenstürzen müsse, aber er war zu verständig, um diesen Sturz von einem Complott zu erwarten. Alle seine Wünsche und Hoffnungen concentrirten sich auf Napoleons Fall, aber er gelüstete nicht nach einem nutzlosen Martyrthum durch lautes Aussprechen seiner Gedanken. Im engsten Freundeskreise, in der verabredeten Sprache chiffrirter Correspondenzen mit auswärtigen Patrioten wurden allerdings Ideen über die Wiedergeburt Deutschlands ausgetauscht, — aber das eigentliche Conspiriren lag den gewissenhaftesten Patrioten fern, weil sie einsahen, dass Napoleon nur durch militärische Kräfte besiegt werden könne. Man bereitete die Gemüther für den entscheidenden Augenblick vor, und wartete.

Endlich kam dieser Moment. Die Schlacht bei Leipzig war geschlagen, die ersten streifenden Corps der Alliirten hatten den Abzug der französischen Truppen aus Bremen bewirkt; es kam jetzt darauf an, die wiedergewonnene Freiheit zu benutzen. Von unserer Zeit aus betrachtet mag das eine ziemlich leichte Aufgabe erscheinen. Wenn man sich aber die colossale Autorität selbst des geschlagenen Schlachtenkaisers, den völlig aufgelösten Zustand Europas, die Leiden der letzten Jahre vergegenwärtigt, wenn man bedenkt, dass in Hamburg noch immer Davoust mit einem ansehnlichen Truppencorps sich hielt und jeden Augenblick über unsere wehrlosen Gegenden herfallen konnte, so muss man einräumen, dass einer verarmten Stadt der Entschluss, sich schon jetzt offen von Frankreich loszusagen, wohl schwer werden konnte. Smidt gehörte zu denen, welche Kühnheit für die grösste Klugheit hielten. Innerlich durchdrungen von dem Glauben, dass Napo-

1*

jene letzte Stunde geschlagen habe, dass eine Neugestaltung Deutschlands, Europas bevorstehe, sah er ein, dass die Hansestädte, um bei dieser Weltvertheilung der Confiscation zu entgehen, den grossen Mächten mit der vollendeten Thatsache ihrer eigenmächtigen Selbstconstituirung entgegentreten müssten. Ohne Jemanden zu fragen, mussten sie kühn in die Reihen der souveränen Staaten wieder eintreten, alle Opfer und Gefahren des Kampfes ohne Bedenken mit den Grösseren theilen, ihr Fortleben nicht selbst bewirken, sondern alle Anderen durch die That davon überzeugen. Schon am 6 November versammelte, unter dem Einflusse dieser muthigen Politik, der Senat sich wieder. Tags darauf berief er die Bürgerschaft, und beide Corporationen proclamirten die Herstellung der bremischen Selbstständigkeit, die unauflösliche Verbindung Bremens mit dem deutschen Vaterlande. Während unter allgemeiner Begeisterung des Volks die befreite Stadt sofort sich anschickte, ihr Truppencontingent zu den alliirten Heeren stossen zu lassen, reiste Smidt, von dem Dr. Gildemeister als zweitem Secretair begleitet, in das Hauptquartier der Verbündeten ab, stellte sich den Monarchen und Ministern als Bevollmächtigter der freien Hansestadt Bremen vor, veranlasste Lübeck und Hamburg zu gleichem Verfahren und machte so in Gesellschaft Europas den Zug nach Paris mit, unablässig im engsten Verkehr mit den tonangebenden Männern, Stein, Hardenberg, Metternich, sofort im Mittelpunkte der grössesten Welthändel und doch in diesem Mittelpunkte immer wach und ruhig für die Interessen der Vaterstadt. Als Vertreter eines machtlosen Staates fand er nicht die Schranken der Eifersucht und des Misstrauens, mit denen die Grossen sich gegen einander abschlossen. Sein Geist, seine Talente verschafften ihm einen persönlichen Einfluss, der seine officielle Stellung weit überragte, und diesen ganzen Einfluss bot er auf, um in dem zu reorganisirenden Deutschland dem bürgerlichen Elemente des Welthandels eine staatliche Form wiederzugewinnen, mit anderen Worten um den Hansestädten im Bunde eine ebenbürtige Stellung neben den monarchischen Staaten zu sichern. Welche feindliche Ideen dabei zu bekämpfen waren, geht aus seiner im Jahre 1814 geschriebenen Broschüre: „Sind die Hansestädte revolutionair?“

am deutlichsten hervor; die Zeit war der Herstellung von Republiken nicht günstig, und es bedurfte aussergewöhnlicher Anstrengungen, um die drei Städte von dem monarchistischen Fanatismus jener Tage zu bewahren. Je weniger materielles Gewicht die moderne Hansa in die Schale der Entscheidung zu legen vermochte, um so bedeutsamer war es für sie einen Vorkämpfer zu finden, der es verstand, alle ideellen Hülfsquellen für den einen Punkt auf den es ankam nutzbar zu machen, der die feinsten Beziehungen der grösseren Staaten zu einander mit unfehlbarem Blicke zu erkennen und aus ihnen Argumente für seine Sache herzuleiten wusste; der den Hansestädten den Titel einer anderen Lebensberechtigung gab und diesen Titel Anderen verständlich machte, der endlich durch seine ausgezeichnete Persönlichkeit den Mächtigen die Anerkennung einer Gewalt abnöthigte, welche im diplomatischen Verkehr vielleicht die erste Bedingung des Erfolges ist. Um nur einen Beispiel zu erwähnen, wollen wir einen der vielen geringeren Erfolge Smidt's hervorheben. Die Franzosen hatten in Bremen zu Verwaltungszwecken ein Grundstück angekauft, das 40,000 Thaler werth sein mochte. Der russische General Tettenborn, welcher die französischen Truppen aus Bremen vertrieb, hatte auf dieses Eigenthum lüsterne Blicke geworfen und sich vorgenommen, dasselbe als Belohnung für seine [illegible] vom Kaiser Alexander zu erbitten. Smidt hörte in Paris von diesem Vorhaben in einer Gesellschaft sprechen. Sogleich fuhr er nach Hause, schrieb ein kurzes Memoire auf, in welchem er das Näherrecht Bremens an das [illegible] Besitzthum seiner [illegible] mit beredten Worten entwickelte, und eilte damit zum Freiherrn von Stein. „Excellenz können einer deutschen Stadt einen grossen Dienst erweisen; so und so stehen die Sachen, bringen sie dem russischen Kaiser diese Schrift, aber noch heute Abend, denn morgen früh hat Tettenborn Audienz." Stein that was man verlangte; Alexander las das Memoire, und als Tettenborn am nächsten Tage sollicitirte, hatte der Kaiser die Kriegsbeute bereits der Stadt Bremen zuerkannt, und der General sah sich lediglich auf die Dankbarkeit seines Monarchen angewiesen.

Wie die Restauration die Hansestädte zu ihrer Selbstän-

weitere Antheil, als denn namentlich Justiz- und Finanzsachen ihm fern lagen. An den Schul- und Kirchensachen dagegen war sein Interesse das lebendigste, und in letzterer Beziehung beschäftigte ihn namentlich der Gedanke, die strenge Lutherthum, welches noch nicht ganz seine der Stadt feindlichen erstickenden Traditionen überwunden hatte und noch immer eine Art Staat im Staate bildete, und das exclusive Reformirtenthum in eine höhere Einheit aufgehen zu lassen. Unter seinen Auspicien wurden lutherische Predigerstellen neben den reformirten an mehreren Pfarrkirchen errichtet, gleichsam als Gegengewicht gegen den Dom, wurden in Vegesack und im Dorfe Horn unirte Gemeinden begründet. Der Plan, die beiden getrennten Wesenheiten der beiden Confessionen zu verschmelzen, ward noch lange verfolgt, scheiterte aber theils an alten Vorurtheilen, theils an rechtlichen Bedenken.

Zu allen diesen kamen endlich wichtige politische Neuerungen.

Die neue Zeit hatte Bremen aus einem städtischen Reichsstande in einen staatlichen Staat verwandelt, der seine Stelle in der Reihe mächtigerer Gemeinwesen mit eigenen Kräften, ohne Rückhalt an den Traditionen und Rechtsverhältnissen des Reichs, zu behaupten hatte. Um das zu können, bedurfte es einer einheitlichen und consequenten Leitung, welche die alten Verfassungsformen wenn nicht unmöglich, doch sehr schwierig machten. Es war in Bremen wie in manchen feudalen Monarchien; wie dort die Krone, so war hier der Rath dem Namen nach nämlich alleiniger Inhaber der Gewalt, aber die Ausübung vertheilte sich über verschiedene untergeordnete Departements, die selbständig für sich wirthschafteten. Der Rath selbst war in vier Quartiere getheilt, von denen je eines immer ein halb Jahr zur Regierung gelangte, und nur geringe Geschäfte wurden von dem Plenum erledigt. Den vier Quartieren entsprachen die vier Kirchspiele der Bürgerschaft, welche abgesondert tagten und correspondirend stimmten. Die auswärtigen Angelegenheiten lagen vorzugsweise in den Händen der Syndici, Beamten des Rathes, welcher seinerseits sich wenig um die Externa kümmerte. Der Rath selbst befand sich, wie schon erachtet, sowohl zahlreich, da er sich immer selbst ergänzte, als auch gesellschaftlich zu einer bedenklichen Isolirung von der übrigen Bevölkerung.

Schon 1811 faßte man diese Uebelstände ernstlich ins Auge. Die Vereinigung der Kirchspiele zu einem einzigen Bürgerconvente ging von der Reformpartei der Bürgerschaft selbst, namentlich von den jungen Doctoren aus, und zog bald einen weiteren Fortschritt, die Ausdehnung des bisher von der Altstadt allein behaupteten Monopols politischer Berechtigung auf die Neustadt, nach sich. Rath und Bürgerschaft vereinigten sich 1816 über ein neues Wahlstatut für die Ergänzung des Raths. Letzterer gab die Cooptation auf, und die Bürgerschaft willigte dafür in eine Milderung der in zu naher Verwandtschaft begründeten Wahlverbote. Nur Blutsverwandtschaft ersten Grades schloss auch fortan unbedingt vom Rathe aus, Verschwägerung und Vetternschaft erschwerten die Wählbarkeit, machten sie aber nicht unmöglich. Schwieriger war es im Schoosse des Senats selbst die althergebrachte Zersplitterung der Regierungsgewalt zu beseitigen; Vieles liess sich nur durch allmähliche Gewöhnung, Weniges durch Decretiren erreichen. Inzwischen ward das Ziel, den Senat zu einer einheitlichen und wirksamen Regierungsgewalt zu machen, unverrückt im Auge behalten. Die Rathsversammlungen wurden das Organ für die Erledigung aller dem Rathe zustehenden Geschäfte; der „sitzende Rath" ward in ein nur aus den Juristen gebildetes „Obergericht" verwandelt; die auswärtigen Angelegenheiten machte man dem weiteren Kreise zugänglich durch Anordnung der sog. „Senatsversammlungen", zu denen jeder Rathsherr Zutritt hatte und wo die eingegangenen Schreiben verlesen und besprochen wurden. Smidt's erstes Präsidium ward durch eine Neuerung in der staatlichen Richtung bezeichnet: auf seinen Antrag, wenn auch nicht ohne lebhaften Widerspruch der älteren Elemente, entkleidete der Senat das Institut der Syndici seiner bisherigen Bedeutung und creirte an seine Stelle eine „Commission für die auswärtigen Angelegenheiten", deren Chef nun — unabhängig vom Wechsel des Präsidiums — Smidt ward und blieb, während die Syndici die Stelle von Rathsconsulenten und Secretären des Senats einnahmen. Auch äusserlich entkleidete man sich des reichsstädtischen Wesens. Der alte Ausdruck „Wir Bürgermeister und Rath“ machte dem modernen „Senat“ Platz, der Rangvorzug der Doctoren ward abgeschafft, die Titulaturen in öffentlichen Actenstücken, durch die man sonst mit scrupulöser Genauigkeit Bürger vornehmen und geringen Standes unterschied, machten einer allgemeinen titellosen Gleichheit Aller Platz. auch [illegible] sie noch [illegible] darauf geachtet, daß der Ehre und Würde des Staates nichts vergeben werde, der, wenn auch einer der kleinsten, doch in seiner Selbständigkeit ein ebenso hohes Ziel zu wahren hatte wie irgend ein anderer. War es doch keine willkürliche Laune, kein dynastischer Egoismus, weshalb er an diesem Ziele festhielt, sondern das Bewußtsein, einer in der Erfüllung einer würdigen nationalen Aufgabe zu bethätigen.

Was das Verhältniß zwischen Senat und Bürgerschaft anlangt, so kam man in jenen Tagen im Wesentlichen über den Boden des Herkommens nicht hinaus. In einzelnen Materien ward allerdings das Verfassungsrecht auch formell ausgebildet, namentlich in der wichtigsten, dem Finanzwesen, über welches die Bürgerschaft eine vollständige Controle gewann, so dass auch die Einkünfte des Raths in Staatseinnahmen verwandelt wurden und an ihre Stelle eine legislative Verabschiedung über die Gehalte der Rathsmitglieder trat. Aber die Arbeiten einer schon 1814 niedergesetzten Verfassungsdeputation gelangten im Ganzen nicht über das Stadium des Entwurfs hinaus, so dass zwar im Einzelnen ein Fortschritt in liberaler Richtung erkennbar war, eine eigentliche Verfassungsänderung aber unterblieb. Das Ergebniß erklärt sich theils aus allgemeinen Verhältnissen, theils aus persönlichen Einwirkungen.

Die allgemeinen Verhältnisse übten nicht jenen Zwang und Druck aus, ohne welchen — so scheint es — Verfassungsänderungen nun einmal schwer gelingen. Die öffentliche Meinung fiel bald nach der nationalen Erhebung in eine gewisse Gleichgültigkeit gegen politische Fragen, deren Lösung so manche Illusionen zerstört hatte, die zahlreichste Klasse der Bevölkerung hatte ohnehin wenig Empfänglichkeit für Interessen, die fast nur die literarisch Gebildeten, und auch diese zunächst-

lich gegen das, was ihm das Fundament der Republik war [illegible] Senat, nicht selten heftige Abwehrung der Ansprüche des Collegium Seniorum, wie seine Opposition gegen die der Julirevolution folgenden liberalen Tendenzen der Bürgerschaft sind auf diesen Gesichtspunkt zurückzuführen. Dass in einem Staate wie Bremen alle wichtigen Angelegenheiten auf die Dauer einer nicht allein formellen, sondern auch moralischen Uebereinstimmung zwischen dem Senate und dem wahren Kern der Bevölkerung zu ihrer gedeihlichen Erledigung bedürfen, diese so sehr auf der Hand liegende Thatsache ward von Smidt in vollem Umfange anerkannt; die Autorität des Senats war ihm im Wesentlichen nichts anderes als ein Ergebniss dieses geltenden Factums, welches gewissermassen das ungeschriebene Grundgesetz der Republik bildet. Allein die Beurtheilung der Lage, auf welcher jene moralische Uebereinstimmung zwischen dem Senate und der Bevölkerung — nicht etwa in jedem Augenblicke oder in jedem einzelnen Stadium eines Geschäftes, sondern im grossen Durchschnitte, in dem Hauptresultate, zu finden sei, — diese Beurtheilung nahm er ganz ausschliesslich für den Senat, ganz für sich selber in Anspruch. Den Senat, sich selber hielt er zu jenem Urtheile am fähigsten, am unabhängigsten von Nebenrücksichten und wechselnden Ingerenzen, und deshalb, in diesem Gefühle dem Staate am besten dienen zu können, wollte er anderen nichtberufenen Einflüssen allzuviel Geltung gewinnen lassen, ungern wenigstens ihnen die letzte Entscheidung einräumen. Es ist wahr, dass er, wie alle hervorragenden Menschen, gern persönlich regierte und die Zügel in der eigenen Hand hatte, allein man kann nicht sagen, dass er das Vielregieren liebte. Er wollte nur da regieren, wo Regieren im öffentlichen Interesse ihm erforderlich schien, Dinge die sich selbständig entwickeln konnten, überliess er ohne Selbstüberwindung ihrem eigenen Gange. Handel und Gewerbe haben sich nie über seine Bevormundungssucht zu beschweren gehabt. Sachen, welche er nicht genau verstand, suchte er nie seiner Leitung zu unterwerfen, oder wenn es einmal doch geschah, so war es immer irgend ein höheres Interesse, um dessen willen er sich auf fremdes Gebiet wagte.

Nicht mit Unrecht ist gegen Smidt häufig der Vorwurf

erhoben worden, dass er die politische Form zu gering achte. Es ist dieses ein Tadel, welchen fast alle bahnbrechenden und schöpferischen Staatsmänner ausgesetzt gewesen sind. Es ist ein Tadel, — denn auch die Form hat ihr Recht, und kein Recht sollte je verletzt werden. Es ist in menschlichen Dingen oft ebenso wichtig wie etwas zu Stande kommt als was zu Stande kommt. Mit dem Wie nahm es nun Bismarck allerdings niemals in der Weise zu leicht, dass er sich über die Schranken des allgemeinen Sittengesetzes erhaben gefühlt hätte; er war, wenn auch vorsichtig, verschwiegen, berechnend, doch frei von allen den kleinen und grossen Schlichen, die man sich gewöhnlich als unzertrennlich von diplomatischem Talente denkt. Er machte aus seinen politischen und religiösen Ansichten nie ein Hehl und er ging, um sie zu vertreten, eher zu gerade und rücksichtslos als zu vorsichtig zu Werke. Am liebsten schritt er rasch und entschlossen auf das Ziel los, welches er erreichen wollte; ja es war eine seiner Eigenthümlichkeiten, dass er oft das Ziel schon in prägnanter Formulierung hingestellt hatte, ehe der dahin führende Weg ihm klar geworden war. Dies musste geschehen, [illegible] das Wie ergab sich stets auf die eine oder die andere Weise und immer unter der Anschauung, dass das Ziel die Hauptsache sei. Wurden dagegen formelle Bedenken erhoben, zeigten sich Schwierigkeiten von ganz äusserlicher Natur, so brach die Ungeduld aus über Schranken, welche Anspruch darauf machen wollten einer bedeutenden Subjectivität, einem [illegible] und Intelligenz sich hemmende [illegible] anzulegen. In dieser aufgeregten, aber freilich durch innerste Motive gerechtfertigten [illegible] hasste er die Kleinigkeiten, welche constitutionelle Formen seinem Wirken zu bereiten drohten, suchte er die Grenzen der staatlichen Competenzen enge zu halten, eiferte er gegen das „doctrinäre" Hervorheben des formalen Rechts, und gerieth er in Aufregung über unbequeme Oppositionen, mochten sie nun von berufenen Organen oder von der Presse ausgehen. Er war, was eigentlich die Presse angeht, nichts weniger als ein Verächter des von ihr geübten Einflusses auf die öffentliche Meinung, aber er empfand jede Störung, welche sie seinen Schritten bereitete, mit lebhafter Gereiztheit. Dem

Versuche, der bremischen Presse durch die Begründung der „Weser-Zeitung" einen höheren Aufschwung und den [illegible] Ideen mehr [illegible] in Deutschland zu schaffen, widmete er seine volle Theilnahme, aber er konnte es wohl verwinden, dass diese vaterstädtische Presse in der deutschen Politik selbständige und von seinen Ansichten abweichende Bahnen verfolgte. Sein freundschaftliches Verhältniss zu dem ausgezeichneten, nur zu früh durch den Tod entrissenen Begründer jenes Blattes, Dr. [illegible] [illegible], [illegible] zu einer [illegible], welche im Jahre 1848 Beider Auffassung [illegible] der [illegible] der deutschen [illegible] [illegible]. Eben weil er die Macht des Wortes hoch anschlug, hätte er gern diese Waffe seinen Ideen dienstbar gemacht, was freilich eine Unmöglichkeit war, da nur das unabhängige Wort mächtig ist.

Ebenso wie der Presse verhielt er sich gegenüber den allgemeinen freiheitlichen Tendenzen unserer Zeit. Wo sie nicht mit seiner persönlichen Wirksamkeit in Conflict geriethen, würdigte er sie mit der Unbefangenheit eines von wahrer Menschenliebe beseelten und eines gebildeten Staatsmannes. Ohne unbedingt das Programm der liberalen Schule zu adoptiren, gehörten doch seine Sympathien entschieden demjenigen an, was wir [illegible] [illegible] als den dauernden und edlen Kern des Liberalismus bezeichnen dürfen. Durch und durch bürgerlich, im besten Sinne des Worts, schenkte er die wärmste Theilnahme allen denjenigen Bestrebungen, welche in verständiger Weise der grossen leitenden Idee unseres Zeitalters, dem Aufbau des Staates der Wohlfahrt Aller, gewidmet sind, sah er mit Sorge und Bangen den dieser Idee feindlichen Zeitströmungen zu.

Aber es war, als ob innerhalb der engen Grenzen seiner Vaterstadt der Umfang seiner eigenen persönlichen Bedeutung ihn hinderte, das Ringen nach Selbständigkeit und Einfluss, welches auch dort naturgemäss sich immer weitere Kreise [illegible] musste, gehörig ins Auge zu fassen. Wie im 3., so im 4. Decennium des Jahrhunderts, nach der Julirevolution, ging seine Bemühung mehr darauf hin, jenes Streben fruchtlos als es fruchtbar zu machen. Es ist bekannt, wie zu den dreißiger Jahren, unter dem Eindruck der Pariser Ereignisse, in Bremen die Verfassungsreform von neuem angeregt und wie sie alsbald, unter Smidt's Einfluss, durch die Auferlegung einer beschränkenden Verschwiegenheit, zur Resultatlosigkeit verdammt wurde. Heutzutage sind wir im Stande, die Motive dieses conservativen Manövers ohne [illegible] zu beurtheilen, aber dass dasselbe damals viele Gemüther erbitterte, können wir auch jetzt nur natürlich finden, wenngleich die Sache selbst mit Beachtung aller loyalen Formen betrieben ward. Manche Frucht, welche 1848 [illegible], hat damals zuerst gekeimt.

Die Gründung Bremerhavens, eines von den unvergänglichen Glanzpunkten in Smidt's Leben, ist so allgemein in ihren wohlthätigen Folgen anerkannt worden, dass wir ihr hier keine ausführliche Darstellung zu widmen brauchen. Mit diesem Werke begann eine neue Ära, nicht allein für Bremen, sondern für den Handel und die Schifffahrt der ganzen Weser, deren Früchte die anderen Uferstaaten der Weser mit uns theilen und in noch reicherem Maße theilen werden, je mehr die durch den Staatsvertrag vom 11. Januar 1827 ausgesprochene Idee, dass das Handelsgebiet der Weser einen untrennbaren Organismus bildet, jenes Vermächtniss der hannoverschen und bremischen Staatsmänner von 1827, Geltung und praktische Verwirklichung findet.

Im Jahre 1817 beschränkte der Seehandel Bremens sich auf die europäischen Gewässer und auf die Vereinigten Staaten und Westindien; in ganz Amerika hatten wir nur einen Consul, in der Stadt Newyork. Seit jenen Tagen hat sich, gefördert von einer klugen Staatspolitik, der Handel der Stadt, der Ausdehnung nach, über den ganzen Erdball verbreitet, der Bedeutung nach vervierfacht. Vor 40 Jahren waren Unternehmungen nach und von Amerika fast das Monopol einzelner grosser Häuser; jetzt sind sie alltäglich, [illegible] Indien, China, Australien, Südamerika, die Staaten der Westküste sind in das Gebiet unseres regelmässigen Verkehrs hineingezogen, das Bedürfniss hat uns in den Vereinigten Staaten allein sechs Consulate geschaffen, [illegible] wir 1817 in der ganzen Welt hatten. Vor 40 Jahren be-

[illegible] die Bremer [illegible] Schiffe von mehr als 300 Last, welche kühne Rheder zu bauen gewagt hätten. Am Todestage Smidt's lagen drei transatlantische Dampfschiffe nebeneinander auf der Rhede von Bremerhaven.

Welchen Antheil hat die Politik an diesem Aufschwung? Den, daß sie dem Fortschritte der Privatunternehmung immer um etwas voraus war. Sie schloß, der Zukunft vertrauend, seit 1817 eine Reihe von Handelsverträgen mit fast allen seefahrenden Nationen, in denen die Bremer Flagge Gleichberechtigung mit den meistbegünstigten gewann und in denen der Solidarität des hanseatischen und des deutschen Handels durchgängig vollständige Anerkennung gesichert ward. Solche Verträge kamen zu Stande mit den Niederlanden, mit Norwegen, mit den Vereinigten Staaten, mit Großbritannien, mit Brasilien, mit Mexico u. s. w., und gleichzeitig ward durch Abschaffung des Elsflether Zolls, durch Abschluss der Weserschifffahrtsakte, durch die Beseitigung mittelalterlicher Stapelrechte und Handelsabgaben in Bremen selbst, namentlich aber durch Bremerhavens Gründung die Weser zu einer dem Welthandel würdigen Verkehrsstraße umgeschaffen.

Mitten in diesen Erfolgen drohte dem bremischen Handel eine ernste Gefahr aus dem Innern des Vaterlandes her. Preußen hatte im Jahre 1828 einen Zollvereinsvertrag mit dem Großherzogthum Hessen geschlossen, und ging darauf aus den Handelsweg von Bremen nach dem Süden Deutschlands durch ein quer durchstreichendes Mautgebiet abzuschneiden. Um diesen Schlag abzuwenden, war Smidt bemüht die übrigen, zwischen Rheinland und den östlichen Provinzen Preußens liegenden und einige andere kleinere Staaten zu einer [illegible] zu vereinigen, welche [illegible] den freien Waarendurchzug verbürge. In den Jahren 1828 und 1829 ward in Kassel eifrig verhandelt und dann der sogenannte „mitteldeutsche Verein", abgeschlossen, welchem Bremen beitrat. Diese Schöpfung ging allerdings nach kurzer Zeit in dem preußischen Zollverein auf, aber der letztere mußte doch, um die mitteldeutschen Staaten zu gewinnen, seine für den bremischen Waarenzug gefährlichen Abschließungstendenzen aufgeben. Die Freiheit des Binnenverkehrs war wenigstens gesichert worden. Der „mitteldeutsche Verein“ hat manche bittere Kritik über sich ergehen lassen müssen, man hat ihn als ein Werk des eifersüchtigen Particularismus brandmarken wollen, aber diejenigen, welche so hart urtheilen, vergessen, dass dieses Werk ein Akt der Nothwehr gegen einen anderen Particularismus war, welchen heutzutage wohl kaum der eifrigste Anhänger des Zollvereins mehr zu vertheidigen wagen würde. Für Smidt persönlich hatten diese Verhandlungen die Folge einer originellen Ehrenauszeichnung. Wie Blücher von der Hochschule Oxford, so ward er von der Universität Jena honoris causa zum Doctor der Rechte erhoben, und in dem Diplom auf seine Verdienste um das moderne Staatsrecht hingewiesen, welche er bei Gelegenheit der Eisenacher Verhandlungen sich durch eine scharfsinnige und glänzende Entwicklung der rechtlichen Natur der Flussstrassen erworben habe. Es war dies ein artiger Ersatz für die sonst bei Vertragsabschlüssen üblichen Ordensverleihungen, die dem bremischen Bürgermeister gegenüber unmöglich waren.

Die Bedeutung des Zollvereins trat inzwischen mit jedem Jahre den Hansestädten näher. Eine gefährliche Agitation, welche von den nach Schutzzöllen strebenden industriellen Kreisen namentlich Süddeutschlands ausging, drohte den Verein in eine [illegible] Politik der Feindschaft hineinzudrängen und die Häfen Hollands, Belgiens und Frankreichs mit ungerechten Bevorzugungen auszustatten. Die Schriftsteller und die Journale der Schutzzöllner schleuderten die ungerechtesten Anschuldigungen gegen Hamburg und Bremen, welche als „Factoreien Englands“, als „[illegible]“, als „Räuber des nationalen Gutes“ verschrieen wurden. Man verlangte schliesslich dass die Städte, obwohl dies geographisch unmöglich war, dem Zollverein einverleibt und der sogenannten „nationalen“, d. h. der schutzzöllnerischen Handelspolitik dienstbar gemacht würden. Obwohl ein unmittelbarer Erfolg dieser Bestrebungen nicht zu besorgen stand, so lange Hannover dem Zollverein fremd blieb, so liess sich doch nicht verkennen, dass die öffentliche Meinung im Binnenlande in jenem feindseligen Sinne täglich mehr bearbeitet ward, und es musste sich an diese Beobachtung die Sorge knüpfen, es werde eine dauernde Feindschaft gegen die

Staats erwuchsen sind, wenn einmal früher oder später Hannover zu dem Zollverein eintrete, immer das hanseatische Element der freien Verkehrsbewegung in rücksichtslosem und unverständigem Eifer zu vernichten suchen.

Bremen und Hamburg verhielten sich dieser Gefahr gegenüber sehr verschieden. In Hamburg glaubte man, gestützt auf sein gutes Gewissen und auf seine bessere Einsicht die ganze Bewegung ignoriren zu dürfen, und liess sich nur gelegentlich herbei die Argumente der Gegner durch eine scharfe Polemik ad absurdum zu führen. Leider ward die Hamburger Polemik im Inlande wenig gelesen und die „nationalen" Schreier behielten bei ihrem Publikum immer Recht. In Bremen versuchte man einen Compromiss mit den Nationalen anzubahnen, indem man die Anschlussfrage als zur Zeit praktisch gleichgültig auf sich beruhen liess, und dafür die Idee anregte einen Handels- und Schifffahrtsbund aller deutschen Staaten zu gründen, welcher gemeinsame Handelsverträge abschliessen, Consuln anstellen und namentlich feindliche Tarife durch gemeinsame Vergeltungsmassregeln bekämpfen sollte. Diese Idee, aus einem Kreise von geistvollen kaufmännischen Freunden Smidt's hervorgegangen, ward von letzterem begierig aufgenommen, in mehreren Promemorien den deutschen Regierungen vorgelegt, in anderen Kreisen durch die im Jahre 1844 begründete „Weser-Zeitung" mit glänzendem Talente, nicht bloss erfolgreich, sondern täglich, vertreten. Gegenwärtig gehört sie der Vergangenheit und der Geschichte an, und sie muss mit geschichtlichem, nicht mit nationalökonomischem Masse gemessen werden. Den Cardinalpunkt des Gedankens, die Anwendung des zweischneidigen Schwerts der Differenzialzölle, würde heute kein aufgeklärter Staatsmann mehr adoptiren wollen, aber der Historiker wird in Rechnung ziehen, dass zwischen damals und heute eine ungemessene Kluft praktischer und theoretischer Entwicklung auf dem handelspolitischen Gebiete liegt. Der Handels- und Schifffahrtsbund der vierziger Jahre war, wie sehr man auch seine Principien bedenklich finden mochte, ein Mittel der Verständigung zwischen den hanseatischen Interessen und dem antihanseatischen Fanatismus. Und als solches, als ein politisches Expediens fasste Smidt ihn vornehmlich auf. Die Erörterung des Projectes schuf eine

Oppositionsblätter erwarben ihm Gegner, gewann Sympathien, machte die öffentliche Meinung empfänglich für eine Widerlegung der erwähnten Verleumdungen ungerechter Zahlen. Dem eigentlichen principiellen Kampfe blieb er fremd. Eine wissenschaftliche Ergründung der ökonomischen Gesetze fehlte ihm, wie er häufig mit lebhaftem Bedauern eingestand; die Morgenröthe der wirthschaftlichen Aufklärung in Deutschland fiel in eine Zeit, in welcher er ein hochbetagter Greis war. Er hielt sich an die politische Seite der Sache, an die Aussicht welche sie ihm bot, für das deutsche und das hanseatische Interesse den praktischen Einigungspunkt wiederzufinden. Der hanseatische Handel war auch ohne künstliche Stützen gross und blühend geworden, aber vielleicht konnten solche Stützen eine Waffe gegen den blinden Hass eines vaterländischen Feindes werden.

Und in der That hat die bremische Politik jener Jahre, ohne dass aus ihrem Programm etwas geworden ist, die wohlthätigsten Früchte getragen. In der öffentlichen Meinung Deutschlands ist ein bedeutsamer Umschwung eingetreten, Regierungen und Bevölkerungen sehen in den Hansestädten die natürlichen Träger des deutschen Seehandels, und die Ansicht, dass die Städte nur mit Deutschland blühen und gedeihen können, hat einen weiten Boden gewonnen. Dieser Grundgedanke der ganzen Smidt'schen Politik ist dann während jenes günstigen Meinungsumschwungs von jüngeren Kräften vielfach neu befruchtet worden und hat der jüngsten Vergangenheit Bremens eine Regsamkeit und eine Entwicklung schlummernder Kräfte möglich gemacht, die wir 1844 kaum hoffen durften. Die Dampfschiffverbindung mit Newyork ist eine Frucht jener Wiedereroberung der Sympathien Deutschlands, die Ausbildung unseres Eisenbahnverkehrs stützt sich wesentlich auf die Einsicht der Staatsbehörden im Binnenlande, unser freundnachbarliches Verhältniss zum Zollverein wäre nicht denkbar, ohne die in den früheren Jahren gewonnenen moralischen Erfolge, die Schöpfung unserer Bank, des „Norddeutschen Lloyd" und der neuen transatlantischen Dampfschifflinien sind Beweise des Vertrauens gewesen, welches man auswärts in unsere Lebensfähigkeit hat. Vielleicht kann man die Bedeutung eines Mannes wie Smidt sich nicht anschaulicher vergegenwärtigen, als indem man

3*

nach der Reihe alle erheblicheren commerciellen und industriellen, alle grösseren Staats- und Privatanlagen der letzten dreissig Jahre durchmustert und davon diejenigen streicht, welche ohne die Voraussetzung seiner Wirksamkeit möglich und denkbar waren, es würden wenig übrig bleiben.

Während seiner letzten zehn Lebensjahre zog Smidt sich mehr und mehr von der unmittelbaren Führung der Geschäfte zurück. Die wichtigsten Verhandlungen mit Auswärtigen, wie namentlich mit Hannover und Oldenburg, über Eisenbahn-, Telegraphen-, Hafenanlagen, wie die mit dem Zollverein, blieben anderen Händen überlassen. Inzwischen hielt er immer noch mit ungeschwächter Energie den Faden fest, welcher solche Verhandlungen mit der leitenden Idee seiner fünfzigjährigen Politik verknüpfte. Gemeinsam mit dem übrigen Deutschland, gemeinsam namentlich mit den beiden Nachbarländern dem Welthandel eine Stätte an der Weser zu schaffen und zu erhalten, und um zu diesem Resultate zu gelangen, den Mittelpunkt dieses Weserhandels in staatlicher Selbständigkeit, in commercieller Bewegungsfähigkeit sicher zu stellen. Für dieses Ziel zu wirken, ward er auch im spätesten Alter keinen Augenblick müde. Trotz seiner achtzig Jahre führte er ihm zur Liebe eine fast alle deutsche Staaten umfassende Correspondenz, erörterte er mit jugendlicher Frische jede neu auftauchende politische Constellation in der Nähe und in der Ferne. Auf diesem Felde zeigte sich keine Abnahme der geistigen Kraft; die Schärfe des Blickes, mit welcher er die leisesten Züge der grossen Politik von seinem bürgerlichen Sopha aus ergründete, wusste immer von neuem überraschen, wenn etwa sinnende Beobachtungen die Sorge erwecken wollten, dass der Einfluss der Jahre doch auch die elastischen Federn dieses Geistes zu lähmen anfange.

Mit dieser ungeminderten inneren Kraft erlebte und be[illegible] er die beiden Hauptereignisse seiner letzten Decennien, die Revolution von 1848 und den orientalischen Krieg. Die erstere fasste er von vorn herein wesentlich als einen Ausbruch irrationaler Naturkräfte auf, dem gegenüber man sich zu verhalten habe, wie der Schiffer im Sturme. Die demokratische Strömung werde vorüberbrausen, davon hielt er sich überzeugt, seine Sorge war nur dass für eine Periode folgen werde wie 1803, eine Zeit der Mediatisirungen, in welcher die Kleinen die Zeche zu zahlen haben würden, nicht etwa zu Gunsten eines einigen Deutschland — denn diesen Traum träumte er auch nicht einen Augenblick mit — sondern zum Vortheil der mittelgrossen Staaten, welche weder ein mächtiges Nationalgefühl ersetzen, noch auch die Vorzüge der kleinen Staaten aufweisen konnten. Gleich nach Ausbruch der Revolution eilte er nach Frankfurt in das Hauptquartier der Gefahr, wo freilich der Lärm der Ereignisse ihn [illegible] zu Worte zu kommen nicht gestattete, wo er aber desto schärfer den Gang der Stürmer beobachtete und durch stille Thätigkeit dem Ziele vorarbeitete, das aus den ablenkenden Gewässern alsbald wieder auftauchen musste, dem Ziele, aus der Sündfluth die Selbständigkeit der Hansestädte zu retten. Mit Erfolg bewährte sich hier wieder seine alte Politik, mit anzugreifen, um nicht unter die Räder zu kommen, die gegebenen Dinge mitzumachen, um nicht als Versicherungsprämie verwandt zu werden. Die Hansestädte mussten sich ohne Zaudern jeder, noch so precären Organisation anschliessen, welche sich aus dem Chaos tastend emporarbeitete, — dem Dreikönigsbündniss, der Union, dem Fürstentage, den Dresdener Conferenzen, dem neuen Bundestage. In dem Gange der Ereignisse lag dann die unabweisbare Nothwendigkeit, das innere Verfassungsleben der Städte, wo möglich durch ihre freie Entschliessung, in Einklang mit der allgemeinen Weltlage zu setzen. Es war unter den obwaltenden Umständen ungemein gefahrvoll diese erforderliche Reform einem unmittelbaren auswärtigen Eingriffe anzuvertrauen, und es geschah deshalb Alles, um die Sache im Schoosse der Familie zu ordnen. Bekanntlich gelang dies nicht, und Bremen, welches inzwischen eine sehr unangenehme Berühmtheit in staatspolitischer Hinsicht gewonnen hatte, sah sich gleichzeitig einer directen Intervention des Bundestages gegenüber. Was eine solche unter Umständen bedeuten konnte, hatten Hessen und Holstein gezeigt, und niemand vermochte zu berechnen, wohin sie, einmal ins Leben getreten, führen konnte. Wenn gleichwohl die kritische Verwicklung einen so harmlosen Verlauf nahm, wenn die Intervention fast nur theoretisch existirte und die Selbständigkeit

Bremens ohne Wunden blieb, so ist dieses Resultat vornehmlich dem persönlichen Einflusse, der Klugheit und dem Eifer Smidt's zu verdanken.

Während des orientalischen Krieges war es weniger Bremens als der deutschen Bundes Zukunft, was seine Aufmerksamkeit in Anspruch nahm. Sein heissester Wunsch war dass es gelingen möge den Bund zu einer einheitlichen, unabhängigen und aktiven Politik aufzuraffen. Der Augenblick schien ihm wie vom Himmel gesandt, um Deutschland in Europa wieder zu Ansehen und zur Geltung zu bringen, die Niederlagen der letzten Jahre wieder gut zu machen, die tiefen Schäden zu heilen welche der Mangel an Einigkeit und der Energie unserem Volke geschlagen hat. Er sollte noch den Schmerz erleben diesen Augenblick unbenutzt vorübergehen zu sehen und ohne Beruhigung in die Zukunft des Bundes blicken zu müssen, an dessen Wiege er gestanden hatte.

Johann Smidt

als Student, Candidat der Theologie, Prediger und Professor der Philosophie. 1792–1800 *)

von [illegible] Hugo Meyer.

Johann Smidt bezog als neunzehnjähriger Jüngling zu Ostern 1792 die Universität Jena, um dort Theologie zu studiren.

Hinter ihm lag die stille Abgeschlossenheit seines Elternhauses, in welchem ein sorgsamer Vater waltete, der ihn, den einzigen Sohn, nur als Greis [illegible]. Lange Jahre Prediger in einem holländischen [illegible], durch manche trübe Erfahrungen hindurchgegangen, hatte dieser sich nicht mehr völlig in die deutsche [illegible] eingewöhnen können, auch hielt er der Stephanigemeinde nur ein kleines Publikum zu seiner streng reformirten Lehre. Das Herz seines Sohnes ganz zu gewinnen hatte er nicht verstanden, wie auch die früh kränkelnde Mutter dem Geiste desselben wenig Anregung bot. Dagegen musste dem jungen Studenten der Abschied von seiner einzigen Schwester um so schwerer fallen, als dieses lebhafte Mädchen mit dem Bruder alle harmlosen Freuden des stillen Pfarrhauses getheilt und mit ihm in vollen Zügen die freiere Sommerlust auf dem elterlichen Landgute vor [illegible] genossen hatte. Im obstreichen Garten, auf weiten [illegible] Weiden,

*) Diese Darstellung beruht hauptsächlich auf handschriftlichem Material, das mir die Güte des Herrn Senator J. G. W. Smidt, des Enkels des Verewigten, [illegible] zur Verfügung gestellt hat.

am breiten Lesumstrome, den auf dem anderen Ufer anmuthige Höhen begrenzen, war früh ein inniges Naturgefühl in ihm erwacht.

Die höheren Schulen seiner Vaterstadt, das Pädagogium und das Gymnasium illustre, eine Zwischenanstalt zwischen Gelehrtenschule und Universität, hatte Smidt rasch durchlaufen, so dass er schon seit dem Herbste 1791 als Studiosus der Theologie gelegentlich an Stelle seines Vaters und anderer Pastoren predigte. Von der trockenen Theologie seines Vaters abgestossen, neigte er sich eine Zeit lang, vielleicht in Folge des Lavaterschen Besuches, der in Bremen 1786 so viel Entzücken und zugleich so viel Aergerniss erregte, einer krankhaften Mystik zu, worauf er später als eine Verirrung zurückblickte. Dann aber zog ihn der Prediger an Martini Stolz an, der gerade um diese Zeit freisinnigere Anschauungen mehr und mehr in sich aufnahm. Andere geistige Nahrung, die Smidt als Knabe in Robinson, Gulliver und Hagedorn gefunden hatte, suchte er als Jüngling besonders in geschichtlichen Darstellungen, und wahrscheinlich haben auch Herders Ideen zu einer Philosophie der Geschichte sich schon damals seiner bemächtigt. Obgleich man das nördliche Deutschland überhaupt an der alten bürgerlichen Ueberlieferung länger fest hielt als das übrige und sonach Bremen ausserhalb der Bewegung der grossen neuen Litteratur lag, so werden doch manche Klänge aus dieser Sturm und Drang sich auch in das stille Pfarrhaus gestohlen haben, Goethe, Schiller und selbst Kant waren dem Jünglinge auch schon in Bremen wohl nicht ganz fremd geblieben.

Unmittelbarer berührten ihn damals Neuerungen ganz anderer Art. Nach dem Unabhängigkeitskampfe der Vereinigten Staaten und während des Seekrieges zwischen Frankreich, Spanien, Holland und dem britischen Reiche wagten die Bremer ihre ersten grossen transatlantischen Fahrten nach den beiden Indien und Nordamerika. Wenn der Bremer Junge gewiss nicht ohne Mitgefühl von den unglücklichen verkauften Hessen und Waldeckern gehört hatte, die 1776 durch Bremen nach Amerika zogen und 1783 und 1784, so viel ihrer noch übrig waren, über Bremen heimkehrten, wenn ihm der frem-

Aufschwung der Anerkennung das jugendliche Herz erhoben, wenn ihm die Tapferkeit Elliots, des Vertheidigers von Gibraltar, der für einen Deutschen gehalten wurde und damals in ganz Deutschland Begeisterung hervorrief, zuerst entzückte, wie mag er da erst aufgehorcht haben, als der Hamburger Correspondent vom 20. Juli 1789 die ersten ausführlichen Berichte über die Zerstörung der Bastille nach Bremen brachte.

Mitten in einer gewaltigen geistigen und politischen Umwälzung bezog Smidt die Universität.

Jena hat unseren Smidt drei volle Jahre festgehalten, doch wird diese Zeit durch den Winter 1793/94, den er zur Erholung in Bremen zubrachte, in zwei gleiche Abschnitte zerlegt, die einen wesentlich verschiedenen Charakter tragen.

Smidts erster Aufenthalt in Jena vom October 1792 bis zum Herbst 1793.

Jena war damals unstreitig die bedeutendste deutsche Universität, der grosse Mittelpunkt der geistigen Bewegung. Hier lehrten Schiller, Paulus und vor Allen Kants Jünger Reinhold, hier sprach Goethe oft vor. Eine neue Welt that sich hier dem jungen Theologen auf. Tausend Studenten wogten hier auf den Strassen statt des Dutzends, welches damals das heruntergekommene bremische Gymnasium besuchte. Darunter waren viele Kraftmenschen, Renommisten in Zachariäs Genre, die den zartgebauten wohlerzogenen Pfarrerssohn einschüchterten, dessen Commerse und Landesväter er für Plattheiten hielt. Aber andererseits sah man auch oft nach Beendigung einer anregenden Vorlesung die Zuhörer sich haufenweise auf der Strasse gruppiren, um sich über das Vernommene lebhaft zu unterhalten, man nahm keinen Anstand, auch einen Unbekannten, dessen besondere Aufmerksamkeit man im Colleg bemerkt hatte, auf einem Spaziergange anzureden und im Tone der Kommilitonen mit ihm zu verhandeln. Jedoch scheint sich Smidts Umgang damals auf einige mitstrebende Landsleute beschränkt zu haben, den grössten Theil seiner Zeit widmete er aber, von heissestem Wissensdrange erfüllt, dem Studium. Denn ein gewaltiger Geist hatte sich in Jena zum [illegible] gemacht, der Weise von Königsberg, Kant. Es war der grosse

Wegweiser Aller, das nicht, wie Göthe, aus eigener Kraft sich von einem Ufer zum andern hinüberzuretten vermochte, und er schlug ihnen eine Brücke von der alten Verstandesaufklärung hinüber zu einer neuen Bildung, die alle Kräfte des Menschen durchdringen und aus dem angeborenen Genie des Denkens hervorwachsen sollte. Kant, der Brahmane, reichte nicht aus, wie die Kleinen meinten, viele Nährbrot in Nahrung, ihn gingen auch Wenige am Rande der Geister um Almosen an. Auf alle Gebiete der Wissenschaft erstreckte sich sein mächtiger Einfluss, nachdem Reinhold in Jena die bisher unverstandenen Mysterien von Kants Kritik der reinen Vernunft ausgelegt hatte. Durch ihn liess sich nun auch Snell einweihen, er hörte bei ihm Logik, Metaphysik und Geschichte der Philosophie. Hier legte er den Grund zu seiner philosophischen Anschauung der Dinge und zu seiner ihm stets gebliebenen Neigung, jeden Gegenstand philosophisch zu zergliedern und dessen tiefere Bedeutung zu erklären. Auch muss Snell Reinhold persönlich nahe getreten sein, denn er erhielt von diesem den Rath, doch ja seine Gesundheit zu schonen und lieber auf ein Semester sein Studium zu unterbrechen.

Ueber der Philosophie vergass Snell die Theologie nicht. Der milde Griesbach, der Schöpfer der neutestamentlichen Kritik, führte ihn in das neue Testament und in die Kirchengeschichte ein. Weit tiefer wirkte Paulus auf ihn, bei dem er in den Jahren 1792 und 1793 den Jesaias, die Psalmen, neutestamentliche Exegese und Dogmengeschichte, 1794 und 1795 die Einleitung ins neue Testament, Dogmatik und christliche Moral hörte. Auch Paulus musste sich dem Einflusse der Kantischen Philosophie unterwerfen, deren Sprachgebrauch man sogar in seinen Collegien über orientalische Mundarten verlangte. Die natürliche Wundererklärung, für die Paulus eine förmliche Methode erfand, seine rationalistische Auslegung der Weissagungen der alten Propheten, seine Auffassung Jesu als eines Lehrergenies, endlich die acht Kantische Behandlung der Dogmatik als einer blossen Hülfswissenschaft der Moral, alle diese Anschauungen des grossen Vaters des Rationalismus prägen sich auch in seines Schülers, unseres Snell, frühesten Arbeiten aus und haben denselben noch im hohen Alter nicht verlieren, als dieser Rationalismus einerseits durch Schleiermachers, andrerseits durch Strauss' und Baurs tiefere Auffassung längst überwunden war. Paulus war es damals vor Allen, der ihm alle seine bisherigen Vorstellungen auf den Kopf stellte, wie sich Smidt einmal gegen Stolz nach seiner ersten Rückkehr von Jena ausdrückte.

Smidts Freude an der Literatur bethätigte sich in dem Besuch der Vorlesungen, die Schiller über Literaturgeschichte, Cicero, Plato's, Phaedon und die Odyssee hielt, und im Winter 1792/93 gehörte Smidt zu den 24 Zuhörern eines Privatissimum, das Schiller für Aesthetik angesetzt hatte. Es war das letzte Colleg des kränkelnden Dichters, das ihm aber viel Freude machte, weil er im Verlaufe desselben tiefer und tiefer in Kants Kritik der Urteilskraft eindrang und mit der Beschaffenheit seiner Zuhörer, wie er in einem Briefe an Körner vom 6. November 1792 äusserte, sehr wohl zufrieden war. Aus diesen aesthetischen Untersuchungen der kantischen Begriffe von Stoff und Form, die man damals überall auf den Strassen Jena's erschallen hörte, entwickelten sich später die schillerschen Begriffe des Stofftriebes, der Sinnlichkeit, und des Formtriebes, der Vernunft, aus deren Vereinigung dann wieder der Spieltrieb entstand. Wir erwähnen diese wunderbaren Ausdrücke nur, weil auch Smidt sich ihrer wohl später bedient hat, wie er z. B. dem Biographen Herbarts, dem Professor Hartenstein, schrieb: Es gebrach Herbart an allem Spieltriebe und damit an einer hinreichend freien Beweglichkeit auf den Wellenlinien des idealen und practischen Lebens.

So drang Smidt in diesen anderthalb Jahren in verschiedene Gebiete der Wissenschaft ein, vermied alle theologische Einseitigkeit, liess sogar durch Paulus und Reinhold seine früheren theologischen Anschauungen bis auf den Grund erschüttern. Es mag sein, dass sich unter solchen Umständen schon damals sein späterer Bruch mit der Theologie leise vorbereitete. Auch andere Erfahrungen blieben ihm nicht erspart. Der Tod einiger von seinen dortigen wenigen Freunden vereinsamte ihn, ein übermässiger Arbeitseifer hatte seine zarte Gesundheit angegriffen, die Hinfälligkeit des mehr als achtzigjährigen Vaters und der Wechsel des Schicksals seiner geliebten Schwester, die sich inzwischen verheirathet hatte, Alles das wirkte zur Rückkehr und zu einem längeren Aufenthalte in der Heimath. So kam es, dass er sein Studium unterbrach und den Winter 1793/94 in Bremen verlebte. Doch war auch diese Zeit nicht ohne Arbeit und ohne Frucht, denn schon am 7 April 1794 bestand er sein theologisches Examen, bei dem er [illegible] Kenntnisse und viel Gewandtheit des Geistes zeigte. Freilich erwartete er am Schlusse des Urtheilsspruches der Prüfungscommission einen Tadel ob seiner allzu freien Denkart, doch gab man ihm ebenso zu seiner Ueberraschung statt dessen den väterlichen Rath, sich ja vor Ueberarbeitung zu hüten. Dies hielt Smidt jedoch nicht ab, im Frühjahr 1794 in seinem geliebten Jena einen zweiten Aufenthalt zu nehmen, der nun in noch höherem Grade als der erste seine Geisteskräfte entwickeln und anspannen sollte.

Smidts zweiter Aufenthalt in Jena vom October 1794 bis zum Herbst 1795.

Smidt setzte zwar in Jena unter Paulus seine theologischen Studien fort, aber ein denkwürdiger Wandel, der sich damals auf dieser Universität vollzog, riss auch unseren Studenten und ihn mehr, als die meisten seiner Genossen, in neue heftigere Geistesbewegungen hinein. Im Frühjahr 1794 nämlich trat als neuer Professor der Philosophie vor die erwartungsvolle Jugend auf, J. G. Fichte. Die Stelle des nach Kiel berufenen ruhigen, milden Kantianers Reinhold nahm ein anderer Kantianer ein, der gleich einem revolutionären Agitator auf seine Zuhörer eine Wirkung ausübte, wie sie wohl kaum wieder von einem Lehrer der Hochschule erreicht ist. Seinem Eingange in Jena waren vorausgegangen seine Schriften „Zurückforderung der Denkfreiheit von den Fürsten Europa's" und „Zum Beitrage zur Berichtigung der Beurtheilung der französischen Revolution". Mitten in der stärksten Spannung der politischen Gegensätze, während in Frankreich der blutdürstige Convent alles Bestehende niederwarf und ein Robespierre nach einem Hohenpriesterthum trachtete und in Preussen Wöllners Religionsedikte die letzten Reste friedericianischer Bestrebungen beseitigten, in einer Zeit, wo in Deutschland die naive und einem so ungestümen Gelehrten- und Poetenbegeisterung für die Revolution durch die Schreckensherrschaft auch bedeutend abgekühlt hatte, da erschien Fichte in Jena, nicht ein Poet der Dichtung, sondern ein Prediger der absoluten Freiheit in Fleisch und Blut. Die Gährung unter den Studenten war unbeschreiblich. Wie vor fünf Jahren zu Schillers erster Vorlesung, drängten sie jetzt, unter ihnen ohne Frage auch Schmidt, zu Hunderten in den grössten Hörsaal der Stadt, den Hörsaal, den Hof mit ihren Gestalten füllend [illegible] als zu Kant und Schiller zu [illegible], prägte hier die mächtige Persönlichkeit Fichtes in Flammenworten den weltbürgerlichen Freiheitsgedanken in das Herz aufgeregter, gebildeter Jünglinge. Wie ein stürmisches Präludium zu seinen späteren Reden an die deutsche Nation, klang hier seine bis in den Winter hinein fortgesetzte Sommervorlesung über die Bestimmung des Gelehrten den unerhörten, heiligsten Fragen und Forderungen der Studentenwelt antwortend, sturmvoll entgegen. Als letzten Ziel der Menschheit stellte er die vollkommene Uebereinstimmung des Menschen mit sich selbst hin, seine Uebereinstimmung mit der Idee eines ewig geltenden Willens oder das sittliche Gute und die Uebereinstimmung seines veränderlichen Willens mit den Dingen ausser uns oder die Glückseligkeit. „Der dem Menschen innewohnende gesellschaftliche Trieb aber will den Begriff der Vernunft auch ausser sich, in der Gesellschaft, verwirklicht sehen. Nur durch gesellige Vereinigung entsteht die Vervollkommnung der Gattung, und das höchste Ziel der Gesellschaft ist völlige Einheit in der Vollkommenheit. Damit aber nun alle Anlagen des Menschen sich vollkommen entwickeln, dazu bedarf es der Kenntniss seiner sämmtlichen Anlagen und Bedürfnisse, und dem Gelehrtenstande, der diese Kenntniss haben soll, fällt die oberste Aufsicht über den Fortgang des Menschengeschlechtes zu, die Erziehung. Diese sittliche Veredelung der ganzen Menschheit kann der Gelehrte aber nur dann durchführen, wenn er selber der sittlich beste Mensch ist. Das sind keine Chimären, nein! durch Handeln kann das verwirklicht werden. Handeln! handeln! das ist es, wozu wir da sind!" Solche Donnerworte sandten damals den Hörer zu Hunderten von Studentenseelen und auch in das Herz unseres Smidt. Ihn aber traf dieser Zufall ganz besonders tief. Alle diese Jahre hindurch und [illegible] seine Brust bewegt, hatte er sich nicht von Schwermuth frei zu halten gewusst, von einer gewissen Kränklichkeit oder von einer nur um sich selber bewegten Stimmung. Da zog den wählenden, weichen Jüngling an seine starke Brust Fichte, dieser heroische Charakter, der sein Ich trotzig der ganzen Welt gegenüber stellte. Er zog ihn an seinen Mittagstisch heran, an dem auch noch die Professoren Niethammer und Woltmann und einige andere Studenten Theil nahmen. Und so sehr näherten sich Fichte und Smidt einander, dass Smidt beschloss sein akademisches Leben bloss Fichte's halber um ein letztes Halbjahr zu verlängern und Fichte, der durch Rohheiten eines Studentenordens beleidigt, sich für den Sommer 1796 nach dem alten Schlosse Osmannstädt zurückgezogen hatte, ihn aufforderte, ihn dorthin zu begleiten. Doch machte Smidt nur theilweisen Gebrauch von dieser Einladung, indem er gewöhnlich nur einige Tage der Woche in Osmannstädt, die übrigen in Jena verweilte. So hatte der junge Candidat die Ehre, dem „grossen Osmannstädter Ich" Gesellschaft zu leisten, wie einst Patroklus dem grollenden Achill. Hier aber ward ihre Freundschaft immer inniger, so dass sie noch Jahre nach ihrer Trennung anhielt, wie denn Fichte und seine Frau am 11. October 1796 Smidt, als ihren „wahren Freund" erwählten, die Pathenwürde bei der Taufe ihres Sohnes wahrzunehmen, und ihm Fichte am 1. Januar 1798, an Smidts Hochzeitstage, seine Freude darüber aussprach, dass er als Professor der Philosophie nicht mehr für Vernunft und Wahrheit werde thun können denn als Prediger. Vielleicht weisen diese Worte auf frühere Unterhaltungen der Beiden über die Wahl und Bedeutung des Predigerberufes zurück. Hat doch Smidt um diese Zeit auch in einem weiter unten besprochenen Vortrage [illegible]. Was Smidt besonders an Fichte fesselte, war wohl nicht das abstrakte System der damals von diesem begründeten Wissenschaftslehre, das im grellen Gegensatze zu den griechischen Systemen aller Wirklichkeit ledig zu werden suchte und in der Thätigkeit des Ich alles Sein, das sinnliche wie das übersinnliche, beschlossen sah; es war nicht [illegible] Angel, wie R. Haym jene Lehre nennt, um den sich der [illegible] in der Romantik [illegible], nein! es war Smidt nicht gegeben, wie wir unten sehen werden, diesen Uebergang zur Romantik mitzumachen. Ueberhaupt so sehr er idealen Schwunges fähig war, widerstrebte es doch seinem wesentlich praktischen Sinne, diese philosophischen Luftlabyrinthe zu durchwandern. Der politische, demokratische Geist der Fichteschen Lehre aber, Fichtes Instinkt für die grossen Zeitereignisse, wodurch er Goethe und Schiller so weit überlegen war, vor Allem aber seine Charakterstärke flössten Smidt die tiefste Verehrung ein. Neben jener Wissenschaftslehre, mehr aber noch der persönliche Umgang mit Fichte, mochte dem jungen Studenten, dass er es hier mit einem einzigartigen, unüberwindlichen und Jeden, der sich ihm [illegible], mit sich fortreissenden Charakter zu thun hatte. Und so trug auch er von dem reichen Segen, den das blosse Dasein eines solchen Menschen rings verbreitet, herrliche Früchte dankbar mit sich heim, wovon sein schöner Brief an Fichte vom 18. November 1797 deutliches Zeugniss ablegt. „Mein Herz hängt immer noch an Ihnen, nicht an dem Professor in Jena, von dem ich viel gelernt habe, — das ist ein ganz anderes Interesse —, sondern an dem edlen und kraftvollen Manne, der mich zu einer Zeit, wo Hypochondrie und Kränklichkeit mein ganzes Wesen drückten, mit Zutrauen und Freundschaft behandelte, mich an seinem Leben Theil nehmen liess und mir durch den vergönnten täglichen Anblick dieses energischen Innern Muth und Kraft einflösste, nur die eigene Bestimmung einem jeden Schicksale [illegible] und dadurch aller Verzweiflung für immer überhoben zu sein."

Fichte suchte bekanntlich auch das Studententhum zu reformieren, indem er gegen das wüste Ordenswesen auftrat, was ihm auch jene freiwillige Verbannung nach Osmannstädt verursachte. Gegen diese Orden bildete sich nun im Frühjahr 1794 aus Fichte's Anhängern ein neuer Studentenverein, mit welchem der Anfang zu einer gründlichen Umbildung des deutschen Studentenlebens gemacht wurde, die bis auf den heutigen Tag noch nicht ihr erwünschtes Ziel erreicht hat. Zu den 12 Stiftern dieser „Litterarischen Gesellschaft der freien Männer" gehörte auch Smidt, und neben seinem Verkehr mit Fichte bildet die Theilnahme an diesem Bunde das wichtigste Moment seines zweiten Jenenser Aufenthalts. Die Gesellschaft war zwar schon vor Fichtes Ankunft in Jena, im Frühling 1794, begründet, aber ganz in seinem Sinne. Auch wurden einige Veränderungen der Verfassungsstatuten, die Fichte vorschlug, am 18 Juli 1794 angenommen und Fichte wohnte, wie auch Professor Paulus, hin und da ihren Sitzungen bei. Freie Männer nannten sich die Mitglieder, und nur solche Studenten, die keinem anderen akademischen Orden angehörten, in die Gesellschaft aufgenommen werden, doch lag in der Benennung gewiss auch Etwas von der Fichteschen Erklärung, dass nur derjenige frei sei, der Alles um sich her frei machen wolle und durch einen gewissen Einfluss frei mache. Denn ihr Zweck war durch Aufsätze, Vorträge und Unterhaltungen über die grossen politischen und philosophischen Gedanken der Zeit nicht nur unter sich die geistige Cultur zu fördern, sondern sie auch ausserhalb ihres Kreises zu verbreiten. Die Gesellschaft hatte keine politischen Tendenzen, wenn auch revolutionäre Wünsche und Befürchtungen genug in ihr laut wurden, die ein paar Jahrzehnte später mit lebenslänglicher Gefangenschaft bestraft worden. Auch ist es charakteristisch, dass sie jeglichen nationalen Gepräge entbehrte, im Gegentheil hielt man den Umgang mit nichtdeutschen Fremden für wünschenswerth, um aus der vaterländischen Einseitigkeit herausgerissen zu werden. So war sie denn auch zur grösseren Hälfte aus Livländern und Kurländern zusammengesetzt, zu denen noch ein Däne und ein Franzose traten, nur drei Deutsche, Krüger aus Lübeck und die beiden Bremer Meister und Smidt, fanden sich darunter. Im nächsten Winter kamen noch der Lübecker Köppen und der Oldenburger Herbart hinzu. Diese kleine Studentenschaar zählte mehrere bedeutende Mitglieder, von denen wieder der Däne v. Berger damals wohl die erste Rolle spielte. Er erntete nicht nur den Dank der Gesellschaft für seine Verdienste um die Verfassungsangelegenheit ein, er hatte schon 1794 einen Aufsatz über „den Menschen in sittlicher Rücksicht" und 1795 eine andere Schrift über „die Angelegenheiten des Tages" veröffentlicht. Die letzte Arbeit forderte ganz im Geiste der Gesellschaft sämmtliche aufgeklärte Denker auf, sich zu vermitteln, um ihre Bestimmung zu erkennen und auf dem Wege der Belehrung ihrer Mitbürger kirchliche und bürgerliche Reformen zu bewirken. Er bezeichnete darin die politische Wiedergeburt Frankreichs und das Vernunftevangelium der deutschen Philosophie als die Leuchtsäulen für Europa. Sein schwärmerischer Geist hoffte damals von einer gewaltsamen Revolution, sie würde wie mit einem Zauberschlage ein veredeltes Menschengeschlecht ans Licht rufen. Anfangs Fichteaner, ergab er sich später, ohne übrigens je einen [illegible] gemeinschaftlichen Skepticismus aufzugeben, mehr und mehr der Schellingschen Naturphilosophie, wie aus seinem Werke „von der Harmonie des Weltalls" deutlich erkennbar ist. In Jena war er eine Zeit lang Smidts vertrautester Freund und hat auch als Professor der Philosophie und Astronomie in Kiel bis zu seinem Tode im Jahre 1846 mit ihm den Verkehr unterhalten. Eng schloss sich Smidt auch an Köppen, der ebenfalls später eine Professur der Philosophie an verschiedenen deutschen Universitäten bekleidete und zuerst Anhänger Jacobi's war, sich aber später ganz in platonische Studien vertiefte. Mit ihm machte Smidt 1797 eine [illegible] Reise in die Schweiz. Der stärkste philosophische Kopf aber war Herbart, dessen mathematischer Geist schon damals sein Ziel ins Auge fasste, denn schon im Kreise der Freien Männer unterwarf er die Principien der Philosophie und die Fichteschen Principien des Naturrechts einer strengen Prüfung. Smidt suchte ihn, wie auch seinen Freund v. Berger 1797 in der Schweiz auf, schon damals entging ihm nicht Herbart's völliger Mangel an politischem Sinne, der ja 1837 in der Angelegenheit der Göttinger Sieben so [illegible] zu Tage trat. In den Jahren 1800–1802 lebte Herbart in Bremen zum Theil in Smidts Hause und auf seinem Landgute, lehrte mehreren Frauen aus der Smidtschen Familie Pädagogik, die Elemente der Mathematik und Platos Ideen, während Smidt damals schon allen philosophischen Studien entsagt hatte. Diesen philosophisch angelegten Mitgliedern standen andere gegenüber, die eine politischere Natur hatten. So der Franzose Perret, der eine gründliche Philosophie aus Deutschland in sein Vaterland bringen und Fichte's Beitrag zur Beurtheilung der Revolution übersetzen wollte. Er sann schon damals über den Verfall der Staaten nach. 1797 war er bereits als Secretär des Generals Clarke bei den Friedensverhandlungen von Campo Formio thätig und wurde im Winter 1797/98 von Bonaparte auf dem Rastatter Congresse verwendet, wo ihn ein später zu erwähnender Brief Smidts aufsuchte. Endlich gedenken wir noch des Livländers Landner, der 1800 das berühmte Manuscript aus Süddeutschland verkaufte.

Wer das Protokoll der Litterarischen Gesellschaft in Jena vom 18. Juni 1794—6. März 1799, das uns vorliegt, durchblickt, der merkt bald, wie dieselbe durchaus unter dem Einflusse der revolutionären und der Schillerschen Ideen stand. Man hatte auch in ihr das lebhafte Gefühl, dass eine neue Zeit angebrochen sei. Man besprach eine neue Eintheilung der Geschichte und suchte die Räthsel der Bestimmung des Menschen zu lösen. Die Ereignisse des J. 1789 legten die Frage nahe, ob Reform oder Revolution, Demokratie oder Monarchie vorzuziehen sei, ob die Staaten verfielen oder nicht, ob Menschenwerk wirklich zur Freiheit führen könne. Besonders eine Frage, die auch Schiller, Kant, Fichte und Woltmann beschäftigte, inwiefern nämlich das Gepräge zur Erreichung des Zweckes der Menschheit nothwendig sei, kehrt auch hier wieder. Der tief- [illegible] Gegensatz zwischen Deutschland und Frankreich machte sich geltend in Vorträgen über die Eigenthümlichkeit der Cultur in diesem und in jenem Lande. Die Freien Männer klagen über den Mangel des Gemeingeistes, und sie erklären es als eine Pflicht des Staatsbürgers, seine schlechte Staatsverfassung zu verbessern. [illegible] verrathen andere Betrachtungen den Charakter einer Generation, die, wie die vorangegangene, in Freundschaften schwelgte und ohne [illegible] und [illegible] Buch nicht zu leben vermochte. Stoffe, wie die Seltenheit wahrer Freundschaft, Menschenkenntniss, Freuden und Leiden, Egoismus, werden gründlich erörtert, dagegen treten rein ästhetische oder litterarische Erörterungen auffallend zurück.

Unter all diesen allgemeinen, hohen Gegenständen des Nachdenkens nehmen die von Smidt gewählten eine eigenartige Stellung ein. Smidt stand wohl zwischen den eigentlichen

Philosophen und den Politikern der Gesellschaft ungefähr in der Mitte. Die philosophische Theorie hat ihn wohl niemals ganz ausgefüllt, andererseits hielt ihn seine mehr ideale Richtung von der politischen Debatte fern. Aber es zeigt sich doch auch schon in seinen Arbeiten in diesem Studentenvereine sein praktischer Sinn. Nach dem erwähnten Protokolle zu urtheilen, hielt er sich Anfangs zurück, erst am 2[illegible]. December 1794 traf ihn das Loos, einen Aufsatz zu liefern, welcher vermuthlich der uns erhaltene Versuch zur Beantwortung der Frage ist: „Sollte man das Predigtamt abschaffen?" Als Erstlingsarbeit unseres Smidt, der selber einen so grossen Werth darauf legte, dass er ihn fünf Jahre später, im Mai 1799, von Neuem der Litterarischen Gesellschaft in Bremen vorlas, verdient dieser Versuch wohl eine Wiedergabe seiner Hauptgedanken.

Wenn es ein Fortschritt ist, meint Smidt, dass Fragen von allgemeiner Bedeutung immer mehr durch weltbürgerliche Rücksichten entschieden und begründet werden, so genügt es nicht, die bürgerliche Rechtmässigkeit der Aemter zu erweisen; auch ihre weltbürgerliche muss gezeigt werden. Der höchste Zweck des Menschen ist die vollkommene Harmonie seiner Fähigkeiten und der erste Gegenstand seiner Bemühung muss es sein, die der menschlichen Thatkraft gezogenen Schranken wegzuräumen, nicht etwa weil ein Naturgesetz ihn dazu auffordert, sondern weil er ohne Thätigkeit kein Ich wäre. Sein Bestreben muss es nun sein, das, was ausser ihm ist, das Nicht-Ich mit sich in Harmonie zu bringen. Da nun der Mensch alle seine Kräfte entwickeln soll, so werden die Fortschritte des Einzelnen sehr langsam sein, nur durch die Gesellschaft können sie beschleunigt werden. Der Mensch hat die gesellschaftliche Pflicht eine seiner Anlagen vorzüglich auszubilden, um durch Mittheilung des Products derselben das Fortschreiten seiner Gattung zu bewirken. Wer sich nun eine dazu dienende Beschäftigung gewählt hat, hat ein Amt. Dieses hat seine weltbürgerliche Berechtigung, so lange der Mensch den Grad der Cultur noch nicht erreicht hat, dessen Beförderung das Amt sich zum Zwecke gesetzt, so lange ferner ihm die Mittheilung des Products seiner Kräfte möglich ist und so lange endlich die Form des Amtes

4*

noch als Amt gerechtfertigt werden kann. Da nun das Predigtamt die Sittlichkeit fördern soll, diese aber noch lange nicht sich genügend entwickelt hat, so ist dieses Amt nothwendig. Freilich soll Jeder zur moralischen Bildung beitragen, aber nicht Jeder hat die Fähigkeit dazu; daher wählt die Gesellschaft für diesen Zweck besonders geeignete Mitglieder aus. In früheren Zeiten gab es keine derartigen Volkslehrer, weil das Bedürfniss nachhaltiger und [illegible] Cultur aber erwachte, da das der sittlichen. Die Priester und Propheten aller Nationen dienten der Politik und benutzten dazu eine von Furcht und Aberglauben erzeugte Religion. Pythagoras und Socrates näherten sich bereits mehr dem Ideal eines Volkslehrers, doch war ihre Lehre mehr für Dilettanten der Weisheit, als für das Volk bestimmt. Nicht durch Mysterien und abstracte Philosopheme, sondern durch einen Volksunterricht suchte endlich Jesus, der erste wahre Volkslehrer, die moralische Cultur des Volkes zu heben, und durch ihn und seine Nachfolger ward ein Volkslehreramt eingeführt. Aber die religiöse Hülle, mit der man später seine Lehren umgab, zerstörte deren fruchtbaren Kern. Der religiösen Begriffe bediente man sich, um so die unbekannten Wahrheiten der Sittlichkeit zu knüpfen. So ward das Predigtamt in ein Priester- und Pfaffenthum verwandelt. Der nicht ganz erstickte Funke freieren Denkens, durch die Liebe zu den Wissenschaften und besonders durch das Studium der Alten wiederangefacht, brach in Flammen aus in der Reformation, die bisher den Priestern und Mönchen ihre Führer nehmen musste. Luther, der aus Augustins Schriften seine erste Bildung schöpfte, zerbrach die Fesseln der Hierarchie und beförderte den Fortschritt der moralischen Cultur, aber der Eifer für die göttliche Autorität der biblischen Bücher schuf neue Unwissenheit und neuen Aberglauben. Doch war die Barbarei nicht so gross wie früher. Die Priester, die allerdings wieder vorgaben, Gott näher zu stehen als Andere, waren Prediger, Lehrer, wenn auch nicht Lehrer der Moralität. Die Revolution der letzten Hälfte unseres Jahrhunderts aber näherte das Volkslehreramt seinem Ziele. Allerdings wird der Aberglaube durch die um ihre Majestät besorgten Fürsten und die von ihnen angestellten dummen Prediger gestützt. Andererseits [illegible] aber die steigende Missachtung, der dieser Lehrer verfällt, für die Ehre unseres Geschlechtes, das Amt zu [illegible]. „Anfangs schien mir der Plan der zweckmässigste, während einer allgemeinen Staatsrevolution, die der fortschreitende Despotismus deutscher Fürsten in Kurzem herbeiführen wird, uns auch dieser lästigen Bürde zu entledigen. Mir scheint aber jetzt die Maxime einer milderen Verfahrungsart hier von den Vorwürfen der [illegible] und des Eigennutzes mit allem Rechte frei gesprochen werden zu müssen. Ich ehre den Genius unseres Zeitalters, wenn seine Energie in Revolutionen sich zeigt; das Herz blutet mir, wenn ich sehe, dass jene [illegible] sich vermehrt haben, die seine völlige Genesung mit verächtlichem Blick in das Land der Chimären verweisen. Ihr Unglaube ist zu Schanden gemacht, er hat sich plötzlich wieder aufgerichtet und Rache an seinen Unterdrückern genommen. Hier darf er aber nicht stehen bleiben, wenn wir nicht genöthigt sein sollen, bald unser Urtheil wieder zurückzunehmen. Kraft ohne Weisheit ist ein Schwert in des Rasenden Hand." Das Predigtamt ist nicht zu vernichten, sondern zu verwandeln. Der Staat hat sich einen [illegible] Einfluss auf alle gesellschaftlichen Verbindungen angemasst, der erste Missgriff der Reformation war es, sich den Fürsten in die Arme zu werfen. Nicht der Staat, sondern die Gesellschaft hat den Lehrer zu wählen und abzusetzen, denn muss dieser mit der Cultur seiner Gemeinde fortschreiten oder vielmehr ihr voraneilen. [illegible] muss sein Trachten sein, die Herrschaft des Heiligen, die Allgewalt des Sittengesetzes. Beim Grabe, bei der Hochzeit, bei der Taufe muss er sie im Volke geltend machen. Dieses aber ist an sein [illegible] zu erinnern, und es wird ihm, wenn dann auch über Deutschland eine wohlthätige Revolution sich verbreitet, nicht schwer fallen, sein Recht der [illegible] wieder zu gewinnen. Mit der steigenden sittlichen Cultur wird der Volkslehrer immer entbehrlicher werden, völlig aber wohl erst im goldenen Zeitalter.

Schon ein paar Jahrzehnte früher hatten Spaldings Schrift über den Nutzen des Predigtamtes und Herders Provinzialblätter an Prediger, beides [illegible] der Herabwürdigung des geistlichen Lehrstandes, eine grosse Aufregung im Publikum hervorgerufen. Jetzt, nachdem im Sommer 1794 Robespierre auf dem Marsfeld beim Fest des höchsten Wesens eine Rede über Tugend und Religion gehalten hatte und die Priester aufgefordert waren, Menschen zu werden, und nachdem in Preussen Wöllners Religionsedict die Ueberwachung der Pfarrer und Lehrer, die Absetzung aller andersgläubigen Candidaten und die strenge Aufrechthaltung des alten Lehrbegriffs befohlen hatten, gewann die Frage nach dem Werthe des Predigtamtes neue Wichtigkeit. Diese Frage ging dem jungen Theologen besonders nahe und dem Freunde Fichtes, der ihm gewiss öfters rieth, der Philosophie die Theologie zu opfern. Ueber seinem Vortrage schwebt das Symbol der damaligen Jenenser Philosophie, die Lehre vom Ich und Nicht Ich. Der bereits von Kant in seiner „Idee zu einer allgemeinen Geschichte in weltbürgerlicher" Absicht ausgesprochene Hauptsatz vom Streben des Menschen nach Harmonie, der von Fichte in seinen Vorlesungen weiter ausgeführt war, wird hier auf die Pflicht des Predigtamtes angewendet. War Herders Schrift ein Protest gegen die flache Berliner Aufklärung gewesen, so war Smidts Aufsatz ein Ruf der Aufklärung gegen das verdummende Regiment Wöllners. Smidts Darlegung der Priester- und Predigergeschichte, die den Herderschen Provinzialblättern, welche die Auffassung des Predigers als eines blossen Tugendlehrers heftig bekämpfen, durchaus widerspricht, beruht im Wesentlichen auf den Ansichten des Rationalisten Paulus, der [illegible] die Sendung der Propheten beurtheilte und Jesus den Lehrregenten nannte. Die Schlussbehauptungen des Aufsatzes, dass nicht der Staat, sondern die Gesellschaft den Prediger wählen, sowie dass das Volk seine Rechte wahrnehmen müsse, kommen schon in Fichtes Beiträgen zur Beurtheilung der Revolution vor, überdies der Gedanke von der [illegible] des Volkslehrers aus Fichtes Vorlesung über die Bestimmung des Gelehrten stammt.

Wenn demnach diese Betrachtung Smidts in ihren Hauptsätzen nur die Gedanken seiner philosophischen und seiner theologischen Lehrmeister wiedergiebt, so ist uns doch eben das schon anziehend, hier deutlich zu sehen, wie tief er von ihrer Wahrheit durchdrungen war. Weiter aber erkennen wir einen geistigen Fortschritt darin, dass er seine frühere Ansicht von der Nothwendigkeit eines gewaltsamen Verfahrens gegen Mist-[illegible] aufgiebt und selbstständig Stellung zu der [illegible] Frage nimmt. Endlich ist uns sein Eifer bedeutsam, mit dem er die Predigerwahl für die Gemeinde beansprucht und den Wahn nicht dulden will, dass der Prediger Gott näher stünde als andere Menschen. Denn der Eifer für jenes Gemeinderecht und gegen diese Priesteranmassung bildet einen Grundzug seines Wesens. Die Hierarchie hat er bekämpft bis an seinen Tod und noch im Jahre 1856 in der Beantwortung der Frage: „Bedarf die Commission des Senats für kirchliche Angelegenheiten der Zuziehung eines aus sämmtlichen Predigern beider protestantischen Confessionen gebildeten Kirchenraths?“ die Hierarchie von Bremens Mauern aufs Neue zurückgeschreckt. So werden die Grundlagen seiner kirchlichen Politik bereits in jenem Studentenaufsatze sichtbar, und das eben erwähnte letzte Werk seiner Hand ist die meisterhafte Ausführung seiner Jenenser Erstlingsarbeit.

Wo Smidt in seinen Betrachtungen des Predigtamtes auf die christlichen Gebräuche bei der Beerdigung, Hochzeit und Geburt kommt, schickt er der Besprechung der beiden letzten festlichen Handlungen den Ausspruch Goethe's voran, dass Fröhlichkeit die Mutter aller Tugenden sei. Das ist einer seiner Lieblingsgedanken. Als 1797 in Aarau ein brüderlicher Genuss von der helvetischen Gesellschaft bei [illegible] Pokal angestimmt wurde, ergriff ihn, der daran Theil nahm, eine feierliche Stimmung, wie bei einem Abendmahle. Jedem Feste drückte er gern einen höheren Stempel auf. So erhob er die kleine Familienfeier, die bei Enthüllung der Olbersbüste 1833 auf der Stadtbibliothek stattfand, durch seine Rede zu einem patriotischen Feste, indem er die [illegible] Worte sprach: „Denn nicht zu den Sternen hinauf, sondern vom Sternenhimmel herunter sieht unser Begehren. Wir erfassen heute mit Ihnen, hochverehrter Olbers, die Pallas und Vesta und weihen sie zu Diakonen unserer Republik.“ Den Festen schrieb er eine grosse Kraft der Veredelung zu und wahrscheinlich in diesem Sinne hielt er schon als Student am 20. Januar 1796 einen Vortrag über den Gebrauch, gewisse Feste zu feiern, den wir leider nicht kennen.

Aber der Zweck desselben wird namentlich deutlich, wenn das Protokoll erwähnt, dass er damit den Vorschlag verknüpft habe, alle zwei Monate bei einem freundschaftlichen Feste über den bisherigen Gang der Gesellschaft, ihre Mängel und deren Abstellung sich zu unterhalten. In dieser Zeit stieg Smidts Einfluss in der Gesellschaft mehr und mehr. Im September 1795 war er der Vertrauensmann, der beauftragt wurde, v. Berger's [illegible] Ansichten über die Gesellschaft wieder ins Geleise zu bringen, und auch im Juni 1797 wurde Briefwechsel dieser beiden Neuthumer zur Entwicklung in das Wesen des Vereines vorgelesen. So wurde denn auch jener Vorschlag Smidts angenommen. Am 11 Februar 1796 wurde das erste Fest gehalten, nach aufgehobener Tafel Punsch aufgetragen und das Göthesche Bundeslied nach einer vom Freien Hans Krüger erfundenen Melodie gesungen. An solchen [illegible] Abenden, wie auch an den regelmässigen, wenn noch Zeit übrig blieb, wurden Dramen von Göthe und Schiller, deren Verehrung hier eine fast religiöse Tendenz erhielt, auch Göthes eben erschienene Wilhelm Meisters Lehrjahre vorgelesen. Dies Buch, das ja nach Schillers Ausdruck die Bildungsgeschichte eines Menschen darstellt, der von einem leeren unbestimmten Ideal in ein bestimmtes werkthätiges Leben tritt, ohne die idealische Kraft dabei einzubüssen, musste auf diese strebsamen jungen Leute einen tiefen Eindruck machen. Ausserdem wurden Declamationsübungen, am liebsten von Götheschen Liedern angestellt. So [illegible] war man darum bemüht, dass man z. B. [illegible] wundervolles [illegible]' Feiter [illegible], [illegible] — [illegible] [illegible] versuchte, um den [illegible] Ausdruck zu ermitteln. Auch übte man sich hier an der Dichtkunst, besonders in der damals beliebten Distichenform. Sie wurde benutzt zur Porträtirung der Coryphäen der französischen Revolution und selbst zur Darstellung der Quintessenz einzelner philosophischer Begriffe. Ja beim Theetrinken, dem jede akademische Frivolität fern blieb, fand man [illegible] Vergnügen, sich in Hexametern zu unterhalten. So strafte denn unseren philosophirenden Theologen auch die heitere Muse, und er hatte sogar das Glück ihren beiden [illegible] Lieblingen, nicht nur Schiller, sondern auch Göthe, persönlich nahe zu treten. Göthe hielt sich in diesen Jahren öfter in Jena auf. Im [illegible] Oberrock mit langem Zopfe und hochgestülptem Hut, den nur er noch trug, erschien auch der stattliche Mann mit dem schönen Antlitz auf der gefrorenen Saale unter den Schlittschuhläufern, und im Sommer 1794 hatte er seine denkwürdige Unterredung mit Schiller über die Metamorphose der Pflanze. Smidt traf ihn mehrfach in den geselligen Kreisen in Jena, hatte auch Zutritt zu seinem Hause in Weimar und hörte hier, dass sich der grosse Dichter in seiner Jugend gern mit einem Puppenspiel vergnügt hatte. Als Smidt nun einmal auf einige Tage nach Frankfurt reiste und dort bei Göthe's Mutter eingeführt wurde, da fuhr Frau Rath bei Erwähnung dieses Puppenspiels heraus: „Wenn er Einem doch vorher nur ein Wort darüber gönnte, wenn er etwas berühmt machen will! Denken Sie, das Puppenspiel hat noch bis vor 4 Wochen oben auf dem Boden gelegen, wo ich es, weil es im Wege war, an einige Kinder der Nachbarschaft verschenkte. Das hätte ich jetzt wohl bleiben lassen!“

Endlich müssen wir noch des Geschichtsforschers gedenken, dem Smidt von jeher besonders geneigt war. Er hatte bereits in früheren Semestern Geschichte der Philosophie, der Literatur und der Kirche gehört, aber auch den Vorlesungen Woltmanns über politische Geschichte wohnte er ohne Zweifel bei, wenn wir auch keinen urkundlichen Nachweis darüber besitzen. Gleichzeitig mit Fichte war Woltmann, der grosse Hoffnungen erregte, in Jena als Professor aufgetreten, auch er stand unter Kants übermächtigem Einflusse, obgleich er ein Lieblingsschüler Spittlers war. Smidt lernte ihn, wie oben erwähnt, schon am Fichte'schen Tische näher kennen und hörte bei ihm wahrscheinlich seine Vorlesungen über Universalgeschichte im Sommer 1794 und im Winter 1794/95, deren Einfluss auf Smidt, wie sich unten zeigen wird, nicht zu verkennen ist. Vielleicht verdankte Woltmann der Fürsprache Smidts, dass er im Winter 1800/1801 zum bremischen Geschäftsträger in Berlin ernannt wurde, wodurch sein Verkehr mit Smidt, den er in seiner Selbstbiographie „einen deutschen Republikaner und unüberwindlichen bremischen Patrioten“ nennt, neu belebt wurde. Der noch jugendliche Professor Woltmann hielt in Jena [illegible] Neigung zur Ge-

[illegible] [illegible], die bald seine jetzt noch [illegible] theologischen und philosophischen Studien in den Hintergrund drängen sollte.

Vor dem Beschlusse dieser an Strebungen so reichen Universitätsjahre eröffnete sich Smidt noch ein anderes Feld des menschlichen Geistes, die Kunst, die Malerei. Ehe er von Jena Abschied nahm, machte er einen längeren Ausflug nach Carlsbad, Teplitz und Dresden und widmete hier einige Wochen hindurch täglich der berühmten Bildergallerie einen Besuch. Leider hatte dies eine böse Folge. Um nämlich die hoher hängenden Gemälde besser erkennen zu können, bediente er sich eines scharfen Augenglases. Der ungewohnte Gebrauch desselben zog ihm eine Augenschwäche zu, die lange seine Thätigkeit und Productionen lähmte und erst zwei Jahre später in den Bergen der Schweiz völlig beseitigt wurde.

So rundete sich Smidts Wissen immer mehr ab, so dass er im Herbst 1795, [illegible] [illegible] [illegible] Studenten, die geliebte Universität verlassen konnte, wo [illegible] Wissenschaften und Künste seinem Geiste dauernden Gehalt und Schmuck verliehen hatten, wo er in einer begeisterten Jünglingsschaar seine besten Gedanken ausgetauscht und die heiligsten Empfindungen der Zeit genossen, wo er [illegible] der ersten Männer Deutschlands zum Freund gewonnen hatte. Doch lag die Zukunft nicht ganz klar vor ihm. Obgleich er schon im 19 Jahre die Kanzel bestiegen, im 21 sein theologisches Examen rühmlichst bestanden hatte, so hatte ihn doch in Jena die allgemeine Philosophie Kants und Fichtes aus seinen Theologenstudien zu [illegible] [illegible], als dass er in einem Pfarrhause ein schönes, ihn voll befriedigendes Leben mit Sicherheit hätte erwarten [illegible]. So [illegible] aus aber auch überall noch war, so viele Wandlungen noch sein Geist seitdem durchzumachen hatte, so hat man andererseits in Jena den Grund seiner ganzen allgemeinen Bildung gelegt. Es muss hier hervorgehoben werden, dass Smidt Jena verliess ein Jahr, bevor die Brüder Schlegel und Novalis hier ihren Einzug hielten. Obgleich Smidts Geburt in die achtjährige Epoche vom Jahre 1767 – 1770 hineinfiel, welche die Geburtsjahre aller bedeutenden Romantiker vom älteren

Schlegel bis Schelling herab umfasste, so ist er doch nur von ihrer 1796 in Jena neu aufkommenden Richtung leise berührt worden. Sein praktischer, echt niedersächsischer, republikanischer, der Gegenwart zugewandter Sinn mochte der Romantik widerstreben; wahrscheinlich aber wäre auch seine Natur, leicht empfänglich wie sie war, durch eine damalige persönliche Bekanntschaft mit ihren geistsprühenden Zeitgenossen in neue Gleise versetzt worden. So erlagen andere freie Männer der neuen Geistesmacht der Romantik, wie z. B. v. Berger und Gries, der bekannte Uebersetzer des Tasso. Smidt dagegen wurzelte fest im Klassicismus, wie ihn Herder, Goethe, Schiller, Kant und die Kantianer bereitet hatten. Wohl hat er später Verkehr gepflogen nicht nur mit Jean Paul, Schenkendorf und Rückert, sondern auch mit Friedrich Schlegel, wohl haben auch ihn, wie jeden Gebildeten jener Zeit, Tiecks Dichtungen entzückt, aber nach der blauen Blume hat er nie sonderliche Sehnsucht empfinden können. Die Romantik des Katholicismus und der Reaction war ihm ebenso verhasst, wie der Radikalismus des jungen Deutschland. Erst die gesundere Kost der neueren Dichtung, wie sie z. B. Freytag, Gall und Hahn bot, wandte ihn wieder. Und als 1799 die Romantik ihre Wendung zur römischen Kirche und zum Mittelalter einschlug, da steuerte Smidt in seinem harmonischen Streben immer entschiedener aber auf die Wirklichkeit, aufs Vaterländische gerichteten politischen Praxis entgegen.

Smidt als Candidat der Theologie in Bremen und in der Schweiz 1795–1797.

Nach Bremen zurückgekehrt, verfiel Smidt bald wieder einer gedrückten Stimmung. Seine Anspruchslosigkeit rief in ihm ein dunkles Gefühl beschränkter Thätigkeit hervor, die sich unvermerkt mit allen Freuden vermischte. Die Unterrichtsstunden, die er gab, die Ministerialpredigten, die er hielt, befriedigten seine Seele nicht. Ihn quälte außerdem die Ungewissheit seiner Zukunft. Dann starb am 18. Juni 1796 sein Vater, und seine geliebte Schwester, auf deren Liebe er fast eifersüchtig war, hatte das Elternhaus verlassen und sich vermählt. Vom Prediger Stolz abgesehen, dessen Briefwechsel mit dem Professor Paulus er vermittelte, dem er auch die erste Mittheilung von dem Angriffe machte, den Stolzens Amtsbruder Ewald gegen dessen neue Uebersetzung des neuen Testaments unternommen, verminderte Schlitt bei den meisten Gelehrten seiner Vaterstadt den freien Totalblick, er fand sich völlig eingeklemmt in die enge Sphäre des Berufes. Aus dieser unbehaglichen Verstimmung und Thatenlosigkeit leiteten ihn Naturanschauung und Ueberlegung auf ein bisher von ihm stark vernachlässigtes Gebiet, auf den Verkehr mit dem weiblichen Geschlecht. Und hier kam ihm, der sich selbst dem Augenblicke spielend sich hinzugeben, ein Mädchen, Wilhelmine Rohde, mit warmer Lernbegierde entgegen, bei ihr fand er Liebe und eingehendes Verständniss, so schmiegten sich und schlossen bald eine stille Verlobung. Dieses schöne Verhältniss und eine angenehme Reise nach Hamburg, die Smidt im Spätsommer 1796 unternahm, weckten neue Lebenslust in ihm auf. Die Grossartigkeit der Schwesterstadt machte einen bedeutenden Eindruck auf ihn, mehrere alte Freunde sah er hier wieder und lernte neue kennen. Der französische Minister Reinhard und der holländische Legationssecretair Reinhold wurden ihm zugänglich, doch überwog noch durchaus der aesthetisch-philosophische Genuss die Freude über diesen Verkehr mit Männern der Politik. Ihn entzückte hier die Darstellung des „Hausvaters" durch Iffland, der ihm gleich einer antiken Statue über die jetzt lebenden gewöhnlichen Menschenformen emporzuragen schien. Ihn [illegible] der Cirkel der Reimarus, wenn er auch der edlen einfachen Weiblichkeit vor der dort vorwaltenden Art gelehrter Frauenzimmer den Vorzug gab. Und wie glücklich war er, in einer Gesellschaft neben dem Verfasser Woldemars und Allwills, neben Jakobi, bei Tische zu sitzen!

Nach seiner Rückkehr von Hamburg sollte seine erwachte Jugendkraft bald Gelegenheit finden sich zu äussern. Im Herbste 1796 stiessen ja unzählige von deutschen Gelehrten und Schriftstellern, die von ihrem Werthe in tiefster Seele überzeugt waren, an ihrer groben Verhöhnung und Entwürdigung in den Xenien von Goethe und Schiller im Musenalmanach für das Jahr 1797. Diese scharfen Spottgedichte blieben bis zum nächsten Frühling die wichtigste Angelegenheit in Deutschland.

Wie Blitze aus blauem Himmel flackerten die am literarischen Horizonte auf, und der in demselben vorherrschende Muthwille „entgötterte und verungöttlichte" auch unserem Smidt seine Ideale zu sehr, als dass derselbe ihm hätte zusagen können. Der Unmuth über solche literarische [illegible], die doch Göthe eben vorher in den Horen gepredigt hatte, und die Verachtung seiner lieben Weser veranlassten Smidt zu einem humoristischen [illegible]. So warf er denn in guter Laune eine Anzahl Antixenien aufs Papier und sandte sie seinem Universitätsfreund Horn aus Braunschweig, der später Senator in Bremen wurde. Ohne Smidts Wissen und Willen wurden sie dann von einem Dritten, Namens Meely(?), dem sie Horn mit eigenen Zusätzen mitgetheilt hatte, gedruckt unter dem Titel: An die Xeniophoren. Ein kleines Messpräsent. 1797. Auf der Rückreise aus der Schweiz im Herbst 1797 fand Smidt, da er sich in einem Frankfurter Buchladen nach literarischen Neuigkeiten umsah, zu seinem [illegible] Erstaunen dort sein eigenes Werkchen vor. Jedoch waren von seinen 46(?) Epigrammen 11 ausgelassen, dagegen noch 16 aus Horns dürftiger Mache hinzugefügt. Der anständige Ton dieser Flugschrift ist von den meisten Lexicographen, die damals den Namen ihres Verfassers nicht kannten, in Boas' Xenienkampf 1851 und Saupe's Schiller-Göthe'schen Xenien 1852 anerkannt, dagegen Witz darin vermisst. In Schiller's und Göthe's Xenienmanuscript aber, das nach dem Tode seines Verfassers Baron Wendelin v. Maltzahn 1856 herausgab, nennt Boas als Verfasser dieses „matten Products" Johann Smidt und fügt, gestützt auf ein unter einem Artikel des Allgemeinen Literarischen Anzeigers von 1797 unterzeichnetes B., die Bemerkung hinzu, Smidt selbst habe diese seine Schrift als eine der wichtigsten Gegenschriften der Xenien gepriesen, die der Aufmerksamkeit des Publikums ja nicht entgehen dürfe. Da diese ebenso leichtfertige, wie kränkende Verdächtigung unseres Wissens nirgendwo öffentlich widerlegt ist, so liegt es uns hier ob, die Ehre unseres Smidt zu wahren, was wir nicht besser thun zu können glauben als mit Smidts eigenen Worten, die er darüber am 9. December 1856 dem Freiherrn von Maltzahn schrieb: „Mir ist gänzlich unbekannt geblieben, dass ich dem Publikum als Verfasser jener Distichen irgendwo namhaft gemacht bin, was mir auch der Allgemeine Litterarische Anzeiger nicht bekannt geworden ist, so dass ich auch nicht wissen und angeben kann, wer die daselbst mit S unterzeichnete Bemerkung geschrieben oder eingesandt haben mag" und weiterhin „Ihre Sorge, hochgeehrter Herr, dürfte es eher [illegible] sein, den [illegible] dahin zu rechtfertigen, dass der Makel eines dabei vorausgesetzten Leichtsinns nicht auf diesen zurückfalle; denn wer mich kennt, wird mich eines solchen Verfahrens nicht fähig halten." Auch wir können den Xeniophoren, die man ja nur auch als kleine Privatscherze, die nicht für den Druck bestimmt waren, als Uebungen, wie sie die Freunde [illegible] in Jena zur Unterhaltung trieben, zu betrachten hat, keinen grossen Werth beilegen. Aber dass den angeblichen braunschen Patrioten das scharfe Verdammungsurtheil Schillers über die Weser:

Leider von mir ist gar nichts zu sagen, auch zu dem kleinsten
Epigramme, bedenkt! geb' ich der Muse nicht Stoff

beleidigen konnte, ist leicht denkbar. Und wenn dann [illegible] Xenion Schillers

Kurz ist mein Lauf und begrüsst der Fürsten, der Völker so viele,
Aber die Fürsten sind gut, aber die Völker sind frei.

unser Streit, der die freien Völker der Saale aus eigener Anschauung kannte, sein „Saalfeldisch" [illegible] entgegenstellt:

Lange verdrossen [illegible] den Kopf das freie Völklein der Saale,
Fehlt*) [illegible] Xeniophoren, [illegible]

so trauen wir dem Bürger einer freien Stadt ein besseres Urtheil zu, als dem Sänger der Freiheit. Wir begrüssen in diesen Xeniophoren ein stark entwickeltes Heimathsgefühl, das in den anderen Antixenien vergebens gesucht wird und doch in dieser Zeit der Auflösung des deutschen Reiches eine der wenigen Hoffnungen auf eine spätere, das ganze Deutschland umfassende Vaterlandsliebe gewährte. Und weiter sind sie uns ein Zeichen des neu erwachten Gemeinsinns in unserem [illegible].

*) [illegible] Handbuch für [illegible] Geographie [illegible]

Wahrscheinlich hielt er in diese Zeit, in den Winter von 1796/97, vier Vorlesungen über die Geschichte des Jesuitismus, die er vor Herren gehalten hat oder halten wollte und seinen ersten Versuch dieser Art nennt. In der einleitenden Vorlesung sagt Smidt etwa Folgendes: In der ersten Epoche der Geschichte wird die Ueberlegenheit der körperlichen Gewalt sichtbar, dann erheben sich intellectuelle Kräfte, die sich im Kampf mit jener vorzüglich durch List und Schlauheit offenbaren, bis endlich eine moralische Wirksamkeit auch diesen die Herrschaft zu entreissen sucht. Von einer dieser Stufen zur andern gelangen nun die Völker nicht etwa durch den gleichbleibenden Willen von Millionen Individuen, auch nicht allein durch den gewaltigen Geist eines Einzelnen, entscheidender sind gewöhnlich die Veranstaltungen der Natur, wie z. B. die Bodengestaltung und das Klima des Landes. Jedoch zwei grossartige Versuche sind aus der Geschichte bekannt, die unabhängig von jenen Vorbereitungen der Natur durch andere Arten von Menschenvereinen (als es Staaten sind) zur Erreichung gewisser Endzwecke thätig waren, um eine höhere Stufe der Cultur zu erreichen, um einmal die Sittlichkeit und das andere Mal die Schlauheit auf den Thron des Jahrhunderts zu setzen. Den einen Versuch macht das Christenthum, das wie eine göttliche Erscheinung auftritt, den anderen der Jesuitismus, welcher der Unterwelt entsprungen scheint und den lichtscheuen Blick nur unter dem Deckmantel des ersten zu erheben wagt. Erhoben über die Grenzen eines bürgerlichen Wirkungskreises hüllt sich dieser Verein in ein weltbürgerliches Gewand und strebt eine Universalmonarchie der Schlauheit an, die mehr als ein Jahrhundert die ersten Völker des Erdballs beherrschte. Der Orden Jesu stellt das Ideal einer Verbindung dar, deren Zweck ist, durch Klugheit die Welt zu regieren. Die Klugheit führt das Schwert nicht selbst, um sich keiner Gefahr auszusetzen, darum sucht sie in keiner unmittelbaren, sondern nur in einer mittelbaren Herrschaft ihre Sphäre, tritt also nie selbst in die Sphäre der Weltregierung, wirkt aber auf alle Menschen ein, die zu dieser Regierung mitwirken. Dazu bedarf sie der Umgebung aus allen Ständen, gewandter Kenntniss der Menschen und des Volksgeistes, dem sie Nahrung zuführt, aber auch wieder entzieht, um sich unentbehrlich zu machen. Ausserdem wird eine solche Gewandtheit des Geistes verlangt, dass ihm nichts fremd und unerwartet ist und dass er jede neue Thätigkeit in sein Joch zu spannen weiss. Der Plan einer solchen Herrschaft kann ganz einfach sein, er verträgt kein bleibendes System. Indem er sich Allem anzupassen scheint, passt er sich Alles an, und trifft zweckmässige Gegenanstalten gegen künftige Gefahren. Die eine Gefahr ist der Grössentaumel und das Streben, aus der Sphäre der Klugheit in die der Gewalt überzugehen. Darum muss eine Hand von eherner Festigkeit den Bund zwingen, in den Schranken der einmal bestimmten Laufbahn zu beharren. Weit gefährlicher für den Jesuitismus, weil von der Vorsehung gewollt, ist die steigende Kraft der Sittlichkeit. Dieser muss er stets Hindernisse bereiten, besonders durch Herabwürdigung derselben zur blossen Klugheitslehre, um sie so in der eigenen Sphäre erfolgreicher bekämpfen zu können. An den Klippen der Gewalt und der Sittlichkeit kann der Plan einer Weltregierung der Schlauheit scheitern und ist in der That der Jesuitismus gescheitert. Fragt man, wie und wann ein solcher Bund entstehen konnte? In der Zeit der Rohheit entschied die Muskelkraft, in den gebildeten Staaten des Alterthums zerstörte der [illegible] Geist der Freiheit und Offenheit, der Vaterlandsliebe und Politik die Intrigue. In den Kämpfen des mittelalterlichen Europas gegen Hunnen und Sarracenen führte der Genius der Zeit das Schwert, das eine Herrschaft der Klugheit nicht duldete. Erst bei dem Aufkommen eines Staatensystems und einer Diplomatie, bei einem gewissen Grade höherer Cultur, der nicht bloss für Macht, sondern auch für Ideen empfänglich war, im Zeitalter des Zweifels und der ungeheuersten Krisen d. h. erst im 16 Jahrhundert war die Entstehung eines solchen Ordens möglich.

Die nächsten beiden Vorlesungen schildern im Wesentlichen nach Spittlers Geschichte des Jesuitenordens seine Ausbreitung, vorzügliche Constitution und ausserordentlichen Privilegien, die er von den Päpsten erhielt, und seine Thätigkeit ausserhalb Europas, um dort das nothwendigste Erforderniss einer hierarchischen Gewalt, Bisthum, so sich zu nennen. „Wer erstaunt nicht, ruft Smidt aus, über die Blindheit und Feigheit Europas, das so viele Jahre hindurch das unaufhaltsame Streben jener fürchterlichen Verbindung, sich alle handelnden Nationen zinsbar zu machen, durch Vorurtheile geblendet, übersehen konnte, und wo es die Augen aufzuschlagen wagte, sich zum Widerstande zu schwach fühlte!" Die 4. Vorlesung zeigt, wie die Jesuiten, mächtig an den ersten Höfen Europas, ihre Hand bei jedem epochemachenden Ereignisse 200 Jahre lang im Spiele haben, besonders in Frankreich, und erinnert daran, dass, soviel auch für die Vortheile monarchischer Verfassung sprechen möge, doch nur in dieser und nicht in einer Republik die Möglichkeit einer solchen geheimen Obergewalt zu fürchten sei. Am Schlusse giebt Smidt das Versprechen einer Fortsetzung, das er aber unseres Wissens nicht gehalten hat. Abgesehen von der Eintheilung der Geschichte in drei Hauptperioden, die schon vorher Kant in seiner Idee einer allgemeinen Geschichte 1784 aufgestellt, dann Woltmann in seiner Einleitung zur älteren Menschengeschichte 1794 und auch Fr. Schlegel in seinem Versuch über den Republikanismus 1796 angenommen haben, scheint die interessante Einleitung das volle Eigenthum Smidts. Sie verräth eine gewisse Reife des Verstandes, eine gewisse Kunst der Charakterzeichnung und Anordnung, einen geschärften Blick für die realen Verhältnisse und die historischen Bedingungen, eine wachsende Theilnahme an den Fortschritten der Zeit und ein entschiedenes Eintreten für die republikanische Staatsverfassung.

Smidt wurde nun in seiner Vaterstadt bekannter und gewann einen Freundeskreis, der ihm einigen Ersatz für die geistigen Freuden seines zweiten Jenenser Aufenthalts bieten konnte. Im Februar 1797 gründete Senator Deneken in Bremen eine litterarische Gesellschaft, die zunächst den Zweck hatte, den Culturstufen in den verschiedenen Ständen, sowie den Mitteln nachzuforschen, wodurch die gegenwärtige sittliche Bildung planmässig weitergeführt werden könnte. Sie war also ursprünglich von ähnlicher Anlage wie jene litterarische Gesellschaft in Jena, und wir wundern uns deshalb nicht, unter den Stiftern der Gesellschaft, Senatoren, Professoren

6

und Pastoren, auch den jungen Candidaten Briefe zu finden. Dieser Verein, den Oberlin gern zu einem Illuminatenorden erhoben hätte, blieb doch im Wesentlichen eine Zusammenkunft zu geistiger Erheiterung. In den Jahren 1799–1810 veranstaltete er alljährlich einmal eine gemeinsame Sitzung mit der Oldenburger literarischen Gesellschaft in Falkenburg oder Berne und hielt bis zur Einverleibung der Hansestädte in Frankreich zusammen. Mehrere Vorträge aus der ersten Zeit des Bestandes dieser Gesellschaft regten wirksame Reformen des bremischen Erziehungs- und Schulwesens an, auch sonstige Übelstände, wie der Mangel einer Darstellung bremischer Geschichte, der Trinkgeldermissbrauch und die Beerdigung auf den Kirchhöfen innerhalb der Stadt wurden besprochen. Smidt trat im ersten Jahre der Gesellschaft, wie es scheint, noch nicht thätiger hervor, auch nahm eine Schweizerreise, die er mit Hoppen und dem Livländer Rosen unternahm, fünf Monate des Jahres 1797 in Anspruch. Sie hatte den Zweck, seine immer noch schwankende Gesundheit zu stärken, ihn vom letzten Reste des Augenübels zu befreien und Land und Leute kennen zu lernen.

Am 6. Mai 1797 kamen die Reisenden in Frankfurt an, wo gerade grosse Aufregung über den für Oesterreich so vortheilhaften Vertrag von Leoben vom 18. April 1797 herrschte, mit dessen Bedingungen Bonaparte ja eine Zeit lang alle Welt düpirte. Hier wie in Mainz und Mannheim stiess Smidt überall auf die traurigen Spuren der letzten Kämpfe. Ein Abstecher zu seinem Freunde Meister in Büdingen, auf dem er bei schlechtem Wetter sich arg verlief, lehrte ihn zuerst auch die Mühsale einer Reise kennen. Aber er beruhigte sich damit, dass durch diese Reise sein ganzes Wesen gewinnen solle und er nicht blos auf Vergnügen zu rechnen habe. „Unter all diesen Mannigfaltigkeiten der Welt will ich selbstständiger, charakterfester werden. Gut ist's, in Verlegenheiten zu gerathen und sich durch Thätigkeit herauszureissen." Am 8. des Wonnemonds erreichte Heidelberg die Reisenden, die Poesie erwacht in ihnen, sie nehmen sich vor, auf jedem Ort, den sie passiren, ein Epigramm zu machen, sie benutzen sogar die Verserzeugnisse ihrer Muse dazu, ihnen nach Tisch den

Schlaf zu vertreiben. Bereits Reisetagebuch schildert uns lebhaft die ersten Bewegungen seiner Seele. „Am Wolfsbrunnen bei Heidelberg beschäftigte mich meine Phantasie mit Klara du Plessis und Klairant*) und der Scene, die hier zwischen Beiden vorfiel. Ich fand die Gegend dieser Traumscene ganz angemessen. Rauschend stürzt sich der Waldstrom vom Berge herab, aber plötzlich fällt er in einen Teich, und alle Thätigkeit und alles Leben ist verschwunden. Mit grünlichem Schlamm ist der Teich überzogen. Aber in der Ferne hört man ein leises Rauschen und ahnt, dass der Bach sich aufs Neue klarer aus dem Teiche wieder ergiesst. Bild des Todes und der Unsterblichkeit, dachte ich. Es war sehr schwül, die Wiese blühte so voll, so schwellend und strotzend in ihrer Fülle, dass sie sich nach der Sichel zu sehnen schien. Im Hintergrunde entdeckten wir ein dunkles Gewässer, mit schattigen Bäumen überhangen, einen Platz, der einem Schwermuth beilig. — Die Tour auf den Wolfsbrunnen hat Manches in mir aufgeweckt, was eine Zeit lang schlummerte." Am 22. Mai schrieb er in Frauenheim hinter Offenburg zum Geburtstag seiner Schwester in sein Tagebuch folgendes elegische Gedicht:

Ob er auch deiner gedenkt an diesem erinnernden Tage?
  Fragst du, Liebe, vielleicht, einmal des Bruders Geschick.
„Wohl hat er deiner gedacht, schon als die leuchtende Sonne
  „Seinen frühen Blick öffnete Wald und Gebirg.
„Wohl hat er deiner gedacht, sein eigenes Leben entflammend,
  „Immer fehlt er so noch, wenn er das deine ergriff.
„Wohl hat er deiner gedacht, auch einmal das Bild sich erneuend,
  „Das ihm die Trennung von dir [illegible] in [illegible] Licht.
„[illegible] er [illegible] glänzt die Stätte der [illegible] Schmacht,
  „Wo ein dürrer Gesträuch [illegible] die Gefilden entzieht.
„Freundlich grüsst er die Todten, ein günstiges Echo erhöhte
  „Von den Grabhügeln zurück ihm so das [illegible] Ohr."
Freundlich so uns gegrüsst! wir haben dich nimmer vergessen,
  Leben im Glauben, der uns einem Geliebten verband.

*) „Klara du Plessis und Klairant" — 1795. Familiengeschichte [illegible] Roman von August Lafontaine.

„Ja, ich vernehme sie wieder, erschallt die freudige Antwort,
„Nimmer [illegible] mein Ohr wieder den [illegible] [illegible].
„[illegible] mich immer die Treue, [illegible] mit [illegible] Flügel
„[illegible] die Thore [illegible], die mich dem Orkus entreisst."

Der innige Erguss seines Heimwehliedes, welche die in der Fremde eindringende Schwermuth [illegible] hat, wenn überhaupt ein rasch hingeworfenes Gedicht eines poetisch nicht sehr begabten jungen Mannes mit einer der vollendeten Schöpfungen unsers ersten Dichters verglichen werden darf, einige verwandte Töne mit Göthe's Euphrosyne, die einige Monate später auf einer Schweizerreise aus tieferem Schmerze entstand. Andere Gedanken [illegible] sich Smidt, als er nach Basel kam, das von den Gewitterwolken der französischen Revolution immer düsterer umzogen wurde. Doch hielt der Basler Bürgermeister Buxtorf, den Smidt besuchte, noch immer den Kopf aufrecht und machte ihn mit einer politischen Regel bekannt, die Smidt später als bremischer Bürgermeister wohl öfter angewendet hat. Buxtorf sagte nämlich: „Wir haben uns immer ein wenig grösser gemacht, als wir waren, und haben uns sehr gut dabei gestanden." In Aarau nahm er mit fünf andern Mitgliedern seiner alten literarischen Gesellschaft zu Jena, wie einst auch Fichte [illegible], an einer Sitzung der helvetischen Gesellschaft Theil, worüber er später wieder der literarischen Gesellschaft in Bremen Bericht erstattete. Der blinde Pfeffel und Hirzel, die Altväter des Vereins, Pestalozzi und [illegible] waren zugegen. Als nun ein mit Schweizerwein, einem bei S. Jakob an der Birs gewachsenen Wein, gefüllter Pokal herumging und dabei das Pfeffel'sche Weinlied gesungen ward:

Lasst ihn um die Tafel gehen,
Den Pokal auf Wiedersehen,
Brüder, und auf jeden Schluck
Folg' ein warmer Händedruck

und Kuss und Hand gereicht wurden, da war die Stimmung so feierlich, als ob das heilige Abendmahl gehalten würde. Am 6. Juni landete er auf der Petersinsel im Bieler See. „Die schöne Insel ist äusserst romantisch, ganz für die Schwärmerei geschaffen. Auch ich würde diesen Ort zu meinem Aufenthalt wählen, wenn es mir im Getümmel der Welt nicht länger gefiele.

So viele Anmuth vereinigt dieser kleine Fleck, und Alles so leicht zu umfassen. Man muss bei einem längeren Aufenthalt von selbst aufgefordert werden, sich mit der ganzen Natur, die hier lebt und webt, vom kleinsten Pflänzchen bis zu dem unscheinbaren Gewürm des einzigen vorhandenen Dorfes zu befreunden. Es muss so leicht werden, das kleine schöne Ganze mit sich in Harmonie zu bringen. Es lebt Niemand mehr auf der Insel, der Rousseau gekannt hatte. Die Sage nahm schon ihren Anfang, und die Stätte wird heiliger." Bonde war glücklich, an der Aussenstelle der Thüre noch Platz für folgende Zeilen zu finden.

Manches schmuckende Dach empfängt den ermüdeten Wandrer,
  Manches freundlichen Wirth stimmt das Kranzgewinde auf,
Seliger findet der Gast die Stille der blühenden Einsamkeit,
  Die ein Gott ihm verlieh, wie er der Heimath entfloh.
Wanderer, verstehst du den Ruf? Du bist an heiliger Schwelle,
  Wo durch des Phantasus Macht einer Seele erwacht.

In Bern wurde mit Berger, Herbart, Böhlendorf und Muhrbeck eifrig philosophirt über Unsterblichkeit und Vernichtung. Den 2. Juli genoss er den schönsten Abend seiner Reise bei Lausanne. „Erst der heitere, völlig wolkenlose Himmel, dem der himmelblaue See die silberische Farbe zurückgab. Allmählich kam die Sonne dem Jura näher und verbarg sich endlich hinter seinem Rücken. Immer neues Colorit, immer neue Gestalten! Feuerstreifen über dem Jura, allmählich dunkler werdend. Alle scharfen Umrisse schwinden in der Natur und zeigen sich im Herzen des Menschen, der sich in ihr verloren hat. Chillon hält noch einen Strahl der Abendsonne fest, dann steigt ein Dunstnebel aus dem Rhonethal und verbreitet sich über den See. Die Felsen von Meillerie schimmern noch etwas, den dunklen Tannenwald hat die Nacht schon ergriffen. Die einzelnen Savoyschen Gebirge ragen wie Inseln aus dem Meere hervor, das jenseitige Ufer des Sees wird man nicht mehr gewahr. Beständig wechselnde Farben der Wolken über dem Jura, feuerfarben, roth, braun, hellgrau, blau, alle Schattirungen über einander! Dunkler, immer dunkler, der Mond immer mächtiger. Die Schneeberge leuchten über der Rhone, die Strahlen tanzen auf den Wellen, ein kühler Abendwind erhebt sich über den See. Die Blätter der Pappeln säuseln, aber kein Zweig wird bewegt. Vom savoyischen Ufer ertönt die republikanische Trommel zur Ruhe; winkt sie dem Müden, er ist geschützt im Dunkel der Nacht. Ich drückte Mühlbach die Hand, wir sprachen kein Wort. Waren M. und T. (Braut und Schwester) an meinem Arme! Auch der [illegible] Gedanke muss mit einstimmen in die Harmonie der Menschen an einem solchen Abend, er wird in eine höhere Sphäre mit fortgerückt, wo man glaubt und liebt. Wer seine Lebensstunde [illegible] fühlte, sollte seine Geliebte an einem solchen Abend hieher führen und ihr [illegible], er würde nicht lange mehr bei ihr sein. Nie würde der Gedanke an sein Scheiden ihr bitter sein, wehmüthige süsse Empfindungen würden ihn immer tröstend begleiten. Was könnte man hier nicht vergessen, zu welchen Entschlüssen sich nicht die Seele erheben oder vielmehr, wozu würde sie hier nicht erhoben ohne die mindeste gewaltsame Anstrengung!" Diese [illegible] seinen Schwärmereien, in denen wir Rousseau und Werthers Einflüsse verspüren, trüben [illegible] seinen Einblick in die politischen Strömungen nicht. Schon am 8. Juli stellt er in Genf die Betrachtung an: „Alles lässt sich in Frankreich zu einer Contrerevolution an, es scheint eine grosse Krise bevorzustehen. Mir graut vor dem Despotismus, den ich in der Ferne mächtiger als jemals erblicke." Das schrieb er zwei Jahre vor dem 18. Brumaire nieder. Obgleich ihn oft in dieser Zeit [illegible] quälten, schreckte er doch nicht vor kühneren Gebirgsfahrten zurück. So erklomm er den Montanvert, erstaunend die Wunder der Gletscherwelt. „Wenn man den Blick auf der weiten Montanv[illegible] ruhen lässt und dann wieder zu den ungeheuren Felsenpyramiden erhebt, sollte man sich in ein Chaos versetzt glauben, zu dessen Entwicklung noch mehr als ein Schöpfungstag zu fehlen scheint. Die Phantasie des Gothen war nicht so überirdisch productiv, sie copirte die Natur. Der Montblanc mit seinen unzähligen Aiguilles ist das erhabenste gothische Gebäude, das man nur denken kann." In Mailand sah er am 3. August zuerst Bonaparte und seine Frau, er klein mit bräunlichem Gesichte, schwarzem struppigem Haar, seine Frau mit grossen sprechenden Augen. Auf der Rückkehr aus Italien nahm die Behörde in [illegible] dem Reisegefährten Hoppe eine treffliche Pistole ab. Ab die [illegible]

die Menschen gefunden, wie man sie in dessen „Philanthropin der Natur" erwarten sollte, er sah auch nicht in diesem „Stück von Claude Lorrain" die Figuren [illegible] ergänzen. Dennoch aber zog seinen Geist je länger, je unwiderstehlicher der Gang der grossen Zeitgeschichte an. Er erkannte, dass die die Schweizer Eidgenossenschaft mit ihrem patriarchalischen Gepräge bald würde verschlungen werden vom Strudel der französischen Revolution, wie es denn wirklich im folgenden Jahre geschah, ja er witterte schon weiter hinaus das Heraufziehen einer gewaltigen Zwingherrschaft. Diese Schweizerreise, die ihm am bedeutungsvollen Wirkungsplatze des Reformators Zwingli die Würde eines reformierten Predigers und den Segen Lavaters brachte, vermochte nicht ihn den Beruf eines Geistlichen als seine Lebensaufgabe zu wählen, im Gegentheil, sie vollendete seinen lange vorbereiteten, längst sich erweiternden Bruch mit dem theologischen Stande. Dazu kam, dass er, nach Bremen heimgekehrt, keine Neigung empfand, sich alsbald von seiner Braut wieder zu trennen, um in Lübeck ein einsames Hilfspredigeramt zu finden, und dass man ihm auch schon in den ersten Wochen eine Professur der Philosophie am Gymnasium illustre anbot. Am 8. Oktober 1797 nahm er die Ernennung zu dieser Stelle freudig an, so verkommen auch diese [illegible] Anstalt und so kärglich auch die Einnahme war. Er hatte dafür aber auch nur zwei Stunden wöchentlich zu lesen, also Zeit genug, nach anderen Zielen zu streben.

Smidt als Professor der Philosophie in Bremen von 1797–1800.

Gegen Ende des Jahres 1797 trat der Rastatter Congress zusammen, dessen Verhandlungen mit der sogenannten „Integrität des Reiches" anfingen, um mit der Abtretung des linken Rheinufers und entsprechenden Säcularisationen schmachvoll zu enden. Bedenkliche Entschädigungsprojekte schwirrten umher, bedrohlich besonders für die Kleinen, zu denen sich auch Bremen rechnen musste. Schon vor dem Zusammentritt des Congresses ködderte Bonaparte das Berliner Cabinet mit einer Vergrösserung an den Nordseeküsten, im Beginn der Rastatter Verhandlungen wurden demselben Mecklenburg und Hamburg

ausgebaut. In dieser auch für Bremen so bedenklichen Lage machte der junge Professor der Philosophie sein diplomatisches Debut. Seines Jenenser Freundes Perret sich erinnernd, der von ihm auch in Mailand, aber vergeblich, nachgefragt worden und nun als Bonapartes Secretär in Rastatt eingetroffen war, richtete er an diesen einen Brief am 5. December 1797. Er sucht einen Verkehr zwischen ihm und dem bremischen Gesandten in Rastatt, Georg Gröning, anzubahnen, er fordert ihn als Freund, Bürger und Kosmopolit auf, für den reinen Föderalismus, über den sie einst als Studenten verhandelt haben, für die Freiheit der Hansestädte, für diese nur dadurch allen befreundeten und auch der französischen Republik so vortheilhaften Handelsflor zu wirken. Wie klein auch der bremische Freistaat, dessen Sache er hier vertrete, der grossen Republik gegenüber sei, die Zahl der Köpfe entscheide nicht darüber, ob man für Menschenwohl thätig sein müsse oder nicht. Und Angesichts der Schwierigkeiten seines Unternehmens bekennt er sich zu dem [illegible] Weltbürgerthum. [illegible]! Zwar ruht dieses Schreiben wesentlich auf der Idee, die Kant in seiner Schrift über den Ewigen Frieden 1795 ausgesprochen hatte, welcher Friede nach seiner Ansicht allein im Wesen der republikanischen Verfassung und im zunehmenden Handelsverkehr seine Hauptstütze hat und im freien Bunde freier Völker zu seinem dauernden Ausdruck gelangen kann, aber die eben so schöne, wie praktische Verwerthung dieser Gedanken gehört Smidt an. Diplomatische Fähigkeit ist schon hier zu erkennen, die That [illegible] Patriotismus verräth. Smidt bereitet sich ernstlicher auf den wirksamen Wachdienst vor, den er für die Sicherheit seiner geliebten Vaterstadt ein halbes Jahrhundert hindurch unermüdlich getragen hat.

Dass er seiner Stadt seine Kräfte widmen wollte, zeigte er auch durch den Verzicht auf die Schoss- oder Vermögenssteuerfreiheit, auf die er Anspruch hatte. Er wollte lieber zahlen, dafür aber auch Theil haben am politischen Leben des kleinen Staates. So wurde er denn in den Bürgerconvent hineingezogen. Seine hier entfaltete Thätigkeit entzieht sich der Prüfung, aber gewiss waren es nicht allein seine Museumsvorträge und seine Leitung des Hanseatischen Magazins, auch nicht allein seiner guten Familienverbindungen, sondern auch dem praktischen Wirken in seinem Kreise, was ihn bald dem Senate als ermunterndes Mitglied empfahl. Und um nun noch gründlicher festen Verein in Bremen, reichte er bereits am 1. Januar 1798 seiner geliebten Wilhelmine Rohde die Hand zur Vermählung. Im neubegründeten häuslichen Frieden entstand fröhlich ein Idyll in Voss'schem Stile, das anfangs für seine Frau bestimmt, dann seiner Schwester am 22. Mai 1798 zugeeignet wurde. Es schildert einen Familientag vor Dangast, wie er im Jahre 1782, in den Tagen seiner Kindheit, auf dem elterlichen Landgute bei Bremen in ungetrübter Gemüthlichkeit verlief. Wenn auch die Hexameter nicht gerade Muster des Wohllautes sind, auch der Inhalt nicht den Reichen der höheren Poesie angehört, so giebt doch das Gedicht ein frisches natürliches Bild von den ländlichen Familienfreuden, die mit grossem, etwas breitem Behagen dargestellt sind, und von den weisen, behaglich entfalteten Tischgesprächen bremischer Vorzeit. Und diese beiden Hauptscenen werden von einer warm aufgefassten, friedlichen Natur umrahmt. Vor Allem aber erfreut, dass ein Geist, der jetzt so höchst schwierige Fragen immer näher besonnen, sich eine so reine Kindlichkeit bewahrt hatte.

So zufrieden Smidt nun auch in seinem ersten Hauptamte sich fühlte, die paar Gymnasialstunden konnten ihm nicht Genüge thun. Zu Ende des März 1798 hielt er dort nach der Sitte jährlich eine lateinische Lobrede auf die Philosophie. Er beklagt sich hier darüber, dass die Philosophie den verschiedensten Urtheilen ausgesetzt sei. Ihre Gegner würfen ihr vor, sie verbreite Irrthümer und Phantasien, zumal der Religion raube sie ihre Stütze, da doch erst durch die Hülfe der Philosophie der reine Gottesbegriff gewonnen werden könne. Man wolle die Philosophen Revolutionen und in deren Gefolge Barbarei verschulden, da doch gerade der Mangel philosophischer Kenntnisse diese hervorgebracht habe. Andererseits könne aber die Philosophie keine Wissenschaft genannt werden, denn jeder Grundsatz einer besonderen Wissenschaft sei von einem höchsten Grundsatze alles Wissens abzuleiten. Da dieser nur durch die Philosophie erlangt werden könne, so sei die Philosophie die Wissenschaft der Wissenschaften. Charakteristisch ist ein Schluss seiner Anrede an die Jünglinge: „Niemals werde ich, was ich auf dem weiten Gebiete der berührten Wissenschaft errungen habe, euch verhehlen, und kein Ansehen der Person oder der Lehrer wird mich abhalten, der Wahrheit nachzuforschen und sie euch mitzutheilen. Denn Nichts erschien mir für schimpflicher und der Wahrheitsfreunde unwürdiger, als den Schwur auf die Worte des Meisters“.

Aber wie Smidt sich früher nach und nach vom geistlichen Berufe abgewandt hatte, ohne darum jemals sein lebendiges Interesse an kirchlichen Fragen, die ausserdem in seiner Vaterstadt fort und fort eine besonders wichtige Rolle spielten, zu verlieren, so entfernte er sich jetzt mehr und mehr vom philosophischen Studium, ohne darum jemals, wie besonders seine Reden bis in die späteste Zeit beweisen, der Neigung zu entsagen, die Welt der Erscheinungen von einem höchsten Grundsatze abzuleiten. In seinem Panegyricus auf die Philosophie wird als der Grund- und Hauptphilosoph Kant bezeichnet, während Fichtes keine Erwähnung geschieht, was [illegible] Zeugniss dafür ablegt, dass Smidt sich kaum vom stürmischen Fortgange der Wissenschaftslehre seines Freundes hat fortreissen lassen, so sehr er sonst zu Fichte wie ein Jünger zu seinem Meister emporsah. Als noch vor seinem Eintritte in den Senat Herbart in Bremen eintraf, und wie oben bemerkt, mit dessen Hause und Familie in einen innigen Verkehr trat, hatte Smidt selbst bereits jede philosophische Studiengemeinschaft mit diesem Freunde aufgegeben und nicht wieder angeknüpft. Im schroffsten Gegensatze zu seinen früheren philosophischen Bestrebungen fesselte Smidt in dieser Zeit der ungeheure Umwälzung der Geschichte, er strebte sich nicht nur darnach, in den Zusammenhang der grossen Begebenheiten einen Einblick zu thun, er beobachtete nicht nur aufmerksamen Auges die Dinge, die in Frankreich und Deutschland vor sich gingen, er suchte auch durch eigenes Eingreifen, durch schlagfertige Reden und Schriften seine Stadt gegen drohende Gefahren zu schützen und ihr geistiges und leibliches Wohl zu kräftigen. Diese Behauptungen stützen sich auf die weiteren Erzeugnisse seiner literarischen Wirksamkeit, welche die letzten Jahre des

Jahrhunderts erfüllt. In Preussen erregte damals der Tod Friedrich Wilhelms II am 16 Nov 1797 grosse Hoffnungen, und in der That erliess sein Nachfolger Friedrich Wilhelm III schon 8 Tage darauf eine Cabinetsordre, die auf eine Reform des [illegible] und der gesammten Verwaltung drang. Eine zweite Cabinetsordre beseitigte die Wöllnersche Prüfungscommission und sagte von Wöllners Religionsedict, früher sei zwar kein Religionsedict im Lande gewesen, aber gewiss mehr Religion und weniger Heuchelei als jetzt. Doch erst im Frühjahr 1798 erhielt Wöllner seine Entlassung. Von jener zweiten Ordre, als einer Vernunft- und Toleranzakte, hatte [illegible] der [illegible] Gesellschaft Mittheilung gemacht und damit die Frage verknüpft „Warum werden wir unschuldig unseren Nachkommen aufgeopfert, die aus dem Chaos, dem wüthendsten Kampfe von Licht und Finsterniss, worunter wir erliegen, das schöne sittliche Universum hervorgehen sehn werden? Denn möcht' ich hierüber ein paar tröstende Worte hören!" Hierauf antwortete [illegible] in folgenden Aphorismen:

Nur in der Finsterniss leuchtet das Licht, und ohne dieselbe
Wäre kein Gegenstand da für die durchdringende Kraft.

Nimmer endet das Chaos, aus seiner Fülle entwickelt
Heute wie morgen der Geist sich die unendliche Welt.

Mit [illegible] Dunkel wird auch die späteste Nachwelt
Kämpfen eben wie wir, [illegible] findet sie nicht.

Ob sie glücklicher sei, keiner, ob ein kräftigerer Wechsel
[illegible]

[illegible]
[illegible] der Türken Gewalt, bannten des Papstes Betrug?

Viel sind der Wege zum Irrthum, ein jeder wandelt den seinen,
Auch dem [illegible] ein [illegible] Loos.

Sind wir darum ein Opfer, weil wir die künftige Ordnung
Sahen im Geiste voraus? Wäre denn Blindheit ein Glück?

Ist dann die Arbeit vollendet, und sammeln wir Ernte der Früchte?
  Manchen herrlichen Lohn [illegible] zu [illegible] noch nur!

Haben auch wir nicht geerndtet, wo Andere säten und pflegten?
  Sind wir der Menschheit dann werth, bringen wir weiter sie nicht?

Schön ists, im Lichte zu wandeln, doch herrlicher selbst den Funken
  Unsrer Mühen und Noth holen vom Himmel herab!

Hast du die heiligen Sitz für Wahrheit auf Erden gegründet,
  schaffe sich die höhere Kraft selber die höhere Welt.

Ist dir's auf Erden zu enge, bedränget dich das [illegible] Gewühl,
  In idealischer Welt mache die Freistatt dir auf!

Musen und Grazien wandeln nicht bloss in Hellas' Gefilden,
  Auch am Borussus Thron, kehren die Himmlischen ein.

Ist das Gedenke der Fürsten, das Lohn der Menge zu widrig,
  Sei dem [illegible] Freund, mache das Haus dir zur Welt!

Leben soll Friedrich Wilhelm! doch leben soll er noch höher,
  Sprich' für die Zukunft er noch noch das wundersame Wort
„Was ihr glaubt, das darf ein König nicht geben, nicht nehmen."
„Jeder halt' es mit Gott, wie ers am besten versteht!"

Diesen sinnvollen, menschlichen Epigrammen, die mit warmen Sympathie für Preussen schliessen, reihen sich andere Vorträge an, welche die Fortschritte der französischen Waffen verfolgen. So besprach er das Walliser Land im J. 1798, das er im vorigen Sommer durchzogen und das eben vergeblich 8 Tage lang mit der französischen Republik gerungen hatte. Ein anderer Vortrag über Aegypten in Beziehung auf die neueste französische Expedition, der uns leider nicht vollständig bewahrt ist, wurde von ihm gehalten, als zwar die Eroberung Maltas vom 12 Juni 1798, noch nicht aber die Landung Bonapartes in Aegypten vom 1. Juli in Bremen bekannt geworden war. „Fast kein Zeitungsschreiber sagt mehr daran zu zweifeln: Napoleon nicht nach Aegypten! Was will er dort? Seine Divisionen auf Cameelen beritten machen und durch die Wüsten Arabiens ziehen? Wird Tippo Saib ihm Flotten bauen, um ihn im arabischen Meerbusen abzuholen und nach Indien zu bringen? Soll die Landenge von Suez durchstochen werden und die französische Flotte geradewegs nach der Küste Coromandel segeln?" Den letzten Fall hält Smidt wegen der Breite des Isthmus für durchaus unmöglich, aber er meint, dass der Held, wenn er Aegypten ebenso schnell wie Malta erobert und zu dessen Behauptung eine hinlängliche Truppenzahl zurücklasse, nicht nothwendig werde [illegible] werden. „Dann könnten die in Toulon verwandten Millionen ihre [illegible] Procent Zinsen tragen und zu den sechs Morgen Landes, die jeder Krieger nach geendigtem Feldzug erhalten sollte, dürfte hier wahrscheinlich eher Rath geschafft werden, als zu dem längst versprochenen Milliard, durch dessen gelegentliche Erwähnung die Factionen der gesetzgebenden Versammlung jetzt aneinander zu stürzen suchten und der in künftigen Zeiten vielleicht einmal einem zweiten Caesar die Brücke über den Rubikon schlägt." Was aber Aegypten für Frankreich werden könne durch seine Fruchtbarkeit, Handelslage, durch die Nähe von Goldländern und dem glücklichen Arabien wird dann dargelegt. Nur das Letzte hat sich nicht erfüllt, aber Smidts auch hier ausgesprochene Erwartung eines militärischen Gewaltherrn sollte sich schon im nächsten Jahre verwirklichen.

Ganz besonders aber richtete Smidt schon damals sein Augenmerk auf die Lage Bremens. In der literarischen Gesellschaft besprach er am 23. Febr. 1798 die Cultur der Reichsstädte. Seine [illegible] dieser zu Vortrag gekommenen [illegible] stützt sich im Wesentlichen auf die im Briefe an Perret verwandten kantischen Grundgedanken, nur schließt sich ihr eine kräftige Aufforderung an jeden patriotischen Bürger an, die Ursachen des Zurückbleibens der reichsstädtischen Cultur zu erkennen und durch eigene Kraft zu beseitigen. Jene Ursachen liegen zum Theil in der Eigenthümlichkeit der reichsstädtischen Verfassungen, aus zu allgemeinen oder zu individuellen Bestimmungen zusammengesetzt zu sein. Da durch unsere Revolutionen nur neue Zufälligkeiten hineingetragen werden konnten, [illegible] der Wandel, der auch den [illegible] grösserer Nachbarstaaten herbeiziehen könne, und ein [illegible] die corps verhinderte zweckmässige Vorschläge. Dazu suche in Reichsstädten das Zunftwesen nur seine Privatvortheile, nicht die des Staates. Ferner werde jede Abgabenerhöhung vermieden, „Verbessern" klinge dem Reichsstädter wie „Bezahlen".[1] Deswegen sei die Polizei in traurigem Zustande und die Reichsstädte glichen den Wohnungen von Geizhälsen. Dazu der Mangel an tüchtigen Köpfen, und die Tüchtigen vergessen oft ihr Amt über ihrem Gewerbe. Endlich ständen die Reichsstädte nicht unter einander in Verkehr, um sich ihre Kulturfortschritte mitzutheilen, und die Chronik der freien Reichsstädte gehöre [illegible] an der magersten [illegible]. „Die Rügen aber werden steigen, bis ein fremder Joch [illegible] schwer." [illegible] man die Mängel solcher [illegible], doch auch deren Vorzüge anzuerkennen. Eine Uebersicht ihrer Bedürfnisse ist leicht, daher die Gefahr der Uebersteuerung und des Unterschleifes gering. Ausserdem genossen diese kleinen Staaten Frieden und schützten die freie Thätigkeit bürgerlicher Vereine, deren Unternehmungen zwar minder unterstützt, aber auch weniger gehindert werden als in Monarchien. Das Erwachen der alten Hansa wird einen [illegible] Republikanismus zeigen, als die Nationen des Tages. Die Vereinigung der Reichsstädte wird ein Wetteifer wecken, bis endlich die natürliche Staatsverfassung, der reine Föderalismus, gegründet ist. Am [illegible] April [illegible] bekämpft Smidt einen anderen Vorwurf, den man den Hansestädten machte, dass sie nämlich voll revolutionärer Gesinnung seien. Diese Furcht ist nach seiner Ansicht nicht begründet, weil ihre Verfassung zwar mangelhaft, aber nicht [illegible], also der Vervollkommnung fähig ist. Die Mässigkeit und die Art der Abgaben, der sogenannte Schoss, das Fehlen privilegirter Stände, [illegible] Pöbels, die volle Gewalt der [illegible], die ihnen natürliche Politik, fremde Einmischung zu verhüten und den nur bei Ruhe möglichen Handel zu pflegen, alle diese Thatsachen widerlegen genugsam jene Vorwürfe. Dieser Vortrag, der auch das Hanseatische Magazin eröffnete, war dazu bestimmt, den Gelüsten der grossen Demneben Mächte nach Säcularisationen und Entschädigungsforderungen entgegenzutreten. Schon im Frühling 1798 liefen die Bittschreiben der fränkischen und schwäbischen Städte ein, die um Erhaltung ihrer Unabhängigkeit flehten. Damals besorgte man auch eine Erwerbung Hannovers durch Preussen, und im Herbste 1798 kam auf dem Rastatter Congresse die politische Zukunft von Hamburg, Bremen und Frankfurt wiederholt zur Sprache. Im November 1799 theilte Smidt, der nicht leicht den Muth verlor, wohl zur Beruhigung der Mitglieder der Gesellschaft, aus Häberlins Staatsarchiv die geheime Convention zwischen Frankreich und Preussen vom 5 August 1796 mit, worin die letzte Macht die Unabhängigkeit der Hansestädte zu erhalten versprach.

Diese ganze Thätigkeit Smidts in den letzten Jahren vor seinem Eintritt in den Senat, die einen halb historischen, halb politischen Inhalt hat, findet nun ihren vollkommensten Ausdruck in zwei grösseren Unternehmungen, in den öffentlichen Vorlesungen über Menschengeschichte, die er vom Winter 1798 bis zum Winter 1800 vor einem zahlreichen Herren- und Damenpublikum gehalten, und im Hanseatischen Magazin, das er vier Jahre 1799–1802 geleitet hat.

Seinen Vorlesungen sandte er als Einleitung eine Schrift voraus, Etwas über das Interesse an der Menschengeschichte, die auch 1796 in Bremen gedruckt wurde. Die Interessen an der Menschengeschichte (ein Ausdruck, den Woltmann für den allzu richtigen an die Stelle des Wortes Weltgeschichte gesetzt hatte), sind verschieden. Das einfachste ist das Familieninteresse, das sich bald in ein bürgerliches Interesse für die Geschichte der Vaterstadt verwandelt, dann in ein staatsbürgerliches für das ganze Volk, um endlich in das Interesse am ganzen Menschengeschlecht überzugehen. Ein besonderes Interesse ist das an der Cultur, das sich auf die Erklärung des jetzigen Zustandes der Menschen richtet. Davon unterscheidet sich das praktische, das für den Staatsbürger jeder Verfassung, aber auch für den Menschen überhaupt wichtig ist. Das höchste Interesse ist aber das weltbürgerliche, das mit jeder der anderen Arten etwas gemein hat, aber durch seinen höheren Gesichtspunkt wieder von allen wesentlich verschieden ist. Dieses fragt nach der

4

Bestimmung des Menschengeschlechts, welche in der vollendeten Entwicklung aller Anlagen der Menschen besteht. Vom weltbürgerlichen Gesichtspunkte aus überblicken wir die Stufen der sinnlichen, intellektuellen und sittlichen Cultur. Dieser Gesichtspunkt tröstet uns allein über die Revolutionen, die nur Versuche sind, die grosse Aufgabe, wie die möglichst unbeschränkte Freiheit Aller mit der möglichst unbeschränkten Freiheit jedes Einzelnen zu vereinigen sei, noch zweckmässiger zu lösen, tröstet uns allein über die Kriege, denn jeder Krieg ist uns ein Streben nach einem vollendeteren Staatenverhältnisse, eine Annäherung zum ewigen Frieden. Auf diesem Gesichtspunkte trauern wir auch nicht über die Abnahme der intensiven Cultur, wenn die extensive zunimmt. Heute ist die Geschichte kein Mysterium mehr, sondern ein Gemeingut aller Gebildeten. Wenn andere Nationen mehr Interesse für ihre Nationalgeschichte hegen, so haben die Deutschen, die seit Jahrhunderten keine Nation mehr sind, ein besonderes Interesse an der Universalgeschichte. Dieser Sinn soll auch in Bremen geweckt werden. Als Bürger einer Handelsstadt interessiren uns andere Völker, als Bürger einer Republik, die eine kleine, aber mehr oder minder selbständige Rolle spielt, interessirt uns die Gegenwart, die aber erst aus der Vergangenheit verständlich wird. Endlich fordert uns der erschütternde Anblick der Begebenheiten unseres Jahrzehnts auf, weltbürgerliche Ansichten zu verbreiten. Ein derartiges Interesse wird in unserer Stadt am besten die Ritterromane aus den Lesekabinetten vertreiben, die den Geschichtslesern schaden.

So wenig neue Gedanken diese Vorrede enthält, so ist sie dennoch nicht ohne Verdienst. Sie fasst auf geschickte Weise alle die Ideen über allgemeine Geschichte, die in den letzten anderthalb Jahrzehnten Kant, Herder, Schiller und Woltmann darüber verkündet hatten, zusammen und leitet glücklich das mit vieler Ausdauer durchgeführte Unternehmen ein, eine höhere Auffassung der Weltgeschichte in populärer Weise in einer damals wenig gebildeten Bevölkerung zu verbreiten.

Von den 38 Vorlesungen, die Smidt nun folgen liess, waren es 30 der Urgeschichte, der Geschichte der Aegypter, Israeliten, Phönizier, Carthager, Assyrer, Babylonier und Perser

ns, 40 der griechischen und 48 der römischen bis zum Ende der Republik. Gleich dem Ausdruck „Menschengeschichte“ stammt auch die Reihenfolge der einzelnen Völker von Woltmann her, wie dieser sie, abweichend von Gatterer und Herder, in seinem Plane für historische Vorlesungen empfohlen und in dem ersten Bande seiner älteren Menschengeschichte, der Aegypten und Israel umfasst, selbst eingehalten hatte. Smidts vier erste urgeschichtliche Vorträge lehnen sich hie und da an Herders Ideen, durchweg aber an Kants kleine Schriften an. Wie Kant setzt Smidt vier Racen an, die je nach der Säure, die im Blute das Uebergewicht hat, schwarz, kupferroth, citronengelb oder weiss sind. Die Auffassung, dass der Erdkörper einst aus Wasser und Granit bestanden, auf dem die verwesten Schaalthiere einen Schlamm ansetzten, entnahm Smidt Herders Ideen. Nach diesen mehr naturwissenschaftlichen Betrachtungen nimmt die Vorlesung nach Herders und Kants Vorgange für die Urgeschichte den mosaischen Schöpfungsbericht zur Richtschnur. Doch wird von Smidt wie von Kant die biblische Erzählung gewaltsam umgedeutet, und wie nach Kants „Muthmasslichem Anfange der Menschengeschichte“ regt auch nach Smidt die Vernunft den Menschen zum Ungehorsam gegen seinen Instinct, nur einige Dinge zu geniessen, zur Sucht an, die Kenntniss der Nahrungsmittel über die Schranken des Instincts hinaus zu erweitern. Die Vernunft säumt dann weiter nicht, auch den Instinct zum Geschlecht zu verfeinern. Daraus erklärt sich das Feigenblatt, das Kant das Product einer höheren Aeusserung der Vernunft, Smidt den Anfang der ästhetischen Cultur nennt. Wie als der Cherub die Vernunft zwischen die ersten Menschen und das Paradies ihrer Kindheit tritt, wie die verschiedenen Stände sich bilden, wie es zum Kriege kommt und zur Unzufriedenheit des Menschen mit der Vorsehung, Alles das sind Kantische Betrachtungen. Nur die Darstellung der ältesten Religions- und Staatenbildung mag Smidt eigenthümlich sein. In seinen Vorträgen über Aegypten und Israel stimmt Smidt vielfach mit Woltmann überein. Beide schliessen aus dem Benehmen der Aegypter gegen Abraham, den diese der schönen Sara willen erschlagen wollen, auf die frühere Heiligkeit der dortigen Ehe, und aus dem Benehmen

4*

individuelle Existenz eines jeden Staates in dieser Zeit allgemeiner Umwälzung einer Apologie vor dem Richterstuhle der Vernunft. Eine solche ist aber nur möglich bei voller Publicität, die ja auch jetzt von den Regierungen anerkannt wird, da man aufhört, Staatsgeheimnisse wie Staatsgefängnisse zu betrachten. In den aufgeklärten Provinzen unseres Vaterlandes wetteifern die Regierungen mit den Staatsbürgern, das [illegible] des Ganzen und jedes Theiles aufzusuchen. Solcher Eifer ist auch in den Hansestädten nothwendig, und hier kehren die Gedanken über die Cultur der Reichsstädte wieder, die wir oben [illegible]. Mehrere Gelehrte der 3 Hansestädte hätten sich nun auch verbunden, über den jedesmaligen Grad, den Fortgang und die Hindernisse der Cultur in ihren Vaterstädten öffentlich Rechenschaft abzulegen und diese mit Reformvorschlägen zu begleiten. Nach dem Plane sollen im Magazin die physische, die wissenschaftlich-künstlerische und die sittliche Cultur, dann die gemeinsamen hansischen Verhältnisse, die jeder Stadt eigenthümlichen Staatsverhältnisse und endlich ihre bürgerlichen Verhältnisse besprochen werden. Derartige [illegible] in der Staatscultur ist um so wichtiger, als die Bürger dieser Städte die Selbstverwaltung genossen, also mehr als andere solcher Kenntnisse bedürfen. Durch das Magazin sollen die wesentlichsten Bedürfnisse, die zuerst befriedigt werden müssen, bezeichnet, [illegible] in der Befriedigung anderer [illegible] und bestehende gute Anstalten vor Vorurtheilen bewahrt werden. Auch die Hansestädte sollen in vollem Wetteifer ihre Kräfte ausbilden, damit die Verwirklichung des Zweckes der Menschheit in ihnen immer leichter und möglicher werde.

Im nächsten Jahrgange empfiehlt Smidt nach Hamburg und Oldenburgs Vorgang die Anlage von Sparkassen, um dem wachsenden Luxus des Gesindes zu steuern. Derselbe Jahrgang bringt aber noch einen andern Aufsatz von ihm, der eine ganz neue Richtung seiner Thätigkeit ankündigt, die, im Briefe an Perret nur schüchtern angedeutet, ihn später zu einer der schönsten Thaten seines Lebens, zur Gründung Bremerhavens, führen sollte. Ich meine seinen Aufsatz über die Ursachen der letzten Handelskrise und ihren Einfluss auf Bremen. Um [illegible] hatte Bremens blüh-

unmittelbarer Verkehr nach Westindien und Nordamerika begonnen, aber der bedeutendere Aufschwung desselben datirte vom Ausbruche des damaligen Seekrieges im Jahre 1793. Er wurde verursacht durch den vergrösserten Waarenabsatz, da die Landesausfuhr der Bremer sich nun nicht mehr auf das Wesergebiet beschränkte, sondern, bei der Sperrung der holländischen Häfen durch die englischen Schiffe, auch das Rheingebiet von der Schweiz bis zu den Niederlanden herab beherrschte. Die zweite Ursache lag in der Leichtigkeit, mit der man die deutschen Producte zum Austausch gegen die amerikanischen auf einen langen Credit kaufen konnte, die dritte im Wechselcredit. So stieg der Gewinn der bremischen Handelshäuser in den Jahren 1797 und 1798 in der Regel auf 30—40 Procent. Aber die Unternehmungen waren dem Geldfond nicht völlig angemessen. So lange Absatz da war, ging es gut, bis die Preise sanken und die Wechselcurse [illegible]. Im Herbst 1799 trat eine Krisis ein in Folge der Waarenüberhäufung, übertriebener Speculation und [illegible] Consumtions[illegible], der [illegible] englische und französische Kapereien, ein früher und langer Winter von 1798/99, der die Schiffe in fremden Häfen festhielt. Ausserdem erwartete man von der Zuckerrübe niedrigere Zuckerpreise, in Hessen und auf dem Eichsfeld war der Taback ergiebiger als sonst ausgefallen, man [illegible] auf Kaffeesurrogate. Endlich hofften die holländischen Kaufleute von der englischen Invasion in Holland auf einen freieren Verkehr mit England, der Verkehr nach den Niederlanden gerieth durch die gesperrte Weserfahrt in Stockung und in Hamburg fallirte ein grosses Haus, dem bald andere folgten. Täglich wurde die Stockung ärger; da beschloss am 27 September 1799 ein Bürgerconvent die Verfertigung von Staatsbillets für eine Million Thaler. Diese Massregel rettete Bremen aus der Noth, und da die Bequemlichkeit solcher Zahlungen bald gewöhnt, fragte man jetzt, ob nicht die Errichtung einer ordentlichen Girobank für Bremen rathsam sei.

So waren wir denn mit unserem [illegible] aus den höchsten Sphären der Philosophie, Freundschafts- und Naturschwärmerei allmählich auf Tabackslager und Girobanken herabgestiegen. Aber dieses Sinken bedeutet in Smidts Leben ein stetiges, ersten, mannhaften Aufsteigen zu dem Posten, der ihm erhöhete. Als er denselben am 13. December 1800 als jugendlicher Senator bestieg, sah er nun deutlich die Hauptwege seiner staatsmännischen Zukunft vor sich. Sein Herz, das sich einst lange Jahre der Theologie hingegeben, musste immer regen Antheil an allen kirchlichen Fragen seiner Vaterstadt und seines Vaterlandes nehmen, sein mit den edelsten Säften der Philosophie getränkter Geist musste darnach trachten, das bremische Bildungswesen im weitesten Sinne durch jedes erdenkliche Mittel zu beleben und zu erhöhen, sein freier und dabei so realistischer Sinn musste dem Handel seiner Stadt neue stolzere Bahnen zu weisen suchen, seine tüchtige Geschichtskenntniss, sein scharfer Instinct für die Zukunft, seine diplomatische Klugheit mussten ihn zu einer weit über die Grenzen seines kleinen Staates hin wirksamen Rolle in der auswärtigen Politik erheben, und endlich musste seine heilige Vaterlandsliebe ihm in allen Lagen des Lebens stets den edlen Mannesmuth verleihen. Unter manchen inneren Erschütterungen war er von der alten Theologie zu einer neuen übergegangen, vom Glauben seines väterlichen Hauses zum Rationalismus und zur Moralphilosophie, und diese hatte ihn immer tiefer in das Studium Kants hineingezogen. Die idealistische Persönlichkeit Fichte's hatte seinem Denken einen höheren sittlichen Schwung, Pflichternst und Thatkraft verliehen, ohne ihm seinen nüchternen Instinct für das geschichtliche Leben zu rauben. So suchte er sich nun auch einen politisch-philosophischen Ueberblick über den gesammten Verlauf der Menschengeschichte zu gewinnen. Je mehr aber die Alles umwälzenden Wogen seiner Zeit ihn, den heranreifenden Mann, und seiner Heimath nahe rückten, desto praktischer ward seine Auffassung der Geschichte und desto mächtiger wurde in ihm der Thätigkeitsdrang. Und so legte er denn zu Ende des Jahres 1800 mit Hand an das Ruder seines Staates, um bald dessen erster Steuermann zu werden und unter den Staatsmännern seiner Zeit einen hervorragenden Platz einzunehmen.

Das erste Jahr in Frankfurt.

Von Constantin Bulle.

Der Abschnitt aus [illegible]'s Leben, welchen die folgenden Blätter ausführlicher behandeln sollen, wird denjenigen Lesern, die mit dem Wirken unseres grossen Staatsmannes näher bekannt sind, nicht sehr glücklich gewählt scheinen. Das erste Jahr seines Frankfurter Aufenthaltes ist durch keinen grossen Erfolg ausgezeichnet, ja man könnte sagen, es sei arm an [illegible] diplomatischer Thätigkeit, da die Aufgaben, zu deren Lösung [illegible] in der Mainstadt weilte, überhaupt noch nicht in Angriff genommen wurden. Der Bundestag, als dessen Mitglied er Ende November 1815 in Frankfurt erschien, wurde statt am 1. December dieses Jahres erst elf Monate später eröffnet, und grade diese Periode des Harrens und Schwebens bildet das Thema dieser Arbeit. Nun mag es gleich von vorn herein [illegible] sein, dass die Kürze der Zeit, welche mir zur Verfügung stand, das Übrige dazu beigetragen hat, mich bei dem ersten Bande der Frankfurter Berichte festzuhalten, während ich bei grösserer Musse aus der voluminösen Sammlung jener archivalischen Schätze, einen Stoff, der [illegible]'s Namen mehr zu verherrlichen geeignet wäre, aufzusuchen mich bemüht haben würde. Allein auf der andern Seite kam doch auch ein besonderes Interesse, welches das erste Jahr des Frankfurter Aufenthaltes mir zu gewähren schien, zur Geltung und gab den Ausschlag. Schwerlich dürfte eine Epoche in [illegible]'s Leben gefunden werden, die uns besser in seine diplomatische, ich möchte sagen Werktagsarbeit [illegible] zeigt. Es fehlt hier freilich an einem kraftvoll und zweckbewusst nach einem grossen Ziele gerichteten Thätigkeit, deren ruhmvollen Abschluss die glückliche Erreichung dieses Zieles bildet; aber dafür sehen wir nun um deutlicher in einem bestimmten, fest umgrenzten Kreise das Entstehen und Wachsen jenes Einflusses, der die sichere Grundlage von allen Erfolgen Smidt's bildete. Wir sehen ihn seine Fäden nach allen Seiten spinnen, wir sehen ihn das Terrain, das er vorsichtig erobert oder dessen er sich von früher her schon Herr wusste, sorgsam befestigen, wir sehen ihn sich einleben in Verhältnisse und Materien, die ihm zum Theil sehr fern lagen und die er doch nicht aus den Augen liess, weil er sich wohl bewusst ist, dass alle Geltung, deren er geniesst, zuletzt darauf beruht, dass seine Ansicht in jeder Sache von vorn herein für die Ansicht eines scharf beobachtenden, wohl unterrichteten und sachgemäss entscheidenden Mannes genommen wird. Der Vertreter eines kleinen Staates, der nicht einmal eine volle Stimme in der Bundesversammlung führte, sondern mit drei andern zu theilen musste, konnte nicht durch das materielle Gewicht, das er in die Wagschale zu legen hatte, sondern nur durch die moralische Autorität, welche ihm Kenntniss, Scharfblick und Rechtlichkeit in der Behandlung der Geschäfte gaben, etwas ausrichten. Diese Autorität sich zu erwerben war Smidt's unablässiges Streben, und dass er sie bereits in hohem Masse besass, als er nach Frankfurt kam, dass er sie dort mit bewusstem Erfolge sich zu bewahren und sie zu mehren wusste, dafür werden die folgenden Schilderungen manchen Beleg geben.

Durch seinen Aufenthalt im Hauptquartier der Alliirten und mehr noch durch seine Anwesenheit auf dem Wiener Congress war Smidt mit den bedeutendsten Staatsmännern der Zeit in nähere Berührung gekommen und hatte sich deren Achtung zu sichern gewusst; für seine Frankfurter Stellung waren es aber viel weniger die Anknüpfungspunkte, die er mit den Spitzen der Diplomatie, mit einem Metternich, Stein, Humboldt, gewonnen, als die näheren Beziehungen, in denen er zu den mittel- und kleinstaatlichen Gesandten stand, welche ihm den Boden ebneten. Selbstverständlich wirkte das Eine auf das Andere zurück, der Mann, von dem Metternich in den Ausdrücken der höchsten Achtung sprach, musste, wenn gleich machtlos oder

wenig unterrichteten Collegen dadurch am Vieles wichtiger erscheinen, und der Diplomat, welcher zu den Lieblingen[?] des Arbeitern und den anerkanntesten Vertrauenspersonen unter den „Mindermächtigen“, wie man in Wien zu sagen pflegte, gehörte, dürfte der vollsten Beachtung der hohen Staatskanzler und Minister gewiss sein. Weder von Berlin noch von Wien aus würde es daher an Winken für die resp. Bundesgesandtschaften gefehlt haben, wenn nicht die Verhältnisse selbst Smidt auch dadurch begünstigt hätten, dass er gleich bei seinem Eintreffen in Frankfurt Männer dort fand, die selbst auf den höchsten Stufen der Rangordnung standen und daher seinen Werth aus Erfahrung zu schätzen wussten, so besonders Humboldt von preussischer und Wessenberg von österreichischer Seite, beide beauftragt, ihre Regierungen bei den Verhandlungen zu vertreten, in denen die Gebietsstreitfragen zwischen den einzelnen deutschen Staaten, so weit sie nicht schon endgültig festgesetzt waren, geordnet werden sollten.

Als Smidt nach dem Abschluss der Bundesacte Wien verlassen hatte und über Frankfurt nach Hause reiste, konnte er nicht umhin anzunehmen, dass sein Aufenthalt in Bremen nur wenige Wochen dauern würde. Denn die Eröffnung des Bundestages war durch Artikel 9 der Bundes-Acte auf den 1. September angesetzt und darüber, dass ihm die Vertretung Bremens zufalle, war überhaupt kein Zweifel. Gründe für eine Verzögerung der Eröffnung waren nicht vorauszusehen. Hatte man vor der Schlacht von Waterloo den 1. September einhalten zu können geglaubt, so schien vollends nach dieser Schlacht und bei der schnellen Beendigung des Krieges ein Aufschub ausser allem Bereiche der Wahrscheinlichkeit zu liegen. Wer hätte auch annehmen sollen, dass die diplomatischen Unterhandlungen mit den Bourbonen doppelt und dreifach so viel Zeit erfordern würden als die militärische Besiegung Napoleons? Indess schon im August wurden in der Presse bedenkliche Stimmen laut, welche eine Vertagung befürchteten. Smidt glaubte nicht daran oder stellte sich wenigstens, als besorge er Nichts. Denn die officiellen Äusserungen des Bremer Senates über diese Frage können begreiflicher Weise ohne Weiteres als der Ausdruck von Smidt's Ansichten hingenommen werden. Der Senat aber theilte am 8. August den Schwesterstädten mit, daß sein Vertreter Ende des Monats in Frankfurt eintreffen werde. Die Verzögerung [illegible] nach seinem Dafürhalten schon deshalb nicht begründet sein, weil ja die Bundes-Acte selbst den 1. September als Termin ausdrücklich festgesetzt habe; sollten dem Beginn der Arbeiten wirklich noch Schwierigkeiten entgegenstehen, so müsse doch wenigstens eine formelle Sitzung an dem bezeichneten Tage stattfinden, und sollte der einzige Beschluß, den man fasse, auch der sein, den eigentlichen Anfang hinaus zu schieben.

Allerdings war bei dieser lübeckischen Auffassung der Dinge ein Punkt außer Acht gelassen, der, wenn man ihn ins Auge gefaßt hätte, die Unumgänglichkeit einer sofortigen Vertagung ergeben haben würde. Die Bundes-Acte sprach sich ganz kategorisch darüber aus, daß nach der Eröffnung der Bundes-Versammlung deren erstes Geschäft die Abfassung der Grundgesetze sein (§ 10) und daß gleich bei der ersten Zusammenkunft (also vor der ersten Vertagung) verschiedene Materien ([illegible] etc.) [illegible] werden sollten. Eine Vertagung gleich in der ersten Sitzung würde also der Bundes-Acte nicht minder widersprochen haben als ein Hinausschieben des Anfangs. Das wurde denn auch von den Lübeckern in ihrem Antwortschreiben (d. d. 19. August) ganz richtig hervorgehoben, und in Paris, wo die Monarchen mit ihren Ministern noch verweilten, war von diesem Nothbehelf überhaupt nicht die Rede, sondern Metternich und Hardenberg [illegible] sich, ohne die übrigen Bundesglieder zu fragen, zur eigenmächtigen Verschiebung des Eröffnungstermines um ein Vierteljahr.

Statt Ende August brauchte Smidt also erst Ende November in der Bundesstadt einzutreffen. Der 26. November, ein Sonntag, war der Tag seiner Ankunft. Eine Wohnung fand er im [illegible] Hofe am Kleinen Hirschgraben bei Herrn Philipp Nicolaus Schmidt, einem Kaufmanne, der außer seinem Handel mit Öl und Cerealien auch Bankiergeschäfte betrieb, und dadurch auch geschäftlich mit Smidt in Beziehungen kam. Das Haus war nach der Art der alten, [illegible] Absteigequartiere — als solches hatte es den Reichsgrafen von Solms gedient — gebaut; ein großer Hof war von Wohnräumen umschlossen, die im Parterre auch als Wagenremise dienten und von dem Besitzer benutzt wurden, während Smidt das erste und zweite Stockwerk bezog. In den ersten Tagen mußte man sich, da die Wohnung [illegible] war, etwas dürftig mit wenigen zusammengeliehenen Sachen behelfen; auch gehörte die Straße, an welcher das Haus lag, nicht zu den interessantesten, allein da sie mitten in der Stadt und nicht weit vom Posthause entfernt war, so wurden dergleichen Uebelstände gern übersehen, und bald hatte sich ein behagliches Familienleben in den neuen Räumen entfaltet, das durch einen ausgewählten Freundes- und Bekanntenkreis verschönert wurde. Da Smidt darauf vorbereitet war, längere Zeit in Frankfurt leben zu müssen, so hatte er Frau und Kinder, vier Söhne und zwei Töchter, gleich mitgebracht. Andere Bundestagsgesandte waren in derselben Lage, darunter gerade solche, mit denen er von früher her befreundet war; auch mit den Frankfurter Patriziern wurde bald ein mannigfacher Verkehr begonnen. Besondere Freude machte es Smidt seinen Gästen mit Bremer Delicatessen aufzuwarten. [illegible] und [illegible], Neunaugen und frische Heringe, [illegible] und Austern, wie es Zeit und Gelegenheit gab, bildeten bei festlichen Anlässen die Zierde seiner Tafel. Dass auch der Rathskeller gelegentlich in Contribution gesetzt wurde, kann man leicht denken. „Graf Buol (der österreichische Präsidialgesandte), so berichtete Smidt seiner Andern einmal nach Bremen, hat schon mehrere Male und noch gestern wieder bei Tische unserer alten Rheinweine in solchen Ehren gedacht, dass ich M. M. H. wohl bitten möchte, ob Sie mir nicht, wie Sie während meines Aufenthaltes in Wien die Güte hatten, auch hierher etwas davon schicken wollen. Ich verspreche, für mich keine Bouteille davon zu gebrauchen, sondern sie bloß zu nützlichen Zwecken anzuwenden und zu verschenken. Buol sagte gestern, der Senat von Bremen habe ihm einmal, wie er in Hamburg gewesen, ein Geschenk von Rheinwein gemacht, woran er lange gehaushaltet und bei jeder Gelegenheit Ehre damit eingelegt habe. Seitdem der aber alle geworden, könne er bei seiner Tafel alten Rheinwein par excellence nicht mehr sehen lassen, aber der Rheinwein darf nicht schlecht sein, denn die Frankfurter sind in diesem Artikel zu gute Kenner. Im Wein konnte man den Lachs schon eher etwas warm machen. Auch wäre es schön, wenn auf der Etikette das Gewächs und das Jahr angegeben werden könnte." Natürlich wurde diesem Wunsche von Bremen aus entsprochen, und der Wein durfte sich keiner schlechteren Aufnahme versprechen, als ihn einige Zeit vorher die ersten frischen Heringe gefunden, welche „ein christlich gesinnter Freund," Friedrich Schröder, Smidt als Geschenk zugesandt, und mittelst deren dieser Buol, Humboldt, Gagern und andere Collegen „die bremische Nationalindustrie zu [illegible] zu demonstrieren" nicht unterlassen hatte.

In der Verwendung solcher kleinen Mittelchen, die ein persönlich freundschaftliches Verhältnis zu erleichtern geeignet waren, entwickelte Smidt überhaupt viel Gewandtheit und Takt. Es brauchten ja nicht immer frische Heringe oder 75 Flaschen Rheinwein zu sein; auch andere Höflichkeiten hatten ihren Wert, und wurden so in so verbindlicher Weise erzeigt, dass auch der Feinfühligste keinen Anstoss nehmen konnte. So empfand der Freiherr vom Stein eine aufrichtige Freude, als ihm Smidt das Ehrenbürgerrecht der freien Hansestadt überreichte, wovon weiter unten noch näher die Rede sein wird. Humboldt erhielt gleich in den ersten Wochen ein höfliches Dankesschreiben des Senates, das er durch seine Wirksamkeit in Paris sich um den Städten wohl verdient hatte. Oder um [illegible] in der Rangordnung des Amtes wie der Gesinnung. Varnhagen brannte vor Begierde die hanseatische Medaille zu erhalten. Da er nun von seinem Carlsruher Posten wöchentlich Bericht über die Vorfälle in Süddeutschland an Smidt sandte und dieser es auch davon abgesehen „für nützlich hielt den sehr brauchbaren Schriftsteller und Mitarbeiter an vielen Zeitungen zum Freunde zu haben", so sorgte er um so weniger auch die Auszeichnung für ihn zu erhalten, als Varnhagen ja in der That bei der Gründung der hanseatischen Legion als Adjutant Tettenborns eifrig mitgewirkt hatte. Viele andre Männer von Einfluss in amtlichen Kreisen oder in der Presse wusste sich Smidt durch seine umfangreiche Correspondenz zu verbinden. Namen wie Arndt, Schenkendorf, Rückert, Görres, Luden, Klüber, Paulus, Feuerbach, Mittermaier, Oertzen, Wessenberg, Reinhard, ganz von denen zu schweigen, welche sich

Bundestagskreisen angehörten und bei gelegentlicher Abwesenheit seine Feder in Bewegung setzten zeigen zur Genüge, dass sich sein Briefwechsel zu dieser Zeit in weitem Kreise bewegte; wollte man halb oder ganz verschollene Namen hinzufügen, so würde sich die Zahl der Adressaten leicht verdoppeln lassen. Das Geringste, worauf Smidt für diese Zuvorkommenheit rechnen durfte, waren Gegendienste derselben Art, und die schätzte er sehr hoch. Als er z. B. im Juni 1816 eine kurze Reise nach Zürich unternahm, richtete er überall, von wo er Interessantes hören zu können hoffen durfte, die Bitte an, ihm während seiner Abwesenheit zu schreiben, und hatte auf der Liste seiner Frankfurter Correspondenten ausser Varnhagen, der damals noch dort war, den Grafen Buol, Friedrich Schlegel, Martens, Gagern, Harnier, Plessen, Gries, Rumpff, Danz und wahrscheinlich noch den Einen oder Andern notirt, dessen Name uns zufällig nicht erwähnt wird.

Auf alle diese Correspondenzen einzugehen, würde natürlich ermüdend sein. Wir gedenken nur einer, in deren Eröffnung Smidt ein ganz besonderes Zeichen des Vertrauens erkennen durfte. Gegen Ende December schrieb ihm der Präsident der schweizer Tagsatzung, Bürgermeister Reinhard von Zürich, die Schweiz verkenne die Nothwendigkeit nicht, sich soviel es ohne Abbruch ihrer Unabhängigkeit geschehen könne, an das politische System Deutschlands zu halten, und an Neigung zu demselben fehle es ihr ebenso wenig. Smidt möge ihm rathen, ob und wann es gut sein möchte, einen Gesandten nach Frankfurt zu schicken, und möge ihm bis dahin von Zeit zu Zeit einige Nachrichten von dem, was dort vorgehe, mittheilen. Dieser Einladung kam Smidt sehr bereitwillig nach und gab gleich in seinem ersten Brief eine äusserst übersichtliche Schilderung der augenblicklichen Frankfurter Situation, deren wir uns weiterhin noch bedienen werden.

Die Reichhaltigkeit und Vielseitigkeit dieser Privatcorrespondenz ist um so erstaunlicher, als schon der officielle Verkehr mit Bremen in der Ausdehnung, wie Smidt ihn unterhielt, seinen Mann erforderte. Vom 27 November 1815 bis zum selben Tage 1816 umfasst er 101 Nummern, darunter Briefe von mehr als 30 Quartseiten engster Schrift. Zahlreiche Beilagen und eine grosse Masse officiöser Briefe bekommen hätten. Syndicus Gröning, welcher von Seiten des Senates die Correspondenz führte, liess gleichfalls selten einen Posttag ohne Brief vergehen, hatte freilich fast immer bei Weitem weniger zu melden. Hin und wieder taucht bei Smidt der Gedanke auf, man könnte seine Berichte zu detaillirt finden, eine Befürchtung, die freilich ganz unbegründet war. Er sucht sich indess, ohne getadelt zu sein, zu rechtfertigen: „Ich führe dann, lasst es z. B., so wie manche andre geringfügige Umstände in meinen Berichten an, weil ich dieselben zugleich als Material für eine etwaige künftige Bearbeitung der Geschichte des D. B. V. betrachte, und ich bin überzeugt, dass diese Materialien künftig in keinem deutschen Archiv so vollständig wie in dem unsrigen gefunden werden dürften." Schwerlich war diese Ueberzeugung eine irrige. Wenigstens von den Gesandten, die 1816 am Bundestage waren, berichtete es keiner, dass er sich die reichhaltigsten Aufzeichnungen machte. Es kam wohl vor, dass bei derselben Angelegenheit erst der österreichische und dann der preussische Gesandte zu ihm schickten, sich seine Notizen über eine Sitzung zu erbitten, da diese gewiss die vollständigsten seien. In Bremen war man keineswegs unempfänglich für diesen Eifer, wenngleich ein grosser Theil der zeitraubenden Weitläufigkeiten mit der Vertraulichkeit ausgefüllt wurde und bald die schlimme Alternative eintrat, auf diese Vorlesung zu verzichten oder andre Geschäfte im Rückstand liegen zu sehen. Man half sich indess aus dieser Verlegenheit auf eine ebenso gemüthliche, wie für Smidt schmeichelhafte Weise. Auf Grönings Antrag wurde nämlich im November 1816 der Beschluss gefasst, sich jeden Donnerstag Abend auf der Börse zu versammeln, eigens zu dem Zweck die Frankfurter Berichte mit Musse vorzulesen und zu besprechen. Das schnelle Ablesen in der Wittheit war natürlich nicht geeignet gewesen Allen eine klare Idee von den darin behandelten Materien zu geben und, wie Gröning verbindlich hinzufügt, die vielfache Mühe, die Smidt davon habe, genügend zu lohnen; die Donnerstagsabend-Wittheiten gewährten dagegen Allen das grösste Vergnügen, zumal „da die Discussionen hier mit mehr Ungezwungenheit, als die ordinäre Wittheit zulässt, geführt, die Beilagen sorgfältig verglichen, und durch die

Besprechung bei einer Pfeife Taback und einer Tasse Thee Gelegenheit zur Beförderung oder Verdammung mancher Sache, worin ein Mitglied des Senats auf das andre zu rechnen angewiesen war, gegeben werden konnte." Es war natürlich, dass diese Einrichtung Smidt die grösste Freude verursachte; um sie desto anregender zu machen versprach er von Zeit zu Zeit, was er von interessanten Eingaben doppelt erhalten könne, desgleichen merkwürdige Brochuren, um sie auf der Börse zu [illegible], einzusenden, empfahl auch die Anschaffung von Klüber's Congressacte und andern Werken, um darin es leicht etwas nachzuschlagen habe. Uebrigens waren seine eigenen Briefe auch an speciell bremischen Thematen so reich, er beschäftigte sich unablässig darin so eingehend und geistvoll mit den wichtigsten Puncten, die bei der Verfassungsrevision in Betracht kamen, dass allein schon dieser Abschnitt eine unerschöpfliche Fülle von Stoff für vertrauliche Besprechungen bieten konnte, und dass der Verfasser dieser Zeilen nur durch die Unmöglichkeit, sich bei der Kürze der Zeit mit den ihm sonst fremden bezüglichen Verhandlungen hinreichend bekannt zu machen, abgehalten worden ist, vorzugsweise diesen Theil der Correspondenz sich zur Bearbeitung zu wählen. Dass es grade bei der Besprechung dieser bremischen Angelegenheiten nicht immer ohne einen Zusammenstoss der Meinungen abging, kann sich denken; grade in solchen Situationen aber wird man von wahrer Hochachtung für Smidt sowohl wie für Gröning erfüllt, indem sie auch hier und offen ihre Missbilligung aussprechen und dadurch das wohlbegründete Vertrauen durch die That bekräftigen, dass ihre gegenseitige Freundschaft, die aus dem ganzen Briefwechsel auf das wohlthuendste hervorleuchtet, durch derartige Stösse eher gefestigt als gefährdet werde. Uebrigens mag ich es mir nicht versagen, hier eine Stelle zum Abdruck zu bringen, in der sich Smidt's reges Interesse für diese Verfassungsreformen generell so schön ausspricht, dass sie selbst in diesem Zusammenhange, so locker er sein mag, mit Interesse gelesen werden wird. „Die Mittheilung der Bürgerconventsprotocolle und das Erkenntniss, in unseren Briefen meine Meinung darüber sagen zu dürfen, scheint mir schon um deswillen kein unbilliges Verlangen zu sein, weil diese doch immer nur ein sehr schwacher Ersatz für die nur durch Verhältnisse und Umstände auferlegte Entsagung ist, zu einer Zeit, wo unsere constitutionellen Verhältnisse hoffentlich für Jahrhunderte bestimmt werden, auf die Abgabe eines Votums, welches mitgezählt werde, verzichten zu müssen, wodurch ich dazu conditionalis bin wie der geringste Bürger, der auf den Convent geht, der doch seinen Kindern sagen kann, ich habe meine Stimme mit dazu gegeben, wie die neue Verfassung beschlossen ist, ich habe sie mit berathen helfen und das Meinige dazu gethan, sie so vollkommen wie möglich zu machen. Auch ist es ja jedem Conventsbürger unverwehrt sich von dem zu unterrichten, was auf dem Convent vorgekommen ist und sich mit andern Bürgern darüber zu besprechen, und ich habe selbst in den Jahren 1798–1800, wo ich als Bürger die Convente besuchte, es im St. Stephani-Kirchspiel gegen das Collegium seniorum zugrecht behauptet, dass dem einzelnen Bürger die Einsicht der Conventsprotocolle ausser den Verhandlungen frei stehen müsse . . . . . . (Wolle man mir das vorenthalten) so müsste ich ja meine Stellung, in der ich mich übrigens sehr geehrt fühle, vielmehr für ein Exil halten".

Elsflether Zoll, Oberappellationsgericht, hannoversche Anleihe, Abschnungsangelegenheiten, Judensachen, Errichtung einer Handelskammer, Opposition gegen das Collegium seniorum, Bekämpfung der Ansprüche, welche die Geistlichkeit erhob, Trennung der Waisenhäuser nach den Geschlechtern, Reorganisation des Schulwesens, Wahlmodus bei Ergänzungen der Behörden, Rechte des Bürgerconventes, Antheil der Landbevölkerung an der ständischen Vertretung, statistische Tabellen, neue Volkszählung, erschreckend grosse Zahl der Todtgeburten, Umwandlung des Bürgermilitärs, Canal nach Burg, Anlage eines Hafens an der hannoverschen Unterweser — will man noch mehr der Themata, die Smidt in seinen Berichten verhandelte? Es wäre leicht, die Zahl der Fragen, mit denen er sich beschäftigt und über die er sein Urtheil abgiebt, zu verdoppeln und zu vervielfachen; aber es würde zwecklos sein, da ein Nachweis, wie in diesen brieflichen Aeusserungen ein guter Theil der Reformen, die später ausgeführt sind oder die jetzt noch erstrebt werden, vorgearbeitet worden ist, über den Rahmen dieses Aufsatzes

7

hineinfallen würde. Es muss genügen auch hier darauf hingewiesen zu haben, wie Smidt keinen Augenblick aufhörte sich voll und ganz als Bremer zu fühlen, wie er ein Particularist durch und durch war, aber freilich ein Particularist in dem edelsten Sinne, der das Gesammtvaterland und den Tribut, welchen der Einzelstaat diesem schuldet, niemals aus den Augen liess und der diese Schranke um so leichter und lieber ehrte, als er mit einem fast fanatischen Glauben der Ansicht huldigte, dass die Interessen Bremens und des gesammten Deutschlands sich in letzter Linie immer decken würden. Zwischen Bremen und den übrigen freien Städten machte er in dieser Beziehung keinen Unterschied und freute sich, dass man in Lübeck sich gleichfalls rüstig an den neuen Arbeiten zu betheiligen entschlossen war. Für die Langsamkeit und Schwerfälligkeit der Frankfurter hatte er eine gewisse Nachsicht und suchte sie auf jede mögliche Weise zu entschuldigen, den Hamburgern aber grollte er innerlich, weil sie so träge und gleichgültig in Bundesangelegenheiten seien. Unter dem besseren Theile der Bürgerschaft, so meint er, möge zwar auch dort ein anderer Sinn herrschen, aber wer von ihnen in den Senat gewählt werde, der sei alsbald vollständig [illegible]. Sie würden schwerlich eher auf den deutschen Bund aufmerksam werden, als bis dieser sie selbst einmal empfindlich an seine Existenz erinnere. Kein Souverain des Rheinischen Bundes, nicht einmal der König von Württemberg (natürlich Friedrich), zeige so wenig Sinn für ein deutsches Gemeinwesen wie der Hamburger Senat; er höre ausser Hamburg nur allenfalls Europa und wolle von Deutschland Nichts hören; zwei Monate lasse man oft verstreichen, ohne dem Vertreter am Bunde, dem Syndicus Gries, auch nur eine Zeile zu schreiben; fast scheine es, als ob Hamburg durch seine heroische Anstrengung im Frühling 1813 so alle Kräfte erschöpft habe, dass der marasmus senilis darüber zu frühzeitig eingetreten sei; der Senat wenigstens benehme sich danach.

Es ist das nur eine von den Philippiken, die der Unmuth Smidt in die Feder giebt. Er fühlt es, dass die Beurtheilung, welcher man der Städte sich annimmt, auf die andern mit zurückfalle. Er fühlt andererseits auch, dass kein Glied des deutschen Bundes mehr einer kräftigen Stütze in der öffentlichen Meinung bedürfe als eben die Städte. Grade aus diesem Grunde will er, dass sie ihre Verfassungen nach den Anforderungen der Zeit umgestalten. Bezeichnend bei der gegenwärtigen Stimmung in Deutschland, schreibt er z. B. im September 1816, sei die öffentliche Meinung gar nicht gleichgültig, so wenig für den inneren Bestand wie für die äussere Sicherheit. „Wenn die Bürger ihre Verfassung rühmen hören, so werden sie stolz darauf, und das Bestreben, sie in allen Puncten aufrecht zu erhalten, gewinnt eine entschiedene Richtung; und auswärtige Fremde oder Neider besinnen sich dreimal einem Staate etwas anzuhaben oder ihn auch nur zu necken, der in dem Rufe steht, dass seine Verfassung sich der Vollkommenheit mehr nähere, wie die anderer. Auch bekommt man Respect vor dem Charakter eines solchen Staates, und was von ihm ausgeht, wird zu verachten der Mühe werth geachtet. Wenn z. B. der Grossherzog von Weimar (der bereits eine Verfassung ertheilt hatte) seinen Vortheil gehörig zu benutzen verstände, so würde er in der Bundes-Versammlung eine sehr bedeutende Rolle spielen können. Im Jahre 1813 und in der ersten Hälfte von 1814 horchte man in Deutschland auf jedes Wort, das von Preussen ausging — und wie ganz anders sieht es jetzt damit aus!" Popularität in Deutschland zu gewinnen musste daher ein Hauptaugenmerk in Smidt's Politik sein, und dass es dazu kein besseres Mittel gebe als eine tüchtige, in liberalem Geiste redigirte Zeitung, konnte ihm, dem Schriftgewandten, nicht entgehen. „Der Besitz einer solchen Zeitung, schreibt er, ist als ein bedeutendes Hülfsmittel zu betrachten unsere Selbständigkeit zu behaupten und unseren Einfluss auf Deutschland förderlich zu sein, zumal da, wo die physische Macht gebricht, die geistige, welcher jene doch am Ende immer untergeordnet bleibt, desto ernstlicher in Anspruch genommen werden muss." Pressfreiheit sei für die Verhältnisse eines kleinen Freistaates immer vortheilhafter als deren Unterdrückung durch eine strenge Censur. Die Bremer Regierung bemühe sich so, dass sie das Licht nicht zu scheuen habe, und würde ihre Tendenz in irgend einem Zeitpunkt eine schlechtere, so wäre die Pressfreiheit das beste Mittel sie davon zurückzuführen. „In unserer politischen Tendenz liegt es

7*

ganz klar, dass wir so wenig unterdrücken wie unterdrückt werden wollen, und da diese Richtung diejenige ist, von der jeder rechtliche Mann in ganz Deutschland wünschen muss, dass sie die allgemein geltende würde, so ist es selbst Beruf und Pflicht für uns dem freien Wort der freien Städte nicht zu versagen." Eine gewisse Beaufsichtigung der Presse seitens des Senates sollte damit nicht ausgeschlossen sein, sondern zu den Competenzen einer „permanenten Commission für die hanseatischen, deutschen und auswärtigen Angelegenheiten" gehören, deren Errichtung Smidt bereits von Wien aus in einem Privatbriefe an Gröning angeregt hatte. Ueber den Geist, in welchem diese Commission wirken sollte, sprach er sich dann vorläufig aus, und da er diese selben Aeusserungen seinem Briefe vom 25 September 1816 in Abschrift wieder beilegt, so dürfen sie als der eigentliche Grundstock seiner politischen Anschauungen betrachtet werden. Einige bezeichnende Sätze mögen hier Platz finden. „Ein deutscher Staatsbürger lässt sich erst dann erwarten, wenn durch die hoffentlich doch jetzt zu Stande kommende allgemeine Einführung landständischer Verfassungen in den verschiedenen deutschen Staaten ein constitutioneller Geist aus dem Volke in die Regierungen allmählich übergegangen ist, dessen Tendenz dann auch keine andere sein kann, als das individuelle Streben in den allgemeinen deutschen Verhältnissen ausgesprochen und lebendig dargestellt zu sehen. Dieser Uebergang aus dem Geiste des Volkes in den der Regierung ist aber nirgends leichter und wird sich nirgend schneller offenbaren als gerade in den freien Städten. Es wird sich die im Entfalten ihrer Flügel begriffene Deutschheit bei ihnen am ersten der Raupenhülle entledigen, wenn man sie nur gewähren lässt und den unerfreulichen Anblick, welchen das ängstliche Mühen und Drehen und Winden bei solchem Abwerfen hier wie allenthalben herbeiführen muss, nicht als einen eigenthümlichen Zustand betrachtet, der bleibend sein würde, wenn man ihm nicht von aussen zu Hülfe käme. Wir haben daher alle Ursache, die selbständige Fortexistenz unserer kleinen Staaten wollen und den Einfluss, welchen dieselbe auf Deutschland haben dürfte, als heilsam und wohlthätig anzunehmen zu dürfen. Nicht minder aber wird die Unterhaltung jener Verbindung auf une-

selbst eine sehr wohlthätige Rückwirkung äussern. Die Mängel und Kleinlichkeiten, welche gerade unsere Kleinheit mit sich führt, ergänzen und verbessern sich durch fortwährende Gewöhnung an den Blick auf das Vaterländische und Gemeinsame, und auch unsere Handelspolitik wird dadurch unmittelbar daran erinnert werden, sie müsse erst eine deutsche sein, ehe sie europäisiren dürfe."

Schon aus den ersten Sätzen dieses Citates kann man sich ein ungefähres Bild von dem machen, was [illegible] für die wünschenswerthe Entwicklung des Bundes hielt. Seine Ansichten darüber, die freilich keine Verwirklichung gefunden haben, sind scharf und klar, und leuchten an vielen Stellen seiner Berichte deutlich durch; am zusammengedrängtesten spricht er sich wohl in folgenden Worten (bald nach Eröffnung des Bundestages, 13. November 1816) aus: „Die Consequenz würde (wenn man den Mediatisirten eine Curiatstimme gibt) zur Formirung eines besonderen, aus Deputirten der Landstände jedes einzelnen deutschen Staates componirten Unterhauses führen, während die Gesandten der Staaten, als solche, das Oberhaus bildeten. Diese Consequenz wird aber zur Zeit die Mehrheit sicher nicht wollen, und wenn sich gleich eine solche Anstalt unter einem schönen, erhebenden und nationalen Gesichtspunkt denken lässt und man immer nicht wissen kann, was in dieser Hinsicht im Schosse der Zeiten liegt, so sind doch offenbar dazu die Verhältnisse lange nicht reif, und selbst wer die Sache wünschen sollte, würde ihrer Realisirung sehr wesentlich Eintrag thun, wenn er sie jetzt zur Sprache bringen würde. Nur wirkliches Bedürfniss dürfte dieselbe hervorrufen können, und solches kann erst dann lebendig gefühlt werden, wenn in allen deutschen Staaten eine landständische Verfassung nicht bloss eingeführt, sondern in lebendiger Praxis sich mit Leichtigkeit zu bewegen gelernt hat, zugleich aber auch die Eintracht der deutschen Staaten den Grad erreicht und bei einem langen Friedenszustande für Dichten und Trachten gemeinnützige nationale Anstalten ins Werk zu richten so gesteigert worden und die Gemüther so ergriffen hat, dass man zur Erleichterung der Realisation derselben und zur Vermeidung der Missgriffe und Schwierigkeiten, welche bei theilweiser abgesonderter, constitutionsmässiger [illegible] jedes einzelnen Staates mit seinen Landständen sich ergeben dürften, in einer solchen allgemeinen Versammlung ihrer verschiedenen Abgeordneten unter Leitung des Bundestages ein wünschenswerthes und durch die öffentliche Meinung laut begehrtes Hülfsmittel erblicken sollte. Die einzelnen deutschen Staaten dürften aber noch erst manche elliptische Bahnen durchlaufen müssen, ehe sie sich zu einem solchen nationalen Centralsysteme zu ordnen vermögen, in dessen Mitte dann auch der Kaiser wieder einen Platz finden könnte, für welchen ich bis dahin weder einen practicabeln noch einmal wünschenswerthen Standpunct auffinden kann."

So lange es zu einer Vertretung des Volkes am Bunde nicht gekommen ist, nimmt Smidt es gelegentlich als ein Recht der städtischen Gesandten in Anspruch, in besonderem Sinne Dollmetscher der Volksstimme zu sein. Ihre republicanische Verfassung, die ihnen vorerst noch manchen scheelen Blick zuzog, werde ihnen in anderer Weise auch wieder Geltung verschaffen, und er sah die Zeit voraus, wo man sich derselben nicht mehr [illegible] nur verstohlen freuen, sondern seine Zufriedenheit damit vor ganz Deutschland frei und fröhlich werde bekennen dürfen. „Schon jetzt", meint er Ende 1836, „könnten die freien Städte, wenn sie ernstlich wollten, durch das Medium der Bundes-Verfassung auf Deutschland einen ausserordentlich wichtigen und wohlthätigen Einfluss gewinnen. Deutschland ist jetzt offenbar eine grosse Staatenrepublik geworden. Die einmal ausgesprochene Gleichheit der Bundesglieder als solche bringt ihr Gesammtwesen unmerklich immer mehr in republicanische Formen, die einzelnen Staaten sind wie die einzelnen Bürger in diesem Gemeinwesen, und von den einzelnen geht hier wirklich factisch und historisch die Souverainität aus, und alles was zu Stande kommt ist rein auf dieser Basis begründet." „Sorgen wir", so ruft er an einer andern Stelle desselben Briefes, „für Oel in unsern Lampen, weil der Bräutigam naht."

Er persönlich [illegible] sich in keiner entscheidenden Stunde unter den thörichten Jungfrauen gefunden zu werden. Ungeduldig, wie er selbst über die veränderte Haltung des Bundestages war, suchte er die Zeit der unfreiwilligen Musse

zu den Territorialverhandlungen bevollmächtigt hatte. Humboldt traf wenige Tage nach Smidt in Begleitung des Fürsten Hardenberg in Frankfurt ein und blieb dort bis Anfang 1817.

Dagegen war des Staatskanzlers Aufenthalt nur von kurzer Dauer; gleichwohl fand Smidt Gelegenheit, den einflussreichen Mann zweimal zu sprechen. Schon mehrere Tage vor des Fürsten Ankunft waren alle Wirthshäuser voll von Beamten und Bittstellern aus den neuen preussischen Provinzen; die Liste derer, welche eine Audienz wünschten, wies etwa 1100 Personen auf. „Ich zweifelte deshalb sehr," schreibt Smidt am 29. November, „ob ich ihn würde zu sprechen bekommen, fuhr indess gleich diesen Morgen nach [illegible] hin. Im Vorzimmer fand ich 50—60 Personen. Durch [illegible] Hülfe war ich glücklicher Weise einer der ersten, die vorgelassen wurden. Der Fürst empfing mich äusserst freundlich, fragte, wo ich seit der Abreise aus Wien gewesen und was ich gemacht hätte. Ich erwiderte, dass ich in Bremen gewesen, wo Alles gut gehe und wir uns mit Revision unserer Verfassung beschäftigten. Das ist schön, sagte er; das wir von unserer Ruhe haben, muss jeder sehen, dass er auch zu Hause Alles in Ordnung bringe, wir können von grossem Glück sagen, dass dieser Krieg in fünf Monaten beendigt ist. Nach einigen allgemeinen Bemerkungen über Frankreich, über die Hoffnung, dass die Bundesversammlung zu einem Guten führen werde, empfahl ich ihm unsere Stadt und mich ebenfalls, da es die Schicklichkeit nicht erlaubte, längere Zeit zu verweilen und von Geschäften zu reden. Er war aber ganz ausnehmend freundlich und artig."

Nicht minder liebenswürdig erwies er sich bei dem Abschiedsbesuche, den Smidt ihm am Abend des 1. December machte. „Ich wurde wider Erwarten gleich vorgelassen und fand nur eine ganz kleine Gesellschaft bei ihm, worunter die beiden [illegible], Humboldt, Küster, Hänlein etc. Der Minister [illegible], den ich hier zuerst sah, kam gleich freundlich auf mich zu, gab mir die Hand und äusserte, dass er mich hier oft zu sehen hoffe. Auch Hardenberg war wieder sehr artig und sprach mehrmal mit mir über verschiedene allgemeine Gegenstände. Mit Humboldt und ihm blieb ich zuletzt ganz allein und äusserte ihm unsern Dank für die Art und Weise, wie man sich beim Pariser Frieden noch mehr durch die sorgfältige Erörterung der noch unberichtigt gebliebenen Reclamationsartikel des ersten Pariser Friedens ausgezeichnet habe." Dieser Dank adressirte sich wesentlich an Humboldt, welcher vorzugsweise die einschlägigen Fragen studirt hatte, und der sich nun des Weiteren über manche der berührten Punkte in höchst interessanter Weise ausliess. Smidt war zugleich darauf bedacht neue Anknüpfungen für gewisse bremische Desiderien zu finden, deren Erfüllung herbeizuführen zu seinen Aufgaben gehörte, besonders für die Aufhebung des Elsflether Zolls; die Aussichten, welche Humboldt darüber eröffnete, mussten ihm die grösste Genugthuung gewähren. Um Nichts zu versäumen, was geeignet sein konnte, den preussischen Staatsmann bei einer Bremen freundlichen Stimmung zu erhalten, hatte er übrigens schon Tags zuvor den Senat gebeten, ihm das oben erwähnte förmliche Danksagungsschreiben an Humboldt zu senden und ihn selbst dabei gelegentlich bestens zu empfehlen. Diesem Verlangen wurde denn auch schleunigst gewillfahrt, und vielleicht war diese kleine Aufmerksamkeit nicht ohne Einfluss auf Humboldt's Verhältniss zu Smidt. Denn während die übrigen Gesandten, nach einem Bericht vom 26 August 1818, fast allgemein grossen Misstrauen in jenen setzten und ihn für einen Meister in der Kunst, durch preussische Pfiffe und Kniffe Verwirrung in eine Sache zu bringen, erklärten, meinte Smidt, er wolle dahingestellt sein lassen, ob sie darin Recht oder Unrecht hätten, aber er persönlich habe sich jedenfalls nie über ihn zu beklagen gehabt.

Eine sehr ausführliche Aeusserung über Humboldt findet sich in dem Berichte vom 10 October 1818, als es von Neuem zur Sprache kam, dass Humboldt am Ende definitiv zum preussischen Vertreter ernannt werden möchte. „Die Mehrzahl der hiesigen Gesandten, bemerkt er da, scheut Humboldt und sähe es nicht gern, wenn er hier bliebe. Ich muss hingegen aufrichtig gestehen, dass ich so wenig jene Scheu als diesen Wunsch theile, und dass ich es in mehr als einer Rücksicht zuträglich hielte, wenn Humboldt hier bei uns bleiben sollte. Wenn er durch seine Kenntnisse, Gewandtheit und Verschlagenheit imponirt, so ist man deshalb besorgt, dem Preussischen Einfluss sich ihm möglichst durch ihn geltend machen werde, so nöthigt dies auf der andern Seite die übrigen auch wieder, sich zusammen zu nehmen und eng zusammen zu halten, es giebt mehr Leben und mehr Thätigkeit, dagegen diejenigen, welche es allenfalls mit Humboldt aufnehmen können, werden dann so viel wichtiger und mehr gebraucht werden. Humboldt ist ein Mann, der die Nothwendigkeit nach Principien und nicht nach bloßer Willkür zu verfahren anerkennt, und deshalb selbst für Alles, was er zum besondern Vortheil Preussens durchzusetzen sucht, erfordert ein allgemeines Princip aufzustellen bemüht ist, um, wenn man sich bei Anerkennung desselben nicht gehörig vorsieht, dann um so gewisser und siegender die Folgerungen zu ziehen. Weiss man aber bei Aufstellung solcher Principe selbst ihn zu bekämpfen und die Sache richtig zu stellen, so ist sein point d'honneur, als consequenter Kopf zu gelten, dann wieder zu gross, als dass er die richtigen Folgerungen nicht auch anerkennen sollte. Dann kommt aber noch der grosse Vortheil hinzu, dass man bei Humboldts bedeutendem Einflusse und bei der Scheu, die man in Berlin vor seinen Kenntnissen und seiner Klarheit hat, ziemlich sicher ist, er werde das, was er hier einmal eingeräumt und anerkannt hat, auch bei seinem Hofe durchzusetzen wissen, während man bei einem Andern, mit dem man hier vielleicht viel leichter eins werde, immer eher besorgen muss ihn nicht so von seinem Hofe unterstützt zu sehen. Es ist aber, besonders mit Rücksicht auf die Politik von Baiern, Württemberg und Baden, deren Gesandte viel besser als ihre Regierungen sind, für die gute Sache äusserst wichtig, dass Preussen mit keinem Beispiele, den Gesandten oft zu desavouiren, vorangehe, weil eine solche Procedur, um jeden Schritt, der hier für die gute Sache vorwärts geschehen möchte wieder rückgängig zu machen, nur gar zu leicht und noch weit häufiger von jenen nachgeahmt werden möchte." Auch bei einer späteren Gelegenheit spricht Smidt mit hoher Anerkennung von Humboldt. Er habe schnell die richtige Fährte zu finden gewusst und mit sicherem Takte das Gewicht seiner Persönlichkeit da geltend zu machen gesucht, wo er für das Gewicht seines Hofes die Wagschale nicht geneigt fand.

es sei deshalb thöricht von Preussen gewesen, ihn durch Goltz zu ersetzen.

Andererseits mußte begreiflicher Weise auch Humboldt zu schätzen, welche Kraft die Bundes-Versammlung an [illegible] besitze, wenn es galt irgend einen recht verfänglichen Posten zu besetzen, den man nicht an Oesterreich überlassen wollte und den man doch auch andererseits weder für Preussen erobern, noch dem andern Staaten anvertrauen konnte, dann fielen seine Augen auf [illegible]. Im Laufe weniger Monate wiederholte sich das zweimal; das erste Mal handelte es sich um die [illegible], das zweite Mal, auf das wir später zurückkommen, um die Protocollführung am Bunde. Den ersten Vorfall lassen wir [illegible] selbst erzählen. „Es fehlt im Grunde, schreibt er, an Arbeitern, wenn man einen Tüchtigen erwählen will, und die Abgeordneten der Staaten sind im Ganzen nicht wohl gelitten, besonders 1115 (d. h. [illegible] selbst) von allen Parteien. So weiss ich z. B. von guter Hand, dass dieser Tage (Anfang März 1816) viel davon die Rede gewesen, man müsse für die Bundesversammlung eine besondere Canzlei bestellen, und dies Preussen diese nicht gern an Oesterreich, Oesterreich aber noch weniger an Preussen überlassen will. Humboldt hat in dieser Sache gegen [illegible], der es mir wieder erzählt, gesagt, da beide es nicht wohl zugleich könnten, so werde Nichts übrig bleiben, als einen dritten Unparteiischen dazu vorzuschlagen, der Gewandtheit genug besitze um alle Anstösse zu vermeiden und es mit Niemand zu verderben, und dann wisse er keinen Besseren als 124*). [illegible] hat mir aber gesagt, dass er sich durch keine Eitelkeit verblenden lassen werde und auf ein so kitzliches Verhältniss einzugehen, und bereits unter der Hand sich Mühe gegeben, dafür zu sorgen, dass ein solcher Vorschlag nicht geschehe." In Dresden war man zwar über dieses [illegible], was [illegible] erzählte, sehr erfreut; [illegible] habe in der Wirklichkeit mit Recht auseinander gesetzt, dass ein solcher Auftrag mit der Eigenschaft des Abgeordneten eines selbständigen Staates nicht verträglich sei, weil Missdeutungen

*) Die Eigennamen sind hier in Ziffern [illegible] 124 [illegible] 1115 [illegible]

und Vorwürfe von irgend einer Seite her daher schwer vermieden werden konnten. Dass aber der Gedanke überhaupt ernstlich erwogen werden konnte, musste doch sowohl dem Bremer Senate wie seinem Abgesandten Freude machen; denn es war ein redender Beweis des grossen Vertrauens, welches der letztere genoss.

Und vielleicht von keiner Seite mehr genoss er es als von der des österreichischen Präsidialgesandten Grafen Buol-Schauenstein, der seit dem Januar 1816 in Frankfurt verweilte, um die Stelle des inzwischen verstorbenen Herrn von Albini einzunehmen, den Smidt bei seiner Ankunft auf dem Frankfurter Posten gefunden hatte. Der Tausch war kein schlechter. Albini, „ein alter, freundlicher, sehr cordialer Mann," machte zwar einen persönlich angenehmen Eindruck, aber die Ueberzeugung, dass es mit ihm als Präsidialgesandten nicht mehr gehen werde, drängte sich Smidt sogleich beim ersten Anblick auf, und musste allmälig jeden ergreifen, da deutliche Spuren von [illegible] schon zu Tage traten. Obendrein war die Situation, in der sich Albini befand, wohl der Art, dass sie einen ängstlichen alten Herrn noch bekümmerter machen musste. Seit Mitte November harrte er voller Sehnsucht und Verlegenheit auf Wessenberg, der ihm seine Instructionen von Paris überbringen sollte; am 15. November, so hatte Metternich ihm von dort geschrieben, werde jener eintreffen, und am 1. December sollte der Bundestag eröffnet werden. Nun stand dieser Termin in nächster Nähe und Wessenberg war noch immer nicht da; Herr von Küster präsentirte sich wohl als preussischer Vertreter, hatte aber auch keine Instructionen, eine grosse Anzahl der übrigen Gesandten war überhaupt noch nicht angekommen. Für so [illegible] Verhältnisse war Albini nicht der Mann. Glücklicher Weise kam Wessenberg noch im letzten Augenblick vor dem festgesetzten Termine an, in der Nacht des 30. November, und brachte überdies die Weisung, die Eröffnung noch aufzuschieben. Aber wenn er dadurch einen Alp von seines Collegen Herzen wälzte, so sah er andererseits doch auch schnell, wie es mit ihm stand, und er hatte nicht so bald dessen körperlichen und geistigen Zustand erkannt, als er Metternich darüber berichtete und von diesem das Versprechen erhielt, bei einer

Zusammenkunft in Mantua mit dem Kaiser Franz über die Angelegenheit zu reden. Noch vor Jahresschluss (am 31. December) konnte er den übrigen Gesandten die Mittheilung machen, dass der Kaiser in Rücksicht darauf, dass Albini's Genesung eine längere Zeit erfordern dürfte, den derzeitigen Gesandten in Cassel und Hannover, Grafen Buol-Schauenstein, zu dessen Vertreter ernannt habe. Es war also auch dies noch keine feste Ernennung, und Buol selbst [illegible], dass er lieber in Cassel bleiben würde. Allein als er am 8. Januar 1816 in Frankfurt eintraf, fand er bereits die Nachricht vor, dass Albini auf dem Gute Dieburg gestorben sei, und gewöhnte sich nun schnell an den Gedanken, definitiv in die neue Stellung einzutreten, was denn auch zu Anfang April geschah.

In Buols Persönlichkeit, wie sie in Smidt's Berichten sich abspiegelt, ist vom entgegenkommenden, verbindlichen, jeden Anstoss womöglich vermeidenden Wesen der hervorstechendste Zug. Mit den Worten nahm er es dabei wohl nicht immer allzugenau. Gleich bei der ersten ausführlichen Unterredung, die Smidt mit ihm hatte, erging er sich in einigermassen superlativischen Ausdrücken. „Das österreichische Directorium betrachte er als nichts anderes, als die [illegible], welche in jeder Versammlung der Ordnung halber stattfinden müsse. Wie und auf welche Weise die Geschäfte zu betreiben seien, hänge ganz von den Beschlüssen der Versammlung ab, und er werde sich danach aufs Pünktlichste richten. So wie er sein Verhältniss ansehe, möchte er sich nicht einmal primus inter pares nennen, sondern lieber wie der Papst servus servorum. Einige hätten ihm gesagt, man werde ja wohl mit einer Revision der Bundesacte anfangen, er habe aber erwidert, damit denke er weder anzufangen noch zu endigen. Die Bundesacte sei wie die Bibel zu betrachten; man könne sie zwar interpretiren und Bemerkungen darüber führen aber nicht reformiren". Dass diese Ansichten bei Smidt eine sehr gute Aufnahme fanden, versteht sich von selbst, denn für ihn war die Bundesacte als die Urkunde, welche Bremens Selbständigkeit verbürgte, in der That ein unantastbares Heiligthum. Buol erkannte andererseits viel zu lebhaft die Bedeutung Smidts und bedurfte dessen

Kenntnisse und Geschäftsgewandtheit viel zu hoch, als dass er nicht gerade ihm gegenüber stets die liebenswürdigste und empfänglichste Seite hätte herauskehren sollen. Ein immer persönlicher Verkehr war die Folge davon, fast jede Woche pflegte der bremische Gesandte einmal oder auch zweimal bei dem [illegible], der überhaupt ein grosses Haus machte, zu speisen. Und häufig sah er ihn und freute sich der Beweise des Vertrauens, das sich darin kund gab, dass ihm Buol seine Aufsätze und Vorarbeiten vorlas, von dem Einfluss, den er dadurch auf ihn und auf die Leitung der Geschäfte gewann, wird weiterhin noch manchmal die Rede sein. Kein Wunder, wenn in Folge dessen beide mit einander sehr zufrieden waren und sich bei Smidt immer mehr die Ansicht befestigte, dass die österreichische Wahl eine sehr glückliche war und dass Buol Dank dem Conciliatorischen in seinem Wesen den Directorialgesandten sehr gut vertreten würde. Blind gegen seine Schwächen wurde er dadurch keineswegs und ebensowenig behindert, ihm anderen Falls Opposition zu machen. Doch trat das erst in der Zeit hervor, wo die Bedeutung seiner Arbeiten wirklich begonnen hat und fällt daher nicht in den Bereich dieser Skizze. Um aber nicht ein falsches Bild zu geben, mag wenigstens eine Aeusserung vom 7 December 1816 hier citirt werden. Es waren Commissare niedergesetzt, welche über die Competenz der Bundes-Versammlung und über die Reihenfolge ihrer Berathungen berichten sollten und Buol, „der mit vielem Geschäftseifer nicht immer die nöthige Geschäftsruhe verbindet,“ der auch, wie wir ein ander Mal hören, immer in Angst ist, es möchte ihm der Stoff für die Sitzungen ausgehen, suchte diese jene Commissionsberathungen durch einen neuen Antrag abgekürzt zu sehen. „Ich möchte immer gern, schreibt Smidt, jede Woche fertige Waare zu Markt gebracht sehen, und darüber wird ein Rad hoch und ein Rad niedrig, und wenn der Wagen zusammengesetzt werden soll, wird man nicht damit fahren können. Er treibt und drillt alle Tage, dass die Commission wegen der Reihenfolge berichten soll, ich suche dieser Drängerei, diesem unverständigen Treiben tunlichst entgegen zu wirken, und das ist denn auch bis jetzt geschehen. Wer zusehen soll, wie ein Stein nachgerade auf den andern gelegt werden müsse, wenn Riss und Plan des ganzen Gebäudes vollständig im Kopfe haben, sonst kommt ein babylonischer Thurm heraus, der mit der Sprachverwirrung endet."

Wenig lebhaft waren die Beziehungen, in denen Smidt zu den Gesandten der süddeutschen Staaten und des Königreichs Sachsen stand. Dass er sie für besser hielt als ihre Regierungen, sprach schon oben eine mitgetheilte Briefstelle aus. Ein näherer Verkehr wurde im ersten Jahre zum Theil schon dadurch erschwert, dass die Herren wenig in Frankfurt waren oder schnell wechselten. So kam Graf Rechberg für Baiern erst im April 1816 an, war den Sommer über vielfach in Baiern und auf seinen Gütern, liess sich bald nach Beginn der Arbeiten erst den Freiherrn von Gruben, den Smidt als einen tüchtigen und gewandten Mann schildert, substituiren, und wurde nicht viel später definitiv ab- und ins Ministerium berufen. Wirtemberg trat dem Bunde erst im August bei, wurde bis zum November durch Herrn von Linden und dann durch Herrn von Mandelsloh vertreten, der Smidt so fern stand, dass er ihn durch einen lapsus calami und in Folge Wiener Reminiscenzen öfter in seinen Berichten als Herrn von Wintzingerode aufführt. Zu dem späteren württembergischen Gesandten Wangenheim war seine Stellung um so freundschaftlicher, und schon jetzt war dieser die Quelle, aus welcher er seine Kunde über württembergische Verhältnisse schöpfte. Der Verfassungskampf, durch welchen die Schwaben die Aufmerksamkeit von ganz Deutschland auf sich zogen, interessirte begreiflicher Weise auch Smidt sehr lebhaft und er scheute sich nicht für Wangenheim's versöhnliche und liberale Bestrebungen auch journalistisch einzutreten; beispielsweise sind die Bemerkungen eines Nicht-Württembergers, welche die Bremer Zeitung brachte, aus seiner Feder. Von dem badischen Gesandten von Berstett und dem holländisch-luxemburgischen von Gorz ist wenig zu melden; sie scheinen zu den unbefähigten Mitgliedern der Bundestags-diplomatie gehört zu haben, zu jenen, von welchen Smidt in einem Briefe an Hach am 20 Juli schreibt, dass ihn zuweilen ein Grauen überkomme, wenn er an sie denke und dabei die Masse der Geschäfte erwäge, die binnen Jahresfrist der Bundes-Versammlung über den Kopf wachsen würde. „Diejenigen, welche arbeiten wollen und können. Ehe er heran, werden vollauf zu thun bekommen; denn wenn ich die Vertreter der 17 Stimmen [illegible] richtig schätze, so sind es höchstens 11, welche man in Commissionen, wo zu eigentlicher Arbeit ein Mann gefordert werden muss, mit Nutzen wird gebrauchen können. Wie wichtig die [illegible] der freien Städte, die doch hoffentlich immer einen Arbeiter liefern werden, dadurch für Deutschland wird, ist nicht zu verkennen."

Hach, der Vertreter von Lübeck, war allerdings ein solcher Arbeiter; von dem Hamburger Gries, der kränklich und bequem war, und dem Frankfurter Danz, dessen tüchtige juristische Bildung doch der Gewissenhaftigkeit entbehrte, war das schon zweifelhafter. Wir werden an einer späteren Stelle dieses Aufsatzes diese drei nächsten Collegen Smidt's noch etwas genauer kennen lernen.

Unter den übrigen Bundesgesandten waren die, welche in engeren freundschaftlichen Verkehr mit Smidt standen, gerade auch die tüchtigsten, so Martens, Gagern, Eyben, Plessen, Berg. Ihnen mögen deshalb zunächst noch einige Zeilen gewidmet sein.

Hannover war durch den Herrn von Martens vertreten, mit dem Smidt schon von Wien her, wo jener im deutschen Comité auf Metternich's Vorschlag das Protocoll geführt hatte, genau bekannt war. In Frankfurt nahm dies gute Verhältniss noch bedeutend zu. Besonders wurde es befördert durch die freundlichen Aufmerksamkeiten, welche von Seiten Smidt's und seiner Familie der kranken Frau des hannoverschen Gesandten, die an der grösseren Geselligkeit nur geringen Theil nehmen konnte, erwiesen wurden. Martens erwiderte dieses Entgegenkommen mit der freundlichsten Dankbarkeit, und so verbrachten die beiden Familien manchen Nachmittag miteinander. „Wir [illegible] es uns ab, schreibt Smidt einmal, wenn wir uns bitten oder sich melden lassen. Auch ist Martens, fügt er hinzu, einer von den wenigen hiesigen Gesandten, welche gern Taback rauchen, was hier in Gesellschaften gar nicht Sitte ist, und da ich diese Liebhaberei mit ihm theile, so habe ich immer eine Pfeife auf meinem Zimmer stehen und er eine in dem seinigen, die, so wie wir zusammen kommen, sofort angezündet wird, welches denn bekanntlich gleich ein eigenes vertraulicheres Verhältniss

nicht." Zur Veranschaulichung desselben mag ein kleiner Meinungsverschiedenheit dienen, welche zwischen den beiden Collegen über den Titel stattfand, der Mertens gebühre. Derselbe war, was man in Berlin eine „Neue-Excellenz" zu nennen pflegte, d. h. dieses Prädicat wurde ihm von den Untergebenen und wer sich ihm sonst freundlich erweisen wollte, gegeben. Die Oesterreicher, welche es mit solchen Dingen schon damals leichter nahmen, verweigerten es ihm auch nicht, und wenn man in Berlin darin sehr genau war, so mochte es doch am Ende nur passend erscheinen, dass Bremen sich in solchem Falle nicht zu den Strengsten hielt. Smidt wandte sich daher, als er Mertens eine Note in Angelegenheiten des Elsflether Zolls zu übergeben hatte, doch vorher gradezu an ihn mit der Frage, ob er es gern sähe, wenn er ihm in derselben den Titel Excellenz gäbe. Die Antwort fiel dahin aus, dass Wessenberg sowohl als Buol in dieser Form an ihn schrieben, die Preussen aber und namentlich Humboldt nicht. Er wisse auch recht gut, dass er sie gar nicht prätendiren könne und werde deshalb die Befolgung der strengern Regel nicht übel nehmen. Smidt aber zögerte bei so bewandten Umständen nicht ihm die Höflichkeit zu erweisen und in Bremen war man durchaus damit einverstanden.

Anders verhielt er sich in demselben Falle dem oldenburgischen Gesandten, Herrn von Berg, gegenüber, ihm überreichte er die entsprechende Note ohne die Excellenz. Bei einem Gespräch, das einige Tage darauf statt fand, glaubte Berg das rügen zu müssen. Er wolle zwar nicht behaupten, dass der Titel ihm zukomme, aber von Andern, z. B. von dem Engländer Clancarty, werde er ihm doch gegeben. Smidt meinte die Engländer schienen darin jetzt überhaupt leichter zu verfahren wie sonst, und er selbst habe von ihnen gleichfalls die Excellenz erhalten, er mache sich aber aus keinem Titel Etwas, und der Titel als Senator eines selbständigen Staates sei an sich schon so fürstlich, dass ihm nichts hinzugefügt werden dürfe. Uebrigens habe der Herzog von Oldenburg ja die Macht, dem Herrn von Berg als Appell.-Gerichts-Präsidenten die Excellenz zu geben. Wenn derselbe indess darauf bestehe, dass ihm dieser Titel wegen seines hiesigen Repräsentations-Verhältnisses zukomme, so möge er die Note zurückgeben;

doch müsse er dann versprechen, in seiner Antwort Gegenseitigkeit zu üben, sofern nicht zugegeben werden könne, dass die 60,000 deutschen Seelen, welche er (Smidt) repräsentire, minder excellent seien, als dreimal so viel, welche Berg repräsentire. „Dieser wollte nun auch, heisst es weiter, nicht [illegible] sein, und versicherte, wenn seine Domestiken ihn Excellenz nennten, so habe er es ihnen nicht befohlen, sondern sie hätten es von selbst angefangen und er habe es dann so gehen lassen; übrigens hätte der Herzog von Oldenburg ein altes Privilegium von Kaiser Karl VI., wonach ihm für seine Gesandten die Ehren churfürstlicher und königlicher zukämen. Ich erwiderte, dass sich seit Karl VI. viel verändert habe, und da er bezeuge sich aus Titeln Nichts zu machen, auch seiner persönlichen Eigenschaften halber nicht nöthig habe darauf zu sehen um sich geltend zu machen, und ich auch Nichts darum gebe, so wollten wir's lieber so dabei bewenden lassen und darum gute Freunde bleiben. Er war damit einverstanden und sagte, er habe mir das auch nur freundschaftlich bemerkt, und wisse recht gut, dass er's nicht eigentlich prätendiren könne. So bat er denn die Note zu behalten und versprach, sie mit künftiger Post nach Oldenburg zu schicken.“

Diese kleine Discussion, so unbedeutend ihr Gegenstand ist, lässt gleichwohl Smidt's Schlagfertigkeit und Gewandtheit in einem so günstigen Lichte erscheinen, dass ihre Mittheilung gerechtfertigt sein mag, zumal sie gleichzeitig seine Stellung zu Berg sehr deutlich beleuchtet. Von Wien her stand er mit diesem geistvollen und geschäftskundigen Juristen in sehr gutem Einvernehmen, allein durch den Uebertritt aus schaumburgischen in oldenburgische Dienste, welchen Berg soeben vollzogen, war doch eine gewisse politische Gegnerschaft eingetreten, da die Frage wegen des Elsflether Zolls keinen gütlichen Ausgleich hoffen liess. Smidt steuerte daher mit grösstem Geschick zwischen den beiden Klippen hindurch, einerseits dem Gegner irgend welche Vortheile [illegible] Weise einzuräumen und andrerseits, das alte Wohlwollen ernstlich zu gefährden. In allen seinen Beziehungen zu ihm ist eine gewisse vertrauliche Vorsicht oder vorsichtige Vertraulichkeit nicht zu verkennen.

Der persönliche Verkehr, der sich eben wie bei Martens auch auf die Familien erstreckte, wurde dadurch nicht beeinträchtigt.

Wieder anders war das Verhältniss zu Hans von Gagern, dem Luxemburgischen Gesandten. Dieser wunderliche Herr, dessen hohe geistige Befähigung und aufrichtig patriotische Gesinnung allbekannt sind, war doch in gewisser Hinsicht das enfant terrible des Bundestags. Seine ganze Art sich zu äussern hatte etwas ausserordentlich Krauses, das nicht allein in der Form lag, sondern seine tiefere Begründung in der sonderbaren Gestaltung seines Deutschthumes und seines Liberalismus fand. Es konnte nicht leicht einen wärmeren Freund des Volkes geben als Gagern war, aber daneben hatte er doch auch für Fürstlichkeiten, und besonders für Fürstlichkeiten des oranischen Hauses eine unbegrenzte Verehrung. Die deutsche Nation stand ihm über allen andern, aber die Gründe, weshalb er sie so hoch schätzte, waren zum Theil so sonderbarer Art und so sehr aus der Geschichte längst vergangener Tage geschöpft, dass einer moderneren Anschauung dabei ganz merkwürdig zu Muthe werden muss. Dem entsprechen dann seine Handlungen und Vorschläge. So richtete er beispielsweise an Metternich in einem langen Actenstücke, dessen Abdruck in der Bremer Zeitung Smidt veranlasste, den Antrag „Kron' und Scepter" auf den Tisch der Bundesversammlung zu legen. „Es ist nämlich, fügt er erläuternd hinzu, die Idee der Einheit als Sinnbild der Gewalt, der Executiven, des Monarchischen darin ausgedrückt. Warum also nicht? Die nächste Erinnerung, um wieder darnach zu greifen! Lord Castlereagh sprach oft in Wien von the imperial dignity given in commendam. Ich hatte in Wien schon darauf und auf dem Ausdruck „Reich" bestanden. Wahrlich, den Fürsten zu Gefallen." Bei der feierlichen Eröffnung der Sitzungen war er der einzige, welcher die Rede des präsidirenden österreichischen Gesandten mit einer langen Rede erwiderte. Und worauf ging er aus? Darauf, dass er die Hoffnung aussprach, „er werde vermöge seiner Kunde der alten deutschen Angelegenheiten es dahin, vielleicht selbst noch in ein helleres Licht setzen, dass die fränkischen Fürsten, welche wir Merovinger nennen, ganz wohl wussten, was sie thaten, als sie bei ihren Theilungen einen bedeutenden Zwischenstaat wollten, der

9*

Deutschland von Frankreich trennte." Und so ging es weiter, bis der Redner endlich, damit es nicht aussehe, als wolle er der Fürstlichkeit allein huldigen, mit „dankbarer Erwähnung" Andreas Hofer's, Palm's und der Oldenburger Fink und Berger seinen [illegible] Sermon schloss.

Dass es einem solchen Manne sehr leicht widerfahren konnte, einmal über die Schnur zu hauen, oder bald hier bald dort Anstoss zu erregen, kann nicht Wunder nehmen. Und so hören wir denn bald, dass der König von Württemberg selbst nach Frankfort kommt, um sich durch den Augenschein von dem ultramonarchischen (?) Geiste, der von Gagern ausströme, zu überzeugen; bald soll sein eigener Hof ihm ernstliche Vorstellungen deshalb gemacht haben; bald beklagt sich der preussische Gesandte über Reden, die seinen Hof beeinträchtigten, muss sich aber schliesslich mit dem Troste genügen lassen, „dass wenn Preussen sich weiterhin deutsch und liberal erkläre, Herr von Gagern es an gelegentlichem Lobe nicht fehlen lassen werde". Smidt war dem niederländischen Gesandten mit aufrichtiger Dankbarkeit zugethan. Gern hätte er es gesehen, wenn der Senat demselben das Ehrenbürgerrecht ertheilt hätte. „Denn — so schreibt er nach Bremen — wenn die Städte jetzt in dem deutschen Bunde eine so ehrenvolle Stellung einnehmen, wie sie an sich vorher nie zu träumen wagten und wie die grösseren Mächte ihnen zuzugestehen vorher nie beabsichtigt hatten, so ist dies vor Allem dadurch motivirt worden, dass sie sich in Wien sofort an die Verbindung der mindermächtigen Fürsten anschlossen, deren Stiftung hauptsächlich das Werk Gagerns ist. Auch weiss ich besser, wie er sonst Jemand weiss, dass viele fürstliche Minister Anfangs dagegen waren, die Städte mit in diese Verbindung aufzunehmen, dass Gagern aber darauf bestand, mir den ersten Wink davon gab und mich aufforderte, gleich bei der ersten Versammlung zugegen zu sein, damit die Frage über Theilnahme oder Nichttheilnahme der Städte schicklicher Weise gar nicht aufgeworfen werden könnte. Wenn wir auch in der Folge in anderen Dingen in keiner Weise zurückgesetzt sind, so ist Gagerns Beispiel und Benehmen gegen uns vorzüglich daran Schuld. Auch jetzt behandelt er mich wieder mit einer Artigkeit und einem Vertrauen, die Nichts zu wünselben übrig lassen." Der Graf erfüllte den Wunsch Smidt's, seinem Freunde das Ehrenbürgerrecht zu ertheilen, nicht, vielleicht weil er die Beurtheilung, welche dieser Schritt gewissen Orten gefunden haben würde, scheute. Smidt musste das um so mehr bedauern, als er voraussetzen durfte, dass Gagern sich dadurch sehr geehrt gefühlt hätte; denn wenn er sich auch selbst glauben machen wollte, vorzüglich ein aristokratischer Anstrich zu sein, so war er dennoch seinem ganzen Gemüthe nach Republikaner. Seinem [illegible] Auftreten, das manchmal doch auch den Fremden lästig werden musste, wusste er die beste Seite abzugewinnen. Alle Gesandten [illegible] er, so äusserte er den Klagenden gegenüber, dem Herrn von Gagern im Grunde Dank wissen, wenn er durch seine Vorträge und die ganze Art seines Auftretens einen Ableiter von der Ansicht darbiete, als ob die Frankfurter Berathungen nur ein Seitenstück zu dem Regensburger Reichstage wären, und wenn er durch dasselbe zu einer freieren Form die Bahn breche. Bei der Stimmung, welche in Deutschland gegenwärtig (Ende 1816) herrsche, werde es zwar nicht fehlen können, dass er bald als der Liebling des deutschen Publikums erscheinen dürfte; aber das solle man ihm nicht beneiden, sondern bedenken, dass es am Ende der ganzen Versammlung zu Gute komme. Ja man dürfe es sogar nicht unbemerkt lassen, dass Herr von Gagern sich dadurch in gewisser Hinsicht aufopfere, indem es augenfällig sei, dass er bei seinen entschiedenen vorzüglichen Talenten einen directen Einfluss auf manche Verhandlungen haben und z. B. weit mehr zu Commissionen gewählt werden würde, wenn er in denselben Schuhen auftreten wollte, wie die meisten sie gewohnt seien. Das sähen denn nun auch manche ein [illegible] Smidt bei, dass man jenen seinen Weg gehen lassen und ihn ja nicht daran stören dürfe.

Solche Wege gehen liess man auch einen andern Collegen, ausser wenn man sich einmal lustig über ihn machen wollte, den Herrn von [illegible] ([illegible]) nämlich, des Kurfürsten von Hessen würdigen Vertreter. Zum Gegenstand des Gespöttes und der unverhohlenen Verachtung machten ihn nicht allein seine Beschränktheit und Zudringlichkeit, sondern auch sein Eigennutz, der mit dem Vermögen noch wuchs. Smidt's Berichte sind voll von Anekdoten über ihn, aber auch von Ausbrüchen des Ärgers darüber, „dass sich der Kurfürst durch solch ein pecus campi vertreten lasse." Schon in den Monaten vor Eröffnung des Bundestages bot er reichlichen Stoff zu [illegible]. Er hatte sich nämlich eine lange Rede, die er bei der Eröffnung halten wollte, [illegible] lassen und sie fast Jedermann vorgelesen. Man könne sie nicht geradezu schlecht nennen, meint Sendt, ausser in sofern sie wässerig und langweilig sei, dessen ungeachtet sei sie seit mehreren Monaten Gegenstand gewaltiger Heiterkeit geworden. Sie schloss nämlich damit, der beste Wahlspruch der Bundesversammlung dürfte in der Umschrift des goldenen geharnischten Mannes auf den kasselischen Ducaten bestehen — Concordia res parvae crescunt, was denn zu mancherlei Anspielungen auf Carlshausens Geldgeschäfte Anlass gab. Hauptsächlich um dem Anhören dieser Rede zu entgehen, versäumten später die Gesandten darauf ihrerseits Eröffnungsreden zu halten. Carlshausen aber sorgte dadurch, dass er die [illegible] [illegible] [illegible] Beer, dafür dass seine „res parvae" eine Art sprichwörtlicher Bedeutung bekamen. Welcher Behandlung er sich bald verfallener Massen ausgesetzt sah, zeigte sich besonders in einer sehr geringfügigen Sache. Eine Rechnung musste revidirt werden. Syndicus Danz hatte den Einfall, dass dies eine gute Gelegenheit sei, dem Herrn von Carlshausen, der ja doch mit dem Rechnungswesen gut Bescheid wisse, etwas zu thun zu geben und ihn damit abzufinden, da man ihn doch zu bedeutenderen Commissionen nicht leicht wählen werde. Die andern Städter waren damit einverstanden. Senator Hach sagte es seinem Nachbarn ins Ohr und dieser wieder seinem Nachbarn und so weiter bis an den Secretär, [illegible] [illegible] mit dem Flüstern nicht weiter ging. Jeder lachte und nickte einverstanden. Auf diese Weise bekam Carlshausen die letzten drei Stimmen, und die seinige hatte er sich vermuthlich selbst gegeben: kurz, er wurde gewählt. Als nun die Sitzung kam, in welcher er Bericht zu erstatten hatte, überraschte er die Versammlung damit, dass er über seinen Auftrag hinaus allerlei Vorschläge, wie die Casse, um die es sich handelte, künftig zu administriren sein dürfte, beantragte, und zu Jedermanns Verwunderung damit schloss, sich selbst zum perpetuuleiden Administrator derselben, unter Hervorhebung seiner ganz vorzüglichen Qualificationen zu einem solchen Geschäfte, bestens zu empfehlen. Ohne Zweifel, so berichtete Schmidt, wünscht er das nur, um vermöge seiner stillen Compagnieschaft mit Rothschild & Comp. das Geld dann für sich durch Discontiren nutzbar zu machen. Dummheit und Unverschämtheit halten gewöhnlich gleichen Schritt! Derselben Ansicht mussten die übrigen Gesandten auch wohl sein, alle stimmten dafür, dass in der Verwaltung der Casse nichts geändert werde, und der Baier konnte sich sogar die scharfe Bemerkung nicht versagen, er halte die vorgeschlagene Administration der Würde der Versammlung nicht für angemessen; er für seinen Theil müsse sich wenigstens ein derartiges Geschäft ausdrücklich verbitten, da er sich für keinen Rechenmeister ausgeben könne. Was blieb da dem Herrn von Carlshausen schliesslich anders übrig, als mit sauersüsser Miene zu erklären, es sei ihm sehr angenehm, wenn die besondere Verwaltung, zu der er sich bloss aus Menschenfreundlichkeit angetragen habe, von der Versammlung nicht nöthig befunden werde. Weil er dann aber doch noch mit grossem Gewicht einige Rechenfehler zur Sprache brachte und, wenn Buol ihn nicht unterbrochen, ein ausführliches Schema vorgelesen hätte, wie die Rechnung überhaupt gestellt werden sollte, musste er es sich noch später gefallen lassen, dass der Württembergische Gesandte die malitiöse Aufforderung in der Sitzung an ihn richtete, ob er nicht die Gefälligkeit haben wolle, eine Berechnung, die der Gesandte von Berg aufgestellt hatte, vorher noch einmal nachzurechnen.

In Schmidt's Augen war die Theilnahme Carlshausen's an der Bundesversammlung nicht bloss deshalb ein Unglück, weil sie deren Ansehen schädigen konnte, sondern auch deshalb, weil er den kurhessischen Einfluss lahm legte, während er grade die Staaten von dieser Grösse gern so vorzüglich wie möglich vertreten gesehen hätte. Er erschrak daher nicht wenig, als es hiess, der Grossherzog von Hessen werde seinen bisherigen Gesandten von Harnier abberufen und durch einen reichen Frankfurter Bürger (v. W.) ersetzen. Harnier entfaltete allerdings auch nur eine beschränkte Thätigkeit, da er sich in das collegialische Zusammenwirken nicht recht finden konnte. Er sei einer der liebenswürdigsten und rechtlichsten Männer, schreibt Smidt über ihn, urtheilt und bemerkt kurz und richtig, auch fehlt es ihm nicht an Kenntnissen, aber er hat mir noch kürzlich vertraulich gestanden, das ganze Verhältniss sei ihm so neu und ungewohnt, dass er sich nach dreissigjähriger Praxis in der diplomatischen Laufbahn hier doch wieder wie ein Schüler vorkomme, der sich erst einlernen müsse und eine gewisse Schüchternheit zu überwinden. Er wäre also persönlich nicht ungern auf seinen alten Posten in München zurückgekehrt sein. Alle aber, die seinen designirten Nachfolger kannten, und denen es Ernst mit den deutschen Angelegenheiten war, wünschten das Gegentheil wünschen; denn v. W. schreibt Smidt, ist höchst unbedeutend und steht hier in dem Ruf eines Wucherers und Judenfreundes. Solche [illegible], fährt er grimmig fort, taugen überall nicht zu der Repräsentation am Bundestage — sie werden von den andern Gesandten wenig geachtet und der Staat, welcher sie anstellt, verzichtet dadurch in der Regel auf einen weiteren Einfluss auf die Geschäfte. Es wäre in der That betrübt, wenn beide Hessen, die als Staaten von mittlerer Grösse sehr wichtig sind, durch die Art wie sie hier repräsentirt werden gleichsam paralysirt werden sollten.

Einen Frankfurter Bürger zum Mitgliede des Bundestages zu ernennen erschien Smidt überall principiell verwerflich und auch practisch schon wegen der Erinnerung an Regensburger Verhältnisse nicht wünschenswerth. Abgesehen von der selbstverständlichen Annahme des Vertreters der Stadt Frankfurt, des Syndicus Danz, befand sich nämlich bei der Eröffnung der Bundesversammlung nur noch ein Gesandter in dieser Lage, der Herr von Leonhardi, welcher die acht [illegible] Fürsten der 16 Curie repräsentirte. Dieser konnte aber wirklich wohl als Illustration dafür dienen, welch spiessbürgerlicher Geist der Versammlung drohen würde, wo leicht Frankfurter Localinteressen oder persönliche Beziehungen überwuchern und den Gang der Verhandlungen behindern konnten, wenn die Frankfurter Patricier zahlreicher Einlass finden sollten; ganz abgesehen von der schlimmeren Gefahr, dass etwa die Geldmagnaten, unter denen die bedenklichsten Elemente zahlreich genug waren, sich der kleinstaatlichen Gesandtschaften zu bemächtigen wissen möchten.

Leonhardi war doch immerhin nach Stadt's Zeugniss ein braver und nicht ungeschickter Mann, aber seine Philisterhaftigkeit compromittirte ihn gleichwohl manchmal in bedenklicher Weise. Als z. B. die Rede davon war die Tage für die beiden regelmässigen wöchentlichen Sitzungen zu wählen, so stimmte Alles für Montag und Donnerstag, weil diese beiden Tage gerade keine Hauptposttage waren, bloss Leonhardi machte die Bemerkung: für den Winter sei das ganz gut, aber für den Sommer dürfte es doch bequemer sein, statt des Montags einen andern Tag zu wählen, damit man nicht, wenn man den Sonntag einmal auf's Land gehe, gleich am Montag Morgen wieder herein zu kommen brauche. Es erhob sich fast ein allgemeines Murren über diese Bemerkung und der satyrische Humboldt konnte es nicht lassen lächelnd darauf zu erwiedern, er dächte, wenn die Bundestagsgesandten einmal zu ihrer Erholung ein paar Tage auf's Land gehen wollten, so brauchten sie nicht gerade wie die Handwerksgesellen den Sonntag dazu zu wählen, es würde auch an andern Tagen der Woche gut Wetter geben.

Eine wenig bedeutende Rolle spielte auch der grossherzoglich und herzoglich sächsische Gesandte von Hendrich. Dem Nassauer, dem bekannten Herrn von Marschall, stand sein gebieterisches Wesen im Wege. Er ist zu Hause ein fast unumschränkt herrschender Minister, schreibt Stadt, daher an Widerspruch wenig gewöhnt, und kennt die Eigenthümlichkeiten und die Taktik collegialischen Behörden nicht aus hinlänglicher Erfahrung, daher seine [illegible]. Allgemeiner Achtung und bedeutenden Einflusses erfreuten sich dagegen der mecklenburgische Gesandte von Plessen und der dänische von Eyben, die beide auch einen regen Verkehr mit Berstett pflogen. Eyben war freilich durch seine podagrischen Leiden in seiner Wirksamkeit vielfach behindert, und Plessen traf erst sehr spät, in den letzten Tagen des April 1816, in Frankfurt ein. Er besass durch seine frühere Thätigkeit, die ihn viel in collegialischer Form zu arbeiten gewöhnt und besonders sich mit den mecklenburgischen Landständen Jahre lang herum zu schlagen genöthigt hatte, gerade die Art von Geschäftsgewandtheit, welche Stadt zu einer erspriesslichen Wirksamkeit in Frankfurt für unerlässlich erachtete, und welcher er es zuschrieb, dass er selbst („unser eins") wie eine junge Ente frisch und fröhlich ins Wasser gehe, während mehrere graue welsche Hähne trotzig am Ufer standen und nicht wussten wo hin noch her. Plessen wurde denn auch gleich in den ersten Sitzungen der Bundesversammlung Mitglied fast jeder Commission, die zu wählen war, und die grosse Stimmenzahl, die er stets erhielt und die kaum von einem Andern erreicht wurde, bewies, welches Vertrauen er sich durch seine Wiener Thätigkeit zu erwerben verstanden hatte.

Dass zwischen den bedeutenderen mittel- und kleinstaatlichen Gesandten, zwischen Männern wie Plessen, Eyben, Gagern, Berg, Smidt und einigen andern, ein intimerer Verkehr statt fand, konnte auch den Nicht-Eingeweihten kaum verborgen bleiben, zumal die Sache nach den Wiener Vorgängen durchaus nichts Neues war. Sehr begreiflich erscheint es daher, dass auch die Presse sich damit beschäftigte, und der deutsche Beobachter oder die Allgemeine Zeitung gelegentlich von einem förmlichen Club der mindermächtigen Gesandten sprach. Das war allerdings am Ziele vorbeigeschossen und Smidt persönlich hatte (wohl in Rücksicht auf die Persönlichkeiten solcher Collegen wie Carlshausen) die Meinung, es würde dabei auch nicht viel herauskommen, und es sei besser, dass einzelne sich über die schwebenden Fragen unter sich besprächen. Sollte er sich zu solchen mündlichen Verhandlungen, bei denen schriftliche Ausarbeitungen zu Grunde gelegt werden würden, die Gesellschaft wählen, so würde er sich Gagern, Plessen (der aber zu der Zeit noch nicht in Frankfurt war), Harnier, Berg und Eyben dazu aussuchen. Mit dem Erstgenannten hatte er, als er diese Worte schrieb, bereits ein solches Zusammenarbeiten begonnen. Gagern besuchte ihn damals (im März) täglich und der hervorragendste Gegenstand ihrer Hauptbesprechungen war die Reihenfolge, in welcher die Bundesversammlung ihre Aufgaben in Angriff nehmen müsse — eine Frage, die nach der wirklichen Eröffnung sogleich in den Vordergrund trat, und auf deren Lösung Smidt, da er eine klare Stellung zu ihr hatte, sogleich wesentlichen Einfluss gewinnen konnte.

Von Smidts Beziehungen zu den Frankfurter Familien berichtet seine officielle Correspondenz begreiflicher Weise nicht viel, und es würde kaum Interesse haben, die Einzelheiten zusammen zu tragen. Das beste Zeugniss dafür, dass er sich auch in diesen Kreisen einer wohlbegründeten Beliebtheit und grossen Vertrauens erfreute, wird man darin finden, dass er in den Verfassungsstreitigkeiten vielfach zu Rathe gezogen wurde und manches versöhnende Wort zu sprechen Gelegenheit fand. Von einzelnen Mitgliedern des Senates wurden ihm fortwährend die geheimen Projecte vertraulich mitgetheilt und seine Bemerkungen erbeten, die er dann auch schriftlich ihnen einzusenden nicht unterliess. Auch mit den Führern der Opposition, besonders mit Bethmann, stand er sehr gut. „Ich habe ihm einige Male scharf die Wahrheit gesagt", schreibt er z. B., „und er bezeigt Vertrauen zu mir, die verständigsten Mitglieder des Senates nicht minder, und so bin ich schon mehrmals in den Fall gekommen, ernstlich zu Frieden und Eintracht rathen zu können. Der einzige katholische Senator Guaita, bei weitem der verständigste, gewandteste und beliebteste von allen, kommt fast täglich zu mir. Das Unglück ist hier, dass Frankfurt nie eine Republik gewesen ist, sondern es jetzt erst werden soll; es war eine kaiserliche Stadt, und die Senatoren waren Minister des Kaisers und des Reichshofraths. Die Bürger konnten blos klagen und hatten Nichts zu sagen. So lernt keiner auf eigenen Füssen zu stehn."

Eine Erwähnung verdient noch das freundschaftliche Verhältniss, in dem Smidt zu dem französischen Gesandten von Reinhard stand, einem geborenen Württemberger, der früher lange in Hamburg gewesen war, sich von dort seine Frau geholt hatte und seine Familienbeziehungen zu Smidt unterhielt, der ihm dann auch manche interessante politische Notiz zu danken hatte. Ueber anderweitige Beziehungen, die das Bild von Smidt's gesellschaftlicher Stellung vervollständigen dürften, heben wir nach seinen Berichten noch das Folgende.

Sehr kurz sind die Notizen über einen Besuch, den er dem durchreisenden General Bülow (von Dennewitz) machte. Sie beschränken sich auf die Erwähnung der artigen Aufnahme, die er gefunden, und einzelner scherzhafter Aeusserungen des Generals, der versicherte, wo er nur einen Bremer sehe, das sei ihm willkommen; denn sie hätten sich in dem letzten

Feldzuge so benommen, dass sie allenthalben die grösste Ehre davon hatten. In demselben Sinne äusserte sich der alte Blücher. „Vorgestern," heisst es in einem Berichte vom 30. December 1816, „machte ich ihm meinen Besuch. Er nahm mich gleich an und erwähnte Bremens mit vielem Lobe, sagte auch, dass er mit unseren Freiwilligen alle Ursache gehabt habe sehr zufrieden zu sein. Er erkundigte sich nach mehreren Bremern, die er früher in Pyrmont gesehen, namentlich nach Georg Löning und dem Consul Kulenkamp. Als ich ihn fragte, wie es mit seiner Gesundheit stehe, erwiderte er: schlecht, sehr schlecht. Von Gesicht scheint er indess noch sehr heiter zu sein. Abends macht er gewöhnlich eine Partie Whist mit einigen hiesigen Kaufleuten, bald bei ihnen, bald in seinem Logis." Aus anderen Gründen fand Smidt die Bremer bei dem Kurfürsten von Hessen sehr gut angeschrieben, freilich ist nur Carlshafen seine Quelle. Der aber versicherte, sein Herr sei noch immer sehr gerührt über das Benehmen der Bremer gegen ihn und habe wiederholt geäussert, er wolle jedes Mitglied des bremischen Senates, das nach Cassel komme, mit der grössten Auszeichnung aufnehmen. Wenn also, fügt Smidt scherzend hinzu, einer M. H. H. davon profitiren will, so dürfte nicht zu lange damit zu säumen sein, da der Kurfürst alt und kränklich wird. Auch von andern Persönlichkeiten sind oft freundliche Aeusserungen zu berichten, die aber kein weiteres Interesse haben. Dass Smidt in allen Zirkeln ein gern gesehener Gast war, geht aus vielen Kleinigkeiten hervor. Als beispielsweise der Grossherzog von Weimar durch Frankfurt kam, traf er ihn fast überall an, zum Frühstück bei dem Prinzen Christian von Darmstadt, zum Thee bei dem Landgrafen Friedrich von Hessen, zum Essen bei den Herren von Plessen und von Gagern. Dass ein solches Hervortreten des bremischen Gesandten noch eine andere Seite, als die blos persönliche hatte, dass es auch auf diesem Gebiete galt, den Vertretern der Städte die Ebenbürtigkeit mit den Fürstlichen zu erkämpfen, die noch keineswegs vor allen Anfechtungen sicher war, ist eine Ansicht Smidt's, der man die Berechtigung schwerlich nicht abzustreiten Lust hat, wenn man seine Correspondenz aus Frankfurt liest. Er äussert sich darüber einmal ausführlich. Als es zur Sprache kommt, ob er den Titel Ministre plénipotentiaire führen solle. „Persönlich," so versichert er, „lege ich darauf gar keinen Werth, aber es scheint mir in der That das Interesse unseres Staates es zu erfordern, dass wir die Gleichheit der Rechte der Bundesstaaten auch durch dergleichen äussere Zeichen nicht verleugnen. Was für den Abgeordneten einer Reichsstadt unziemlich und anmassend erscheinen konnte, ist es nicht für den Geschäftsführer eines souveränen Staates, dem an Population und Macht noch heute ein Dutzend kleiner Fürsten nachstehen, die ohne alle Umstände ihre Gesandten Ministres plénipotentiaires nennen. Nun darf man aber doch nicht annehmen, dass eine geringere Anzahl deutscher Seelen, weil sie von einem Fürsten regiert werden, bei ihrer Repräsentation ehrenvoller erscheinen sollen, als eine grössere Anzahl, welche eine republikanische Regierung hat. Unsere Vorfahren dachten ebenso. Wie sich in jetziger Zeit dergleichen Formen gestalten, so werden sie leicht bleiben. Geben wir es jetzt zu, dass man die Republiken, als solche herabdrücke und nicht mit dem nämlichen Anstande wie monarchische Staaten von gleicher Grösse behandele, so dürfen wir uns nachher nicht darüber beklagen, wenn man uns vernachlässigt. Ich habe um so weniger Anstand genommen jenen Ausdruck zu gebrauchen, da der Graf Buol mich bei mehreren Gelegenheiten eingeladenen Fremden, und namentlich in diesem Sommer dem Landgrafen Friedrich von Hessen, bei dem er mich einführte und mit dem er französisch sprach, als Ministre plénipotentiaire de la ville de Brême präsentirt hat, worauf dieser mich gleich zur Tafel bei sich einlud und mir persönlich einen Gegenbesuch machte, auch, wie er vor Kurzem nach Cassel abreiste, bei mir vorgefahren ist um Abschied zu nehmen. Auch der Grossherzog von Weimar und der alte Grossherzog von Strelitz, der diesen Sommer hier war, haben mir Visitenkarten geschickt. Ich bin wahrlich weit entfernt, darüber ein Vergnügen der Eitelkeit zu empfinden, und ich hoffe, M. H. H. kennen mich dazu genug. Den Ruhm persönlicher Bescheidenheit hat mir hier noch kein Mensch abgesprochen, ich will nur die Ehre und Achtung unserer Republik und trachte nur darnach, die Sache so zu stellen, dass jedem Antrag, den M. H. H. künftig an meinen

Platz schicken werden, um unserer Republik willen, die er dann repräsentiren wird, das Nämliche widerführe. Sobald ich wieder nach Hause komme, bin ich [illegible], es gibt wie jeder Andere. In meinem 44 Jahre werde ich den Republikaner, der von jeher in meinem ganzen Gemüthe vorgeherrscht hat, nicht zu verläugnen beginnen, aber ich fühle es lebendig, dass wir in unseren jetzigen Verhältnissen als Staat aus dem Gesichtspuncte der [illegible] heraus müssen, wenn wir anders es nicht für gleichgültig halten wollen, ob unser Nachbar uns noch ferner als „Wir Peter" im [illegible] begrüsse oder nicht. Auch bin ich überzeugt, dass Herr von [illegible], wenn er von hier zurückkehrt, und als [illegible] Cabinetsminister seine Functionen in Hannover wieder antritt, die Formen, in welchen er hier den Repräsentanten unseres Staates zu behandeln schon und selbst bemerkt hat, bei häufig von ihm [illegible] Schreiben so [illegible] im Auge behalten und nicht verläugnen werde. Meine Persönlichkeit ist dabei, wie sich's in einer Republik gebührt und gehört, durch diese [illegible] und im Staate untergegangen, der den bleibenden Vortheil davon zieht und behält."

Dergleichen Etikettefragen finden überhaupt in Smidt's Correspondenz eine häufigere Behandlung als man wohl erwarten sollte. Der Grundton, den er dabei [illegible] lässt, ist der republikanische Bürgerstolz. Er stellt sehr lebhaft die Theorie auf, dass der Bürger einer freien Stadt [illegible] dasselbe sei, wie der Bürger eines monarchischen Staates, und will nicht [illegible], dass er in gesellschaftlicher Stellung dem Adel nachstehe. Das Bürgerrecht Bremens sei daher auch für Jedermann eine Auszeichnung und er dringt in einem langen Briefe darauf, dass der Senat einige Ehrenbürgerdiplome verleihen möge. In erster Linie wünscht er den Freiherrn von Stein damit ausgezeichnet zu sehen, um dessen Verdienst um die Unabhängigkeit der Hansestädte zu ehren. „Es sind jetzt zwei Jahre her, erzählt er bei dieser Gelegenheit, wie Stein mir hier in Frankfurt sagte: die Gesinnungen der Monarchen sind in diesem Augenblicke den Städten günstig; was sie Ihnen deshalb gesagt haben, ist wirklich ihre Meinung; aber Sie müssen darauf dringen, dass Ihnen diese Erklärung auch schriftlich gegeben werde, denn diese Meinung könnte sich ändern. Ich folgte seinem Rath und erhielt die preussische Erklärung noch in Frankfurt. Um die österreichische und russische zu erlangen, bemühte ich mich in Freiburg lange vergebens. Stein sah mich nicht, oder er fragte mich, ob ich die Briefe noch nicht hätte. Wie ich ihm einmal erwiderte: ich gehe nun drei Wochen jeden Morgen, den Gott kommen lässt, deshalb zu Metternich und Nesselrode — einmal treffe ich sie nicht, und wenn ich sie das andere Mal treffe, bestellen sie mich auf den folgenden Tag — In Ihrer Stelle, erwiderte Stein, würde ich des Nachmittags noch hingehen. Was fragen Sie danach, wenn auch der Eine oder der Andere Sie einmal angebunden anfährt? Wenn Sie die Briefe nur bekommen, werden Sie sich leicht darüber trösten. Ich folgte seinem Rath und um des [illegible] willen bekam ich die Briefe, noch ehe wir Freiburg verliessen." Diese Briefe aber waren es, die beinahe immer im Wege standen, wenn den einen oder den anderen Mächtigen oder Minister die Lust anwandelte, sich über die Städte einer Anderen zu bemächtigen. Auch sonst konnte Smidt noch manche Verdienste Stein's um Bremen anführen. „Wir aber, fuhr er dann fort, haben ihm kein einziges bleibendes Zeichen unserer Erkenntlichkeit gegeben, als ob wir bei der Ueberzeugung, dass man einem so rechtlichen und so reichen Manne mit Geschenken von pecuniärem Werthe nicht kommen dürfe, für eine Auszeichnung anderer Art weder Sinn noch Erfindungsgabe gehabt hätten. Stein ist jetzt Privatmann, aber er wird den grössten Theil des Jahres in Frankfurt leben, da seine Güter wenige Meilen von hier im Nassauischen liegen. Er wird von Allen geehrt und geachtet; jeder cultivirt ihn, und sein Rath und seine Meinung werden bei den Geschäften des Bundestages nie ohne Einfluss sein. Könnten wir Stein unseren Mitbürger nennen, so bin ich überzeugt, wir würden dadurch nicht bloss in der öffentlichen Achtung gewinnen, sondern Mancher, der vorkommenden Umständen nach auf den Einfall gerathen könnte uns dies oder jenes zu Leide zu thun, würde sich schon in dieser Rücksicht besinnen, ehe er damit hervorträte."

Diese Gründe leuchteten auch dem Bremer Senate ein,

das Ehrenbürgerdiplom wurde angefertigt und Smidt mit dem Auftrage ausgesandt, es persönlich zu überbringen. Er entledigte sich desselben im Juli 1818, indem er zu diesem Zwecke nach Nassau reiste. „Dem Herrn Minister von Stein, schrieb er am 17., habe ich sein Diplom überbracht und ihm dabei gesagt, wir gäben ihm hiermit das Beste was wir zu geben hätten; er müsse es so nehmen, als ob ein grösserer Staat ihm das Grosskreuz seines ersten Ordens schickte. Er nahm das Geschenk mit ausserordentlicher Artigkeit und mit der sichtlichsten Freude auf und sagte, dass er mir nächstens ein Danksagungsschreiben an den Senat zusenden werde. Er lud mich zum Mittagessen ein, wo auch der General Gneisenau mit seiner Familie, ein Graf von Kielmannsegge aus Hannover und mehrere Andere beiwohnten. Auch diesen erzählte er, welch ein Geschenk ihm von Bremen geworden und wie sehr er sich dadurch geehrt fühle. Ueber drei Stunden hat er mich in seinem Zimmer allein mit mir unterhalten, wobei die jetzige politische Lage in Europa und in Deutschland ausführlich durchgesprochen wurde. Er gab den Muth nicht auf, dass am Ende etwas Gutes herauskommen, und äusserte sich über Alles mit so viel Offenheit, dass ich nicht Alles einem Briefe anvertrauen mag." In dem Danksagungsschreiben, das Stein fast umgehend nachsandte, sprach sich seine Freude auch unverhohlen aus, wenngleich man in Bremen es etwas sonderbar finden wollte, dass darin hervorgehoben schien, wie Stein das Ehrenbürgerrecht, wenn man es ihm während seiner Amtsdauer geschenkt, als eine Art Bestechung und daher als werthlos betrachtet haben würde. Smidt fand das Schreiben so verbindlich wie möglich, und meinte, es müsse den Herren grosse Freude machen. „Stein kann sich gar nicht verstellen und ich habe daher gleich im ersten Augenblicke gesehen, dass es ihm mit dieser Freude Ernst war. Es hat mir einen besonderen Genuss gewährt, ihn vor den hannöverschen Adligen seiner Familie mit dem Bremer Bürgerrechte sich gross machen zu sehen."

Ueberhaupt war Stein um diese Zeit noch von bestem guten Humor und sah der Zukunft, wie Smidt öfter bemerkt, noch sehr heiter entgegen. Leider erfahren wir über die Unterhaltungen beider in der Regel wenig mehr als die Gegenstände.

[illegible] die sich der „umständliche und interessante [illegible]" erhebt. Eine Ausnahme macht allenfalls ein Bericht vom 27. Decbr. 1815: „Stein war sehr aufgeräumt und vertraulich und hat mir über den Tugendbund, dessen Entstehung und weitere Schicksale viel erzählt, wovon ich gelegentlich einige nähere Details mittheilen werde. Vieles von dem, was Schmalz geschrieben, sagte er, sei ganz wahr, nur stelle er Dinge als Resultate geheimer Verbindungen auf, die, [illegible] nicht unwahr, doch damit nicht zusammenhingen und zur Sprache gekommen, wo der Tugendbund schon rechtlich nicht mehr existirt habe. Er war mit Schmalz nicht zufrieden, versicherte aber doch, der Mann sei ganz so übel nicht, wie man ihn jetzt verschreie. Mit der Ansicht, welche die Bremer Zeitung über die Sache aufgestellt, schien er sehr zufrieden zu sein, sagte, dass er die Zeitung [illegible] lese und lobte sie sehr. Sie steht hier überhaupt im besten Ruf und ihr Lob fällt zum Theil auf den Senat zurück."

Bekanntlich wurden mit Stein, der die österreichische Bundesgesandtschaft bereits ausgeschlagen hatte, im December 1815, als Hardenberg in Frankfurt war, noch einmal Verhandlungen angeknüpft, ob er nicht die Repräsentation Preussens zu übernehmen bewogen werden könne. Was Smidt als Gerücht meldet, für dessen Sicherheit er nicht einstehen will, stellte Stein drei Bedingungen, die mit dem, was Pertz über diese Verhandlungen berichtet, nicht in Widerspruch stehen, ohne aber meines Wissens anderweitig bestätigt zu sein: 1) dass er Preussen ganz unumschränkt vertrete, 2) so lange es ihm gefalle, 3) dass ihm die Wahl des ihm untergeordneten Personals ganz überlassen bleibe. Dass er überdies einen Adlatus verlangt habe, berichtet Smidt auch, und zwar sei es Herr von Altenstein gewesen, der auch wohl als Bundesgesandter vielfach genannt werde.

Wir sind damit zu der [illegible], welche wir über Smidt's Verhandlungen während des ersten Frankfurter Jahres [illegible] haben, welche bis in die ersten Tage seines Aufenthaltes [illegible], und stehen nunmehr jetzt vor der Frage, welche Umstände es zu Wege brachten, dass die Thätigkeit der Bundesversammlung noch fast ein volles Jahr gehemmt blieb. Es wird

nicht uninteressant war, dieselben an der Hand von Schmidts Berichten zu verfolgen.

Das wichtigste war ohne Zweifel dass, die Territorialverhandlungen unter den einzelnen deutschen Staaten noch in der Schwebe waren. Alles, was man sonst am 1. December an Motiven vorzubringen hatte, war untergeordneter Art und konnte höchstens noch einen günstigen Vorwand verschaffen. Da hiess es zunächst: Die Bundesversammlung habe noch nicht gefunden, wo sie ihr Haupt hinlege; das Palais des Fürsten Thurn und Taxis, welches sie später zu ihrem Sitz erkor, werde noch vom Fürsten Hardenberg occupirt; das Deutsch-Ordens-Haus, das in erster Linie ausersehen war, bisher aber als Lazareth gedient hatte, müsse erst gereinigt und möblirt werden; ein drittes geeignetes Local, das Palais des Herrn von Hügel, könne man aus Delicatesse nicht beanspruchen, weil dem Eigenthümer aus schmerzlicher Enttäuschung darüber, dass er nicht, wie er gehofft, selbst zum österreichischen Bundesgesandten ernannt sei, einer Geistesstörung verfallen war. Diese Ausreden waren aber nur von kurzer Dauer, denn Hardenberg verliess Frankfurt schon am 2. December und damit wurde das Taxis'sche Palais frei. Noch geringfügiger war der Umstand, den Albini geltend machte: Das Personal der österreichischen Bundeskanzlei sei noch in Mainz beschäftigt. Eher liess es sich hören, wenn darauf hingewiesen wurde, dass auch so manche Gesandten ganz fehlten, dass Baden und Württemberg noch nicht einmal ihren Beitritt zum Bunde erklärt hatten, dass der derzeitige preussische Vertreter, Herr von Küster, nur provisorisch und für den Notfall zur Bundesversammlung bevollmächtigt sei, dass selbst der österreichische Präsidialgesandte noch keine Instructionen erhalten habe; indessen genau betrachtet waren das doch alles nur Symptome, welche bewiesen, dass man an den massgebenden Stellen, in Wien, Berlin, München, Stuttgart u. s. f. irgend welchen Grund haben müsse, die Eröffnung zu verzögern. Und diesen Grund scheint allerdings in den schwebenden Territorialverhandlungen gelegen zu haben. Eine Note Metternichs, d. d. Paris, 21. November, wies den designirten österreichischen Bundesgesandten, Herrn von Albini, an, sich in diesem Sinne gegen seine Collegen

zu ergreifen. Da einer der Hauptzwecke des Bundes, hiess es ferner, auch auf die Unverletzbarkeit der einzeln deutschen Staaten beruhe, so sei es offenbar nothwendig, dass vor der Eröffnung des Bundestages sämmtliche Bundesglieder alle Territorial-Quästionen unter sich beendet hätten, und dass die Grenzen jedes deutschen Staates genau bestimmt seien. Im Laufe des Monats December würden die bezüglichen Verhandlungen, wie zu vermuthen stehe, ihrem Ende sehr nahe gebracht werden können; bis dies geschehen, möchten die bereits in Frankfurt versammelten Bevollmächtigten sich einstweilen über die materielle Einrichtung des Bundestages, über das zu beobachtende Ceremoniell, über die Organisation der Bureaux und andre ähnliche Gegenstände besprechen und so die wirkliche Eröffnung des Bundestages vorbereiten. Albini entledigte sich dieses Auftrags, indem er seinen Collegen vertrauliche Abschriften dieser Note mittheilte und überdies durch Friedrich Schlegel, der als Legationssecretär bei ihm fungirte, einen Artikel gleichen Inhalts in die Frankfurter Zeitungen vom 3. December einrücken liess.

Dass nun aber auch die vorbereitenden Verhandlungen über die Arbeiten der Bundesversammlung unterblieben, zu denen Metternich doch in jener Note aufgefordert hatte, das glaubte Smidt, wie er in dem früher erwähnten Bericht an den Präsidenten der [illegible] Tagsatzung, Bürgermeister Reinhard, auseinandersetzt, allerdings ausschliesslich auf die Krankheit Albini's schieben zu müssen, der schon im December Frankfurt verliess, um auf seinen Gütern Erholung zu suchen, und der von dort nicht wiederkehrte. Wäre dieser Umstand allein das Hinderniss gewesen, so hätte Buol sogleich im Januar 1816 die Sache in die Hand nehmen können. Dass er dies aber [illegible] nicht that, beweist zur Genüge das Vorhandensein eines anderen Motives, der bedenklichen Lage nämlich, in welcher die Territorialverhandlungen sich befanden.

Die Hoffnung, mit diesen in wenig Wochen fertig zu werden, war wohl von Anfang an keine aufrichtige; denn es gab dabei gewisse Fragen zu ordnen, die für eine gütliche Beilegung wenig Aussicht boten. Die schwierigste derselben war die Gebietsausgleichung zwischen Oestreich und Baiern. Sie erwies sich als so unlöslich, dass man vorzog, sie von den übrigen Ge-

9*

sondern in München zu erledigen. Es handelte sich um die Ausführung des Pariser Tractates vom 3 November. In diesem hatten die Grossmächte sich verpflichtet Alles aufzubieten um von Baiern zu Gunsten Oestreichs die Abtretung des Hausruck- und Innviertels sowie Salzburgs zu erlangen, als Entschädigung dafür waren bestimmte Theile der jetzigen bairischen Pfalz (Zweibrücken, Kaiserslautern etc.) bestimmt, die aber immerhin etwa 800,000 Einwohner weniger hatten, als das Gebiet, welches Baiern zurückgeben sollte; einen Ersatz für diesen Verlust stellte der Vertrag erst dann in Aussicht, wenn die directe Linie des badischen Herrscherhauses aussterbe; dann sollte die badische Pfalz, auf welche Oestreich nach einem Wiener Protocoll vom 10 Juni 1815 Anspruch hatte, an Baiern fallen. In München war man begreiflicher Weise gar nicht geneigt auf diese Vorschläge einzugehen und die Verhandlungen, welche der östreichische General Vacquant Anfangs December begann, führten zu keiner Annäherung. Vielmehr spitzte sich gegen Ende des Jahres der Gegensatz so sehr zu, dass ein Krieg unvermeidlich schien. Oestreich verstärkte seine Truppen an der Grenze von Salzburg, und der bairische Regierungspräsident Graf Armansperg rief bereits die Bevölkerung auf für König und Vaterland die Waffen zu ergreifen. Von beiden Seiten waren die Oberfeldherrn schon ernannt, und der östreichische, Bianchi, begab sich Mitte Januar zu seiner Armee. Dass unter solchen Umständen die Eröffnung der Bundesversammlung unmöglich, ja dass es fraglich geworden zu sein schien, ob die ganze Bundesverfassung je ins Leben treten werde, begreift sich von selbst. In Frankfurt lauschte man daher in den Kreisen der Diplomatie ängstlich nach München, ohne doch Sicheres erfahren zu können. Smidt kann lange wenig mehr berichten, als dass die Verhandlungen begonnen, dass Baiern die Basis vom 3 November zwar nicht ganz verworfen, aber bedeutende Modificationen verlangt habe, dass besonders der Kronprinz und Wrede Salzburg durchaus behalten wollen, dass Couriere nach Petersburg und Mailand (an den dort weilenden Kaiser von Oestreich) unterwegs seien, dass Baiern Gewalt abwarten und Oestreich diese nicht ohne höchste Noth anwenden zu wollen scheine. Eine Zeit lang glaubte man, Baden könne am Ende zum Opfer fallen. „Baiern, schreibt Smidt am 31. Januar, möchte (wenn) seine Entschädigung diesseits des Rheines haben und Baden hierüber schieben. Es scheint selbst, als ob dieser oder jener nicht ganz angenehme Anträge an Baden gemacht sein könnten." Wenigstens bringe man damit die schleunige Uebergabe der Urkunde in Verbindung, durch welche Baden (unter dem Datum des 26. Juli 1815[1]) dem Bunde beigetreten ist. Indirect bestätigt wurde diese Ansicht dadurch, dass der Staatsrath Klüber und der Graf Hochberg sich Namens des Grossherzogs Anfangs Februar in geheimer Sendung nach Petersburg begaben. An die Kriegsgerüchte scheint man aber in Frankfurt nicht recht geglaubt zu haben, trotz der allarmirenden Zeitungsnachrichten macht Smidt kaum eine Bemerkung darüber, behandelt vielmehr grade in diesen Tagen die ganze Streitfrage mit academischer Ruhe in zwei Artikeln, welche die Bremer Zeitung vom 7. und 8. Februar brachte, und die auch in Frankfurt grossen Beifall fanden. „Ein wechselseitiges Entgegenkommen und eine ernstliche Uebereinkunft, so fasst er sein Urtheil zusammen, ist unter diesen Umständen nur mit Sicherheit vorauszusehen, aber das Publicum wird sich bescheiden, dass eine Berechnung der Zeitpuncte derselben ausserhalb der Sphäre seiner Beurtheilung liegt."

Herbeigeführt wurde die Verständigung durch eine Sendung des Kronprinzen von Baiern nach Mailand. Obgleich der Prinz einer der Heissporne war, empfing man ihn am kaiserlichen Hofe sehr warm und brachte die Sache mit ihm ins Reine. Definitiv abgeschlossen wurde der Vertrag freilich erst am 14. April in München. Oestreich erhielt darin ganz und gar seinen Willen und liess sich nur auf Unkosten Badens zu einigen geheimen Artikeln herbei, indem es immer der Erbfolge in der badischen Pfalz (dem Neckarkreis) Baiern auch seine guten Dienste versicherte und schon jetzt, bei den Territorialverhandlungen in Frankfurt, für dasselbe auch den Main- und Tauberkreis zu erwerben. Diese sechs geheimen Artikel, die übrigens schon 1819 in dem 3. Bande des Nouveau Recueil von Martens veröffentlicht sind, wurden anfangs nur Wenigen bekannt. „Ich habe sie, berichtet Smidt am 8. Mai, durch eine besonders vertrauliche Mittheilung auf einige Minuten zur Einsicht gehabt, ohne jedoch Abschrift davon nehmen zu dürfen, ausser den

Ministern der vier grossen Mächte und hier wahrscheinlich nur 3 oder 4 Personen, die von deren Existenz wissen. Ich habe mir den Inhalt derselben, den ich indess nicht weiter mitzutheilen hätte, folgendermassen gemerkt" — worauf eine detaillirte, genaue Inhaltsangabe folgt, deren Mittheilung hier zwecklos wäre.

Der bedenklichste Stein des Anstosses, der eine Eröffnung des Bundestages geradezu unmöglich gemacht hatte, war nun beseitigt; zwischen Bayern und Oesterreich war Friede. Aber 4—5 Monate waren auch schon verstrichen, ohne dass man die übrigen Territorialverhandlungen ernstlich hätte beginnen können. Auch das Stück Arbeit, welches jetzt noch vorlag, durfte, besonders soweit es Baden betraf, keineswegs gering geachtet werden, doch war die Lösung immerhin ohne wirkliche Gefahren und nur eine Frage der Zeit. Man konnte wieder einmal daran denken neue Termine für die Eröffnung zu planen, und die bisher noch fehlenden Gesandten begannen sich einzustellen. Buol erhielt in diesen Tagen seine definitive Ernennung und von München traf Rechberg ein, um die Vertretung Bayerns zu übernehmen. [illegible], welcher am [illegible] ernannt wurde, war der preussische Gesandte. Zwar konnte seine Abwesenheit nicht für ein Hinderniss der Eröffnung gelten, denn Wilhelm von Humboldt war ermächtigt ihn zu vertreten. Allein man sah in den Bundeskreisen wohl nicht mit Unrecht in dem Ausbleiben des definitiven Collegen ein Zeichen der Geringschätzung. Die Wahl des Staatskanzlers war nach langem Schwanken auf den bisherigen Gesandten in Cassel, den Herrn von Hänlein, gefallen. Buol war mit dieser Wahl sehr wohl zufrieden. „Wie Hänlein und ich zusammen in Cassel waren, erzählte er [illegible], und keiner von uns daran denken konnte hierher gesandt zu werden, haben wir über die Bundesacte oft und vielfach unsere Gedanken als Privatpersonen ausgetauscht. Das wird uns jetzt sehr zu statten kommen, da jeder des Andern eigene Meinung vertraulich kennen gelernt hat." Diese Voraussetzung erwies sich als irrig. Herr von Hänlein war dazu verurtheilt eine sehr [illegible] Rolle zu spielen.

Anfang Februar hörte man zuerst von seiner Ernennung, aber die Bestätigung liess wochenlang auf sich warten. Als er

preussischer Gesandter herumwohnen, worauf er aber nicht habe eingehen wollen."

Davon, dass diese Gerüchte Grund gehabt, liegen mir weitere Spuren nicht vor. Vielmehr wird die preussische Regierung einerseits deshalb Eile nicht von Nöthen erachtet haben, weil die Territorialverhandlungen noch immer zu keinem Resultate führten, und andererseits verabredete der Staatskanzler mit Hänlein grade jetzt in Berlin einen Plan, der Preussens Stellung in der Bundesversammlung bedeutsamer machen sollte. Es handelte sich um den bei Pertz, Leben Steins V. 94 mitgetheilten Vertrag mit Oestreich, der Preussen die Protokollführung, die Abfassung und Ausfertigung der Bundesbeschlüsse, kurz alle die Rechte sichern sollte, welche vormals mit dem Reichs-Erbmarschallamte verbunden waren. Herr von Hänlein liess melden, er hoffe Ende Juni einzutreffen, man arbeite noch an seinen Instructionen; vor dem 1. Juli könne der Bundestag schwerlich eröffnet werden. Die kleinstaatlichen Gesandten wurden nun wirklich ungeduldig. Am 15. Mai zeigt [illegible] an, dass er mit [illegible] mit einigen Collegen überlegt habe, was zu thun sei, um wenigstens diesen Termin festzuhalten. Aus einer Umfrage, welche er Ende Mai bei allen hier anwesenden Gesandten hielt, konnte er freilich keine grosse Hoffnungen schöpfen. Den Anlass zu derselben bot ihm eine Reise, die er nach Zürich zu machen wünschte, um dort die Hochzeit des Dr. Gildemeister [illegible], und die Ergebnisse seiner Erkundigungen charakterisiren die Situation so vortrefflich, dass einige Auszüge daraus hier nicht fehlen dürfen. Am ungenirtesten äusserte sich der württembergische Gesandte: was man auch sagen möge, vor August oder September würde es zu Nichts kommen. Humboldt meinte, wenn die Eröffnung am 1. Juli stattfinde, könne man Gott danken. Gagerns Ansicht war, die Hauptpersonen wüssten noch so wenig, was sie eigentlich wollten oder nicht wollten, dass an einen ernstlichen Anfang nicht zu denken sei. Rechberg erklärte, er wolle auch noch vorher für einige Zeit auf seine Güter in Schwaben reisen. Martens wies besonders den Gedanken, dem [illegible] nicht grade fern stand, entschieden zurück, als ob man wohl auch ohne Preussen anfangen könne; geschähe das, so würde es gleich

Anfangs eine Missstimmung in alle Geschäfte bringen, die nicht leicht wieder auszutilgen wäre, daran sei gar nicht zu denken. Auch Buol lehnte diese Eventualität, freilich in etwas anderem Tone, ab. „Fragt man mich officiell darüber, so sage ich, es ist gar kein Hinderniss vorhanden und ich bin dazu bereit, fragt man mich vertraulich, so kann ich wieder nicht sagen, dass ich grade rathen möchte.“ Humboldt sei zwar bereit sich [illegible] zu lassen. „Dies möchte ich aber auch nicht auffordern, weil man dadurch als nothwendig anzuerkennen scheint, dass Preussen dabei sein müsse (sic!)“ Alles in Allem wisse er von dem Termine grade so viel wie [illegible], und habe dem sächsischen Gesandten, der sich auf seinen Gütern aufhielt, erst dieser Tage geschrieben: es werde ihm sehr angenehm sein, ihn bald in Frankfurt zu sehen, aber bis jetzt aus keinem andern Grunde als dem persönlichen Wunsch seine angenehme Gesellschaft zu geniessen. Dass die Territorialverhandlungen jetzt noch ein Hinderniss seien, bestritt Buol, beendigt wären sie ja freilich nicht, aber die Bundestagsverhandlungen könnten recht wohl nebenher gehen. Alle Schuld warf er recht geschickt auf Hänlein und dessen Regierung. Jener werde wohl nächstens kommen und die Logis miethen, aber dann müsse er erst wieder nach Cassel um dort seine Sachen zu ordnen. „Gesetzt aber auch, er käme schon in nächster Woche hierher und bliebe gleich hier, so will ich Ihnen nicht verhehlen, dass ich über seine Instruction noch nicht das Allermindeste weiss. Nun kann ich aber keineswegs erwarten, dass sie mit der meinigen grade gleichlautend sein wird, und andrerseits können Sie denken, dass man gleich beim Anfang eine Differenz zwischen den österreichischen und den preussischen Ansichten sorgfältigst wird zu vermeiden suchen. Ich erwarte daher, dass Hänlein mir über seine Instruction einige confidentielle Mittheilungen machen werde, diese werde ich nach Wien berichten und erst wenn ich von dort weitere Instructionen darauf erhalten habe, kann ich daran denken etwas Erspriessliches zu beginnen. Sie können daraus schon entnehmen, dass in den nächsten 4 Wochen wenig oder nichts vorfallen kann, als dass man vielleicht bei einer Tasse Thee über die Formalien der Eröffnung seine Gedanken austauscht.“

Was Buol in diesem Gespräch (26. Mai) über seine Unbekanntschaft mit den preussischen Instructionen sagt, ist nun freilich wohl grade das Gegentheil des wirklichen Sachverhältnisses. Er schob ausschliesslich eine Differenz zwischen jenen und den seinigen nur deshalb voran, weil ihm von Wien aus mitgetheilt war, dass dieselbe existire. Denn der oben erwähnte Vertragsentwurf zwischen Preussen und Oesterreich muss grade um diese Zeit der Gegenstand der Verhandlung zwischen beiden Cabinetten gewesen sein. Den eigentlichen Kern der Streitfrage bildete allerdings kaum der preussische Anspruch auf die Protocollführung und verwandte Dinge, wenn man diesen auch nachher in den Vordergrund zu rücken beliebte, sondern der Vorschlag, die kleineren Contingente nicht selbständig, sondern im Anschluss an die preussische und österreichische Armee zu formiren. Dabei hätte Preussen in Gemässheit seiner geographischen Lage den Löwenantheil erhalten, den Oesterreich nicht gesonnen war ihm zu gönnen. Auch die Frage der Mainzer Garnison mag mit hineingespielt haben.

Er wisse, schreibt Smidt, von Jemand, der wohl unterrichtet sein könne, den er aber gegen Niemand nennen dürfe[*], dass Metternich und Hardenberg sich das Wort gegeben, die Bundes-Versammlung nicht eher zu eröffnen, als bis sie sich über jene Frage geeinigt; das erkläre denn auch, warum selbst für den Fall, dass Hanlein bald ankomme, die Eröffnung als zweifelhaft hingestellt werde.

Die Eifrigsten unter den Gesandten fuhren indessen fort, den Versuch die Eröffnung zu beschleunigen weiter zu betreiben. Smidt war durch seine Züricher Reise einstweilen dabei mitzuwirken, doch gab ihm Plessen von Allem Nachricht. Im Grunde lief die Sache freilich auf eine Comödie hinaus, die Buol mit den Ungeduldigen spielte. Er versprach an Hanlein zu schreiben, wenn dieser nicht Mitte Juni in Frankfurt sei, werde er, Buol,

---

*) Es ist mir sehr wahrscheinlich, dass dieser Jemand der General-Vicar von Wessenberg, der Bruder des Ministers, gewesen. Es ist die einzige Person in Smidt's Kreisen, auf die diese Bezeichnung [illegible] werden kann, und [illegible] kann auch bei dem engen [illegible]

zu schwerlich mehr hindern können, dass man sogleich zu einer Präliminarconferenz schreite. Auch darein willigte er, dass als Tag dafür schon jetzt der 17. Juni bestimmt werde, allein er machte zwei [illegible] Vorbehalte: erstens, dass er diesen Termin nicht mit zu melden brauche, um Preussen nicht durch eine solche peremtorische Frist zu beleidigen; und zweitens, dass ein Aufschub statt finde, wenn Hanleins Antwort das rathsam erscheinen lasse. Fleming durchschaute den Sinn dieser Clauseln recht wohl, er meldete an Sandt: ob unter diesen Umständen aus der Sache etwas werde, könne er nicht mit Bestimmtheit sagen. [illegible] schrieb in demselben Sinne. Marten übernahm eine förmliche Garantie dafür, dass vor dem 21. ganz sicher Nichts geschehe. Gleichwohl hielt es Sandt für seine Pflicht, zum 17. wieder in Frankfurt zu sein. Da standen die Sachen denn nun so, dass Hanlein seine Ankunft zwischen dem 10. und 15. versprochen, möglich aber [illegible] hatte, er müsse [illegible] Wege noch auf einige Tage nach Cassel [illegible], dagegen liess sich Nichts sagen, auch dürfe man nicht [illegible] drängen, dessen Casseler Aufenthalt [illegible]; nur auf der Fixirung eines bestimmten Tages müsse man unbedingt bestehen. Die Frist, welche dadurch gegeben werde, wolle er selbst zu einer Reise nach Wien benutzen, um mit Metternich über die preussischen Instructionen zu sprechen, da er noch immer nicht [illegible], die ihm Hanlein aber ohne Zweifel confidentiell mittheilen werde — ein Plan, der dagegen ein paar Tage später schon wieder aufgegeben scheint. Von preussischer Seite (d. h. wohl von Varnhagen) erfuhr Sandt nun aber auch, dass Verhandlungen zwischen Berlin und Wien über die Bundesangelegenheiten schwebten, ohne dass ihm der nähere Inhalt bezeichnet wäre. Dieser wurde erst offenbar, als am 19. Juni Hanlein endlich anlangte. Wir erzählen das Weitere meist wörtlich nach Sandt's Berichte vom 3. Juli.

Sandt hatte erfahren, dass H. am Sonntag bei dem Grafen B. allein zu Mittag speisen werde, und fuhr deshalb Abends gegen 7 Uhr zur Gräfin [illegible] dieser eine Visite zu machen, in der Hoffnung dort vielleicht auch den Grafen zu sehen, da es ihm indiscret schien, sich gleich nach der ersten Unterhaltung mit H. gradezu bei Buol selbst melden zu lassen. Die Gräfin nahm ihn gleich an, und er fand auch H. noch dort, der [illegible] im Begriff war wegzugehen. Er war äusserst artig, sprach davon, wie peinlich es ihm gewesen so lange zögern zu müssen, doch liege die Schuld nicht an ihm gelegen, sondern an der Krankheit des Fürsten Hardenberg, welche seine Geschäfte [illegible] 8 Wochen lang so verzögert, dass man ihm Nichts habe sagen können. Nach einer halben Stunde liess der Graf [illegible] in sein Cabinet rufen und erzählte ihm nun vertraulich: Von Hänlein sei ihm ein ausführliches Memoire über die Bundestags-Angelegenheiten mitgetheilt und der Wunsch um Uebersendung desselben an seinen Hof unter Beifügung eines empfehlenden Berichts hinzugefügt worden. Dabei habe H. jedoch geäussert, wie es die Absicht gewesen, darüber auch directe Communication zwischen beiden Höfen zu eröffnen, und nun er nicht zweifle, dass solches bereits geschehen sei. Er (Graf B.) habe das Memoire gleich gelesen und erwiedert: der Inhalt sei der Art, dass er die vollständige Uebersendung desselben an seinen Hof sich allerdings zur Pflicht machen müsse; was aber die Empfehlung betreffe, so wolle er ihm aufrichtig gestehen, dass er sich dazu unmöglich entschliessen könne. Mit der nämlichen Aufrichtigkeit müsse er auch hinzufügen, dass, wenn er gleich das Memoire selbst sonst Niemandem mittheilen werde, er doch nicht umhin könne, den übrigen Bundestags-Gesandten, die ihm mit vieler Offenheit und ununterbrochenem Vertrauen entgegengekommen, über den Hauptinhalt einige vertrauliche Eröffnungen zu machen, da die Sache die ganze Bundes-Versammlung angehe, auch neuer Aufenthalt der Eröffnung wozu diese Anträge Gelegenheit geben könnten, nur durch eine solche Mittheilung von seiner Seite zu rechtfertigen sei, indem er den übrigen Gesandten nie ein Geheimniss daraus gemacht, wie seine Instruction dahin gehe, der Eröffnung der Versammlung sich nicht zu widersetzen, sobald die übrigen durchaus nicht länger auf Preussen warten wollten. Da [illegible] nun der erste sei, den er sehe, so wolle er ihm gleich sagen, dass die preussischen Wünsche in einer wesentlichen Abänderung der Directorialverhältnisse Oesterreichs bestanden, zu denen Preussen sei es allein, sei es unter Zuziehung auch anderer

Theil zu nehmen begehre, namentlich was die Protocollführung und Direction der Canzlei betreffe. Dabei habe H. zu verstehen gegeben, dass im Fall solche Theilnahme Preussen verweigert werden sollte, dieses eben kein grosses Interesse an dem Bunde nehmen dürfte. Obgleich er, Buol, nun zwar die Ansichten seines Hofes nicht hinreichend kenne, habe er doch sogleich [illegible] H. v. H. seine Verwunderung darüber bezeugt, wie man Oestreich, nachdem es auf die Kaiserwürde von selbst Verzicht geleistet, zumuthen möge, diese geringen Vorzüge, in deren Ausübung es im Grunde nur als der Diener Aller erscheine, aufzugeben, und wie man dabei nicht bedenke, dass Oestreich vermöge seiner Lage vor allen Bundesstaaten den Bund am ersten entbehren könne und die Theilnahme an demselben eigener Vortheile halber nie gewünscht habe. Sollte an den Präsidialbefugnissen noch etwas geschmälert werden, so würde ja am Ende aus dem Kaiser ein Pedell werden. Hänlein habe darauf gemeint, bei der Entwerfung der Bundes-Acte in Wien habe ja auch nicht Oestreich, sondern Hannover (durch den Herrn von Martens) das Protocoll geführt, er habe ihm aber erwidert, dass es keineswegs der Fall gewesen, sondern Martens habe das Amt auf Ersuchen Metternichs übernommen, der ihn sich dazu als einen talentvollen Mann vom Grafen Münster ausgebeten. Uebrigens werde auch der Beamte, der zur Protocollführung am Bundestage ausersehen sei, der Hofrath Handel, von dem Augenblick an, wo er dies Geschäft angetreten, nicht bloss ein östreichischer, sondern ein Beamter des ganzen Bundes sein.

Jedenfalls, erörterte Buol dann weiter gegen Smidt, könne er an die Eröffnung des Bundestags jetzt nicht eher denken, als bis er neue Instructionen von Wien erhalten; doch hoffe er, diese würden bis zur Rückkunft Hänleins aus Cassel eingetroffen sein. Smidt beklagte das lebhaft, auf solche Weise könne der Anfang ins Unendliche verzögert werden; es sei nicht recht, solche Streitfragen, die gerade vor das Forum der Bundes-Versammlung gehörten, erst vorweg auf diplomatischem Wege beseitigen zu wollen. Ueber die preussischen Anträge dürfe er noch, so lange er sie nicht im Detail kenne, natürlich ein Urtheil nicht aussprechen, aber selbst wenn sie wesentliche

Änderungen der Bundes-Acte bezweckten, so schrieben diese selbst ja die Formen der Behandlung auch in solchem Falle vor. Er müsse deshalb gerade um dieser Anträge willen eine Beschleunigung des Anfangs wünschen, und es scheine ihm gar nicht unmöglich, dass Preussen seine Wünsche, wenn es sie öffentlich vortragen wolle, in einer Weise vorbringen könne, welche ihre Erledigung sehr erleichtern werde.

Der Graf erwiederte darauf, dass er nicht zweifle, wie seine Instruction in diesem Sinne ausfallen werde. Uebrigens sei in der Bundes-Acte keine Spur von besonderen Vorrechten Preussens, und wenn man die Analogie der alten Reichsverfassung zu Rathe ziehen wolle, so hätte Baiern und Sachsen als vormalige erbliche Reichsvicarien jedenfalls grössere Ansprüche als Preussen, das früher ja auch schon mächtiger als diese beiden gewesen sei. Vor dem Eintreffen neuer Instructionen könne er indess keinesfalls den Bundestag eröffnen. So wenig er es glaube, so sei es doch immer möglich, dass sein Hof Preussens Wünschen nachgeben wolle, das würde er ihm aber durch die Eröffnung erschweren; denn hätte Oesterreich auch nur 3—4 Wochen das Directorium wirklich geführt, so könne es dasselbe Ehren halber nicht mehr abgeben oder theilen.

Als das Gespräch auf diesem Puncte war, wurde Herr von Eyben, der holsteinische Gesandte, gemeldet. Er hatte sich seit dem 5 Juni zur Cur in Wiesbaden aufgehalten und war auf die Nachricht von Buols Ankunft gleich nach Frankfurt zurückgeeilt. Buol recapitulirte nun das bisherige Gespräch, und Eyben äusserte sich in gleichem Sinne, aber in stärkeren Ausdrücken als [illegible]. Besonders erklärte er, die öffentliche Meinung auf dem linken Rheinufer, die er persönlich kennen gelernt, verbiete jedes weitere Zögern. Uebrigens glaube er die preussischen Anträge, über die er sich weitere Fragen hier nicht erlauben wolle, durch Nachrichten, die er kürzlich von Berlin erhalten, zu kennen *). Sie seien danach auf ein Reichs-

*) Das Folgende zeigt, dass Eyben wirklich gut unterrichtet war, [illegible]

bundesstaat gerichtet, oder auf ein Conrectorium zunächst mit Oesterreich, oder wenigstens auf eine Theilnahme an diesem Directorium mit einiger abwechselnder Zuziehung derjenigen Staaten, welche im Plenum 4 Stimmen hatten, wodurch im Wesentlichen die alte, schon in Wien verworfene Pentarchie, nur mit Hinzuziehung von Sachsen, herausgekommen würde. Die Militäreinrichtungen betreffend gehe Preussens Absicht dahin, dass eine Militärinspection in Friedenszeiten nur von Oesterreich und Preussen gemeinschaftlich ausgeübt, im Kriege aber drei verschiedene Corps nach der Analogie der letzten Feldzüge gebildet würden, deren Obercommando Oesterreich, Preussen und Hannover übernehmen sollten.

Buol lehnte nun zwar ab, diese Angaben zu bestätigen, aber aus der Fortsetzung des Gesprächs glaubte Smidt doch entnehmen zu können, dass Eybens Gewährsmann kein Unkundiger sein könne. Auch äusserte Buol noch, er habe [illegible] dringend gerathen, sein Memoire den übrigen Gesandten offen mitzutheilen.

Beim Weggehen begleitete Eyben Smidt in dessen Wohnung, und hier stellten sich zufällig auch Plessen und Rechberg ein.

[illegible]

Es entspann sich also eine sehr interessante Unterhaltung, die bis nach Mitternacht dauerte. Das Resultat war, nicht zu ruhen, bis man es bis zur Annahme eines bestimmten, nicht wieder zu verschiebenden Eröffnungstermins gebracht habe, und dazu wenn es nicht anders gehen sollte, wie 1815 in Wien, selbst durch eine förmliche Note aufzufordern. Was den preussischen Anspruch auf die Führung des Protocolls anlangte, so war die Stimmung dem keineswegs entschieden feindlich. [illegible] sprach zu Buol persönlich aus, dass Oesterreich darin wohl nachgeben könne. Dieser räumte darauf ein, dass von einem Anspruch seines Hofes, der aus der Bundesacte hergeleitet werde, nicht die Rede sein könne; denn diese erwähne der Protocollführung nicht ausdrücklich. Allein man habe nun einmal in Wien geglaubt, dieselbe sei mit dem Vorsitz eo ipso verbunden, man habe alle seine Anstalten danach getroffen und könne deshalb Ehren halber nicht mehr zurück. Selbst von einem Vermittlungsvorschlag, den Hänlein seinerseits anregte, wollte der Oesterreicher Nichts wissen. Hänlein sprach nämlich davon, das Protocoll einem Dritten, und zwar Smidt, zu übertragen. Buol benutzte nun einen der Diners, welche er am Montag und Dienstag (1. und 2. Juli) gab, um darüber mit Smidt vertraulich zu reden. Der Hauptzweck dieser Festmahlzeiten war übrigens, den einzelnen Gesandten vor und nach Tisch Mittheilungen über die Situation zu machen, wobei — nach Smidts Zeugniss — Buol jedoch zurückhaltender war als am Sonntag gegen ihn und Eyben. Er nahm also auch Smidt in ein besonderes Zimmer und eröffnete ihm Hänleins Andeutungen, welche dieser bereits durch andere Gesandte erfahren hatte. Er bat ihn, es nicht persönlich zu nehmen, wenn er sich auch dieser Combination widersetzen müsse; er komme nicht zurück, sonst würde ihm Smidt lieber sein als irgend ein Anderer. Dieser entgegnete sehr entschieden, dass er weit entfernt von jedem solchen Gelüsten sei, und er hoffe, dass Buol, wenn er von den günstigen Aeusserungen, mit denen er ihn unverdienterweise so eben bedacht habe, auch nur den mindesten Theil in Rechnung bringe, ihm soviel Klugheit zutraue, dass er (Smidt) sich wohl hüten werde, zwischen Oesterreich und Preussen in die Klemme zu gerathen. Im Gegentheil, würde ein solcher Vorschlag ernstlich beabsichtigt, so würde er schon Mittel und Wege finden, denselben, ehe er gestellt sei, zurückzudrängen, womit denn Buol natürlich sehr zufrieden war und meinte, es werde sich schon Alles zu Gute fügen.

Gegen [illegible], der ihm am Montag einen Besuch machte, bediente sich Buol geschickter Weise in erster Linie des [illegible] [illegible]. Aber er setzte doch auch ihm so gut wie Buol auseinander, dass gerade die Protokollführung der letzte Punkt sei, um den man streiten dürfe; denn welche Macht auch damit betraut würde, sie müsste im eigensten Interesse dahin streben, den Beamten, welcher das Protokoll führe, von sich unabhängig zu stellen, um in streitigen Fällen nicht selbst eine Einbusse an Ansehen zu erleiden. Vor Allem aber betonte er die Nothwendigkeit, endlich den Bundestag zu eröffnen, und wie [illegible] die Stimmung am linken Rheinufer, so führte er die in Süddeutschland um Gericht, die er auf seiner Züricher Reise kennen gelernt hatte. [illegible] gestand, dass ihm von allen Seiten ähnliche Vorstellungen gemacht würden und schlug vor, man solle sich noch in dieser Woche über einen quasi officiellen Zeitungsartikel verständigen, worin man sage: die Territorial-Angelegenheiten seien jetzt so weit erledigt, dass die Eröffnung des Bundestages keinen Schwierigkeiten mehr unterworfen sei; die Gesandten hätten sich deshalb das Wort gegeben, Ende Juli alle an Ort und Stelle zu sein, um in den ersten Tagen des August ihre Thätigkeit zu beginnen. Er versicherte dann noch einmal seine persönlich gut deutschen Gesinnungen („woran ich auch im mindesten nicht zweifle") und deutete sogar an, dass ihm persönlich die [illegible] der Kaiserwürde (natürlich im Hause Oestreich) durchaus nicht unrecht sein würde.

Der beabsichtigte Zeitungsartikel wurde von Buol abgefasst und in beiden Frankfurter Blättern am 20. Juli abgedruckt. Sie sprach nur im Allgemeinen von den ersten Tagen des August als der Zeit, wo „vorbereitliche Conferenzen" stattfinden sollten und versicherte, dass man unmittelbar darauf zur feierlichen Eröffnung schreiten werde. Genauer gesprochen, war der 5. August für die erste Besprechung angesetzt, man hatte den Termin jenseits des dritten August gewählt, um Herrn von

Händen der Last zu überheben, an diesem Tage, dem Geburtsfeste des Königs, in seinem noch nicht eingerichteten Hause eine grosse Fête zu geben. Ueberraschen konnte es, dass Buol sich trotz seiner früheren Aeusserungen überhaupt auf die Bestimmung eines Termines einliess, indess konnte er diesen Widerspruch damit erklären, dass er bis dahin jedenfalls die erforderliche Instruction zu erhalten hoffen durfte. Materiell hatte er in der That keinen Grund sich zu widersetzen; denn dass er den Sieg über Humboldt davontragen würde, darüber waltete kein Zweifel mehr. [illegible] selbst hatte die [illegible] zum Kern geworden. Da er bei keinem einzigen der andern Bundesgesandten, berichtet Smidt — freilich etwas im Widerspruch mit seinen früheren Angaben, beispielsweise in Bezug auf Marschall — die mindeste Neigung fand, die völlige [illegible] Einheit des Geschäftsbetriebs einem Dualismus, der am Ende immer mehr oder minder zu einem nördlichen und südlichen Deutschland führe, aufzuopfern, so hat er dem Grafen Buol freundschaftlich erklärt, dass er sich auch der Stimmung, die er hier vorgefunden, veranlasst sehe, darauf anzutragen, ob man zur Erhaltung der Einheit nicht lieber von jenen Forderungen abstrahiren und die Sache lediglich dem Bunde anheimstellen wolle. Der Genehmigung dieses Antrags war er zum Voraus gewiss, wenn der Freund Smidts „der öfter sehr gute und zuverlässige Nachrichten von Berlin hat“ (ohne Zweifel [illegible]) auch in diesem Falle gut berichtet war. Noch einer Angabe war Humboldt von vornherein angewiesen, wenn er nicht durchkommen könne, die Anträge nicht [illegible] zu unterstützen. Was nur Buol, fügt Smidt hinzu, über die Art, wie diese Sache von Hardenberg direct an Metternich gebracht sei, gesagt hat, stimmt damit vollkommen.

Natürlich wurde die ganze Angelegenheit in den diplomatischen Kreisen noch viel besprochen. Humboldt war mit [illegible] Auftreten gar nicht zufrieden und äusserte sich unverhohlen darüber. Je [illegible] die Vorrechte Oesterreichs seien, um so weniger sollte Preussen diesen durch Hemmung oder Beschränkung eine grössere Bedeutung verschaffen. Er möchte nicht Unrecht haben, meint Smidt. Aus dem ganzen Streite aber, fährt er fort, geht so viel gewiss hervor, dass

beide Grossmächte voranzumarschiren scheinen, so würde aus dem Bunde ein Kriegsbund werden. Auf jeden Fall bin ich überzeugt, dass Buol und Hänlein keine Mystificateurs, sondern, das Aergste angenommen, mit mystificirt sind, was ich aber nicht glaube.

Einer der indiscretesten Diplomaten in Frankfurt war Otterstedt. Es sei wohl bemerkt worden, wie von den preussischen Anträgen in all den Erörterungen, deren wir erwähnt haben, immer die eine Hälfte, welche die Theilnahme am Directorium betraf, geflissentlich in den Vordergrund gezogen, die andre, welche sich auf die Militärverhältnisse bezog, in einem beabsichtigten Dunkel gehalten wurde. Otterstedts Verdienst war das nicht. Er hatte schon acht Tage vor Hänleins Ankunft erzählt, dieser werde in Frankfurt einen schweren Stand bekommen. In der preussischen Armee herrsche so grosse Unzufriedenheit über die nachtheilige Stellung Preussens, dass die Regierung den Versuch machen müsse dieselbe zu bessern. Smidt glaubte auf solche Reden nicht sonderlich achten zu sollen, da er einen so hohen Grad der inneren Auflösung in Preussen nicht für denkbar hielt. Es machte ihn jedoch stutzig, dass auch Hänlein entschuldigend bemerkte, man könne die Schritte seiner Regierung nur dann gehörig beurtheilen, wenn man auch auf ihre Verhältnisse im Innern und auf gewisse im preussischen Staate jetzt vorherrschende Ansichten, die sie zu schonen habe, hinreichend Rücksicht nehme. Worauf dies ziele, erfuhr Smidt von Varnhagen. Ein gewisser Officier von der Garde, dem der König persönlich vertraue, sei bei der Rückkehr von einer Reise durch mehrere preussische Provinzen vom Könige gefragt, wie er die öffentliche Stimmung gefunden. Als er sich darüber nun sehr ausführlich ausgesprochen, habe der Monarch von ihm einen schriftlichen Aufsatz darüber verlangt und denselben auch erhalten — eine Note, deren Bedeutung Smidt wohl überschätzt, die aber als Beitrag zum Kampfe der Parteien am Berliner Hofe hier wohl einen Abdruck verdiente.

Was übrigens den Theil des preussischen Vertragsentwurfes betraf, der auf die Militärverfassung Bezug nahm, so möchte sich Graf Buol wohl keinen Täuschungen darüber hingeben, dass mit der Zurückweisung des Hänlein'schen Antrages ein

10*

sächsische, bairische und württembergische Gesandte, nicht minder der Badener und mehrere Vertreter der Kleinstaaten, zollten dem Verfasser nicht allein „viel Schönes" darüber, sondern bekannten sich auch ihrerseits zu denselben Principien, einzelne sprachen ihm später officiell den Dank ihrer Höfe aus. Humboldt war, wie sich leicht denken lässt, weniger befriedigt; doch erbat auch er sich Abschrift und versicherte, viel Zweckmässiger und Brauchbares darin gefunden zu haben.

Die Wochen bis zum Anfang des August brachten fast alle Gesandten noch zu Anfange. Am 17. Juli waren nur Buol, Martens und Berg in Frankfurt. Smidt allerdings auch, aber nur für ein paar Tage. Er war beim Freiherrn vom Stein auf Nassau gewesen und hatte ihm das bremische Ehrendiplom überbracht. Jetzt reiste er auf dringendes Erfordern seines Arztes nach Baden um ein Dutzend Bäder zur Heilung der rheumatischen Affectionen, an denen er den ganzen Winter gelitten, zu nehmen. Vor dem 15 August brauchte er nicht zurück zu sein, denn am 8 Tage war aus allerlei persönlichen Gründen, besonders auf Wunsch von Martens und Buchberg, die Eröffnung schon wieder verschoben. Doch kam er also nicht so lange Ruhe: schon am 4. war er wieder in Frankfurt. Buol, den er zugleich besuchte, theilte ihm vertraulich die Depeschen mit, welche er mittlerweile von Wien erhalten. Sie bestanden aus einem Schreiben Metternichs an Buol, aus der Antwort desselben auf Hardenbergs Mittheilung des preussischen Vertragsentwurfes, sowie aus zwei Depeschen an den österreichischen Gesandten in Berlin, Grafen Zichy, einer ostensiblen zur Uebergabe an Hardenberg und einer vertraulichen zu Zichys Instruction. Die Grundsätze und Ansichten, welche der österreichische Hof in allen diesen Schreiben an den Tag legte, fand Buol so erwünscht für alle Gutgesinnten wie nur irgend möglich, und zugleich so bestimmt ausgesprochen, dass ein Rückschritt davon kaum noch möglich sei. Die Bundes-Acte, hiess es darin, sei zwar keineswegs vollkommen, allein ihre weitere Ausbildung müsse ausgehen von dem Zustande und den Verhältnissen der Bundesstaaten, welche sie begründet habe. Dass Oestreich und Preussen sich darüber ihre Gedanken vertraulich mittheilten, sei billig und wünschenswerth; aber jede bestimmte Verabredung unter ihnen, um eine gemeinschaftliche Ansicht mittelst ihrer überlegenen Macht durchzusetzen, würde den Bund je im Augenblicke seines Beginnens wieder zerstören, man würde sich dadurch selbst um die Früchte bringen, die man in den letzten Jahren mit so viel Blut und Anstrengung zu erreichen gestrebt. Ein wechselseitiges Zutrauen der deutschen Staaten unter einander und eine Abneigung gegen fremde Einmischung sei in den beiden letzten Kriegen in einem Grade zu Stande gebracht, wie man vor Jahrhunderte lang nicht gekannt, davon, dass diese Gesinnung Wurzel fasse und sich befestige, hänge die Ruhe Deutschlands nicht allein, hänge die Ruhe Europas ab. Oesterreich und Preussen müssten daher vor Allem ihre Bestimmung in dem Wetteifer suchen, allen deutschen Staaten das vollkommenste Vertrauen zu sich einzuflössen, und dies werde nur dann geschehen können, wenn man ein freiwillig mit denselben eingegangenes Verhältniss mit der unzweideutigsten Gewissenhaftigkeit beobachte. Besonders müssten alle Gegenstände, welche zum Ressort der Bundesversammlung gehörten, auf ordnungsmässigem Wege in derselben verhandelt werden. Dies gelte vor Allem von den militärischen Verhältnissen, weil sich sonst leicht die Besorgniss entwickeln könne, als wollten Oesterreich und Preussen über die Militärkraft Deutschlands ebenso disponiren wie Napoleon über die des Rheinbundes. In Verabredungen beider Grossmächte auf diesem Gebiete würden die anderen Staaten nur eine Aufforderung und — die Wahrheit zu sagen — eine gerechte Entschuldigung finden, um sich bei auswärtigen Mächten nach einer Garantie für ihre bedrohte Selbständigkeit umzusehen.

Was von preussischer Seite hierauf erwidert sei, konnte [illegible] nicht erfahren, doch theilte er die allgemeine Ansicht, dass man in Berlin Herrn von Hänlein desavouiren werde. Schwerlich hatte der preussische Diplomat in irgend einem Puncte den Auftrag, der ihm geworden, überschritten; allein da er die Aufgabe, welche ihm gestellt war, nicht hatte lösen können, so sah man voraus, dass er als Opfer des misslungenen Versuches fallen werde. Bereits nannte man verschiedene Diplomaten als bestimmt ihn zu ersetzen, so den Grafen Goltz, den Herren von Alvensleben und von Kinder. Da Hänlein von jeher jedermann versichert hatte, er komme nur ungern nach

Frankfurt und würde Hänlein in Cassel bleiben, so war von dieser Seite die Rückzugslinie nicht abgeschnitten, und zu allem Ueberfluss konnten durch seine Rückversetzung die höchst unschicklichen Verlegenheiten beseitigt werden, in welche die Wahl seines Nachfolgers, des Generals Zastrow, die preussische Regierung gebracht hatte. Dieser Zastrow war nämlich dem Kurfürsten eine äusserst verhasste Person, weil er im Jahre 1814 sehr entschieden in Cassel aufgetreten war; auf die erste Nachricht, dass jener als Gesandter bei ihm accreditirt werden solle, verbat er sich das in Berlin mit der Nachdrücklichkeit, und als der General nichtsdestoweniger und trotz eines zweiten noch schärferen Protestes in Cassel eintraf, verweigerte er ihm jede Audienz. Hardenberg scheute sich nun doch den eigensinnigen Fürsten, der obendrein in diesem Falle Recht und Herkommen auf seiner Seite hatte, zu erbittern, und beschloss in Carlsbad, wo er sich zur Cur aufhielt, dass Hänlein nach Cassel zurückkehren und Graf Goltz, der frühere Minister des Auswärtigen, an den Bundestag gehen solle. Graf Pappenheim, Hardenbergs Schwiegersohn, brachte schon am 11. August persönlich die Nachricht davon nach Frankfurt, Hänlein, der an demselben Tage eintraf, erfuhr sie erst ein paar Tage später.

Nun war ein neuer Aufschub schlechterdings unvermeidlich; so unzufrieden man in den Kreisen der Bundesgesandten mit Preussen war und so unangenehm man es empfand, dass von Berlin aus immer neue Zögerungen veranlasst wurden, so glaubte man andrerseits doch in Hänleins Abberufung die Folge der allgemeinen Missstimmung über dessen Antrag und also eine Condescendenz des Berliner Cabinets gegen die Ansichten der übrigen Bundesstaaten zu erkennen, und fühlte sich dadurch schicklicher Weise verpflichtet mit dem Anfange der Berathungen nicht grade jetzt vorzugehen. Wenn freilich Pappenheim erzählte, dass Goltz sich ausbedungen habe, erst in etwa 6 Wochen nach Frankfurt zu gehen, so war das eine längere Frist, als man erwünscht fand, und man setzte stillschweigend voraus, dass in diesem Falle ein Substitut ernannt werden würde. Pappenheim bestätigte das mit dem Bemerken, es sei in Carlsbad von Küster die Rede gewesen. Dieser galt damals für einen rechtlichen Mann von constitutionellen Gesinnungen, der auch nicht so [illegible] und ein [illegible] andere Preussen, und hätte seine Ernennung zum Gouverneur oder auch zum zweiten Bundesgesandten gern gesehen, allein die Combination scheiterte im letzten Augenblick, der König unterzeichnete die am 6. August ihm vorgelegte Bevollmächtigung des Münchener Gesandten nicht, sondern beauftragte Herrn von Humboldt mit Goltzens Stellvertretung. An demselben Tage, an welchem der König von Württemberg endlich geruhte, die Urkunde seines Beitritts zum Bunde (datirt vom 1. September 1815) dem Grafen Buol [illegible] zu lassen, am 15. August 1816, machte auch Humboldt dem letzteren Mittheilung von seinem Auftrage. Und nun, da Alles in Ordnung war, ging man doch sogleich ans Werk? Merkwürdiger Weise noch immer nicht, und zwar aus einem sehr sonderbaren Grunde: man fürchtete sich vor Humboldt. Mit Kaiser hätte man gern gleich angefangen; nun aber wünschte man bis zu Goltz' Ankunft die Eröffnung hinauszuschieben. Keinem lag das mehr am Herzen als Buol, so artig er es auch zu verdecken strebte. Er sei zum Beginn der [illegible] bereit, liess er Humboldt melden; allein es scheine ihm wünschenswerth, dass man sie nicht anfange, wenn man nicht gleich den Tag der feierlichen Eröffnung fixiren könne, ob Humboldt dazu im Stande sei? Das musste dieser freilich verneinen, indess werde er sogleich einen Courier deshalb absenden und stehe ebenfalls im Voraus dafür ein, dass Preussen jedem von Oesterreich vorgeschlagenen Termine unbedingt beitreten werde. Nun wird, so meinte Buol, gewiss eine Frist bestimmt werden, binnen welcher man der Ankunft Goltzens sicher ist, also etwa die zweite Hälfte des September. „Wäre übrigens nicht, so fügte er hinzu, die Mehrheit der Gesandten selbst des [illegible] Wunsch, erst nach der Ankunft des Grafen Goltz zu beginnen, so hätte sich das Mittel leicht finden lassen gleich anzufangen“. Man setzte aber in Humboldt, wie wir an einer anderen Stelle schon erzählten, so grosses Misstrauen, dass man sich scheute mit ihm zusammen zu arbeiten. [illegible] fehlte es dann natürlich nicht an Versuchen, [illegible] des preussischen Staatsmanns als den [illegible] hinzustellen, da es ihm begreiflicher Weise nicht anstehe, ein Geschäft, das er gleich wieder abgeben könne, nur über entfallenen [illegible] vermuthete andere Gründe, aus denen Preußen immer von Neuem zögere, besonders scheue es sich vor der Möglichkeit, daß die Frage der landständischen Verfassung, in der es noch nicht wo sie noch ein [illegible], in der Bundesversammlung zur Sprache kommen könnte, und Humboldt horchte bereits umher, was wohl geschehen werde, wenn von Preußen Petitionen in dieser Richtung eingesendet würden. Auch die Frage, welche rheinische Festungen auf Bundeskosten zu erbauen seien, wünschte es offenbar vorher unter der Hand zu [illegible] und Oesterreich, die Niederlande und Baiern (wegen Mainz, Luxemburg und Landau) daher in sein Interesse zu ziehen.

Die Nichtigkeit aller dieser Verzögerungsgründe lag aber doch zu sehr auf der Hand, und das Murren wurde um so lauter, als nun bereits ein volles Jahr über den ursprünglich angesetzten Eröffnungstermin, den 1. Septbr. 1815, verstrichen war. Das [illegible] Urtheil, daß Oesterreich und Preußen theils gemeinschaftlich theils letzteres allein die Sache so lange ohne Noth aufgehalten, fing an so klar vors Auge zu treten, daß keine künstliche Hülle es einer andern Ansicht mehr verhelfen wollte. Dazu kam bei den kleineren Staaten eine wachsende Furcht, es möchten die vier Großmächte sich allerlei Eingriffe in ihre Selbständigkeit erlauben, wenn sie nicht an dem Bunde einen Rückhalt fänden. In der That hatten jene vier Mächte dem Frankfurter Senat eine ziemlich starke Note in Judenangelegenheiten überreichen, und gerade jetzt sprach man von einer russisch-österreichischen Einmischung in den Württemberger Verfassungswirren. Solche Erwägungen minderten wohl etwas die Furcht vor dem schlimmen Humboldt und stärkten das Verlangen, mindestens die vertraulichen Besprechungen schleunigst anzufangen. Der Beginn derselben wurde also endlich festgestellt, und zwar auf den 1. October. Für die feierliche Eröffnung schlug Stadion den Siegestag von Leipzig vor, konnte ihn aber nicht durchbringen; in Folge einer allgemeinen Verabredung wurde der 4. (später der 5.) November beliebt. Ein von Buol eingesendeter Artikel der Oberpostamtszeitung vom 16. Septbr. theilte diese Beschlüsse dem deutschen Volke mit.

Niemand konnte froher sein als Stadion, daß nun endlich

die Zeit des Congresses zu Ende ging, denn Niemand hatte die
[illegible] des langen Zögerns lebhafter empfunden. Uebrigens
lag es in seiner Natur, auch die Kehrseite nicht unbeachtet zu
lassen. Besonders in dem Scheitern der [illegible] Bestrebungen dachte er eine gewisse Ausgleichung für den
dadurch bewirkten Verzug sehen zu sollen. Wenn man die damaligen Vorgänge mit ruhigem historischen Blick prüft und
die dadurch ganz veränderte Position klar erfasst, so lässt
sich nicht verkennen, dass dramatische ordentliche Verhandlungen über dieselben Gegenstände schwerlich so weit geführt
hätten, und dass man durch jenes ganze Ereigniss im Grunde
nur an Bedeutendem weiter gekommen sei. „Auf ähnliche Weise,
schrieb er am 25 August, werden in einem Kriege dadurch,
dass ein Heer sich genöthigt sieht eine andre Stellung einzunehmen, oft ohne Schwertschlag die wichtigsten Resultate herbeigeführt; und man hat schon an diesem einen Beispiele
gesehen, von welchem bedeutenden Einfluss das blosse Bei-
sammensein der Gesandten aller deutschen Staaten an einem
und demselben Orte, wo bei dem Mangel einer Macht der Natur
der Sache nach sich Alles mehr oder minder republikanisch
gestalten muss, auf die Wendung der politischen Angelegenheiten Deutschlands ist. Ueberhaupt lässt sich die künftige
Kraft oder Wirksamkeit des Deutschen Bundes gar nicht im
Voraus theoretisch berechnen. Es ist ein ganz neues und eignes
Wesen, auf welches sich die Analogie früherer Verhältnisse
mit keiner Sicherheit anwenden lässt. Die kommenden Begebenheiten werden ihn erziehen und sein System wird das Resultat
seiner Geschichte sein."

Die letzten Worte drückten unter einem neuen Gesichtspuncte einen Gedanken aus, den Humboldt nicht müde geworden
war dieses ganze Jahr hindurch immer wieder auszusprechen
und unverrückt im Auge zu behalten, den Gedanken nämlich,
dass die Schöpfung des Wiener Congresses bildsam wie Wachs,
oder wie er später einmal schrieb „weich wie Thon," und dass
es daher von besonderer Wichtigkeit sei, dass die rechten
Künstler sich an die Arbeit machten. „Wer Lust und Geschick hat da fortzuarbeiten, so meinte er, der kann bei einiger
Thätigkeit eine Gestalt nach der andern zu Tage fördern helfen,

die bald sich bilden und dann verstärkt da stehen wird. Das Messer ist geschliffen, das Rad in Bewegung. Ein letzter Druck der Hand, so oder anders, lässt Grotten und Heroenbilder aus unserer Werkstätte hervorgehen oder Vitzliputzli und chinesische Götzen."

Unter diesem Gesichtspuncte musste für einen Mann von dem Wirkensdrange, der Smidt beseelte, die Arbeit der ersten Zeit, der Organisationsperiode des Bundes, eine mächtige Anziehungskraft besitzen. Leider aber war es durchaus nicht über allem Zweifel erhaben, ob er daran werde Theil nehmen können. Vertrat er doch ein Bundesglied, das keine eigene Stimme in der engeren Versammlung besass, sondern sie mit drei andern theilte, und lag es deshalb doch sehr wohl im Bereiche der Möglichkeit, dass die Reihe stimmführender Gesandter zu werden erst zu einer Zeit an den bremischen Vertreter kommen werde, wo das Wichtigste bereits berathen und die schwankenden Verhältnisse in festen Formen umgeschaffen waren. Man erkennt leicht, dass es für Smidt nicht bloss ein Ziel seines Ehrgeizes, sondern eine wahre Herzensangelegenheit werden musste, diese Gefahr abzuwenden. Das Einfachste und Wünschenswertheste wäre gewesen, wenn die drei andern Städte ihm den Vortritt gegönnt hätten, und bei seiner hervorragenden Persönlichkeit, bei der bedeutsamen Rolle, die er schon in Wien gespielt, bei seiner Vertrautheit mit den Dingen und den Personen, auf welche es ankam, konnte ein solcher Wunsch und eine solche Hoffnung auf seiner Seite gewiss nicht als eine Anmassung erscheinen. Obendrein theilte man diesen Wunsch in Bremen sehr lebhaft und hatte es ihm förmlich als Instruction mitgegeben für die Verwirklichung desselben thätig zu sein. Schon von Wien aus hatte Smidt nämlich dem Senate einen Vorschlag über die Modalitäten der gemeinsamen Stimmführung, welche den freien Städten zustand, eingeschickt und darin unter Andern empfohlen, die Entscheidung der Frage, welche Stadt zuerst die Stimme führen solle, primo loco durch gütliche Uebereinkunft, eventuell aber durch das Loos herbeizuführen. Diese Vorschläge zu prüfen wurden drei Commissarien vom Senat beauftragt. Der Bericht, welchen sie erstattet, kam in der Wittheit vom 26. September 1816 zur

Berathung. Smidts Vorschläge wurden darin als durchaus zweckmässig und völlig genügend bezeichnet. Ausserdem aber sprachen die Commissare die Ueberzeugung aus, dass von den bisherigen Bevollmächtigten der Städte, die doch wieder zum Bundestage kommen würden, ohne allen Vergleich Niemand besser dazu sich eigne, den Anfang zu machen, wie Herr Senator Smidt.

Sie hofften daher, dass die Andern diesen, zumal er [illegible] in Wien gewesen und daher besser wie irgend ein Anderer au courant der verhandelten und weiter zu verhandelnden Gegenstände sich befinde, die Gerechtigkeit widerfahren lassen würden, ihm die Stimme zu geben, ja „sie möchten wohl noch darauf antragen ihn zu instruiren, um des allgemeinen Besten halber seine eigene Bescheidenheit in dieser Angelegenheit dahin bei Seite zu setzen, um so weit es mit Schick geschehen könne, unter der Hand darauf zu influiren, dass die Wahl auf ihn falle."

In dem, was die Commissarien hier über die besondere Tüchtigkeit Smidt's bemerkten, lag gewiss sehr viel Wahres; nur dem einen der städtischen Bevollmächtigten traten sie doch wohl etwas zu nahe, wenn sie ihn in weitem Abstande von Smidt mit den beiden anderen auf eine Linie stellten, das war der Lübecker Hach. Was den Syndicus Danz von Frankfurt betraf, so konnte dieser in der That unmöglich mit der ersten Stimmführung betraut werden, theils weil er unbeschadet seiner juristischen Kenntnisse doch zum Diplomaten viel zu pedantisch und steif war, theils weil grade in der ersten Zeit mannigfache Verhandlungen zwischen Frankfurt und dem Bundestage in Aussicht standen, die es nicht erwünscht erscheinen lassen konnten, das Votum der Städte einem Frankfurter zu übertragen. Auch dem Hamburger Gesandten Gries standen seine persönlichen Eigenschaften nicht sehr empfehlend zur Seite; eine gewisse Bequemlichkeit, die allen Weiterungen gern aus dem Wege ging, lähmte seine Wirksamkeit oft in bedenklichem Grade. Hach dagegen war, wenn man ihn gleich mit Smidt nicht auf eine Stufe wird stellen dürfen, doch ohne Zweifel eine sehr wohl geeignete Persönlichkeit, wie er das später durch die That zu bewähren Gelegenheit fand. Er hatte überdies auch der in

damit getauscht, erklärte er, die Periode der Organisation sei im Vergleich zu der späteren Zeit so wichtig, als dass nicht jede Stadt billiger Weise den Anspruch erheben dürfte, an diesen organisatorischen Arbeiten directen Antheil zu nehmen; es scheine ihm daher rathsam, zunächst in kurzen Fristen von ein, zwei, höchstens drei Monaten zu wechseln; auch werde die dadurch erlangte Erfahrung erst am besten darüber belehren können, ob es später zweckmässiger sei, Zeiträume von einem oder zwei Jahren zu verabreden. Den Einwand, dass ein so häufiger Wechsel deshalb unthunlich sei, weil man nicht alle Monate die Vollmachten erneuern lassen könne, beseitigte er mit dem Vorschlage, dass jede der Städte ihrem Bevollmächtigten das Recht ertheile sich einen der drei andern zu substituiren; dann genüge die einfache Anzeige zum Protocoll in der Bundesversammlung, um den folgenden eintreten zu lassen. Dass er einigen Verdruss über das Scheitern seiner Hoffnungen hegte, ist natürlich und geht aus den Berichten nach Bremen deutlich hervor. „Hach hatte sich schon in Wien in den Kopf gesetzt, schreibt er, es würde sich von selbst so geben, dass er im ersten Jahre die Stimme führe und dann nach Hause gehen könne, der Frankfurter denkt: ich bin und bleibe einmal hier und es ist nicht übel, das erste Jahr abzusehen, wie sich die Dinge gestalten, und dann im zweiten die Stimme zu führen. Gries und ich möchten aber auch nicht zwei Jahre lang hier sitzen, und denken, wir sind alle gleich, was dem Einen recht ist, ist dem Andern billig, und die Organisationszeit ist bei Weitem wichtiger als der nachfolgende geregelte Gang. Wer während der Organisation die Stimme führt, hört Alles und wird für wichtiger von allen übrigen angesehen, man berathet mit ihm, macht ihm Mittheilungen u. s. w. daran möchten wir auch gern unsern Theil daran haben; deshalb haben wir für die kurzen Termine und was den Anfang betrifft für das Loos gestimmt und hoffen, unsre Herren Committenten werden uns darin souteniren." Grönings Antwort (vom 31. December 1816) musste Smidt in dieser letzten Erwartung bestärken. Dem alten Directorial-Egoismus, schrieb er, der in den Vorschlägen Lübecks zum Vorschein komme, dürfe man nicht nachgeben, und wenn Hamburg mit Bremen zusammengehe, so sei ja dadurch der Erfolg schon gesichert. In Lübeck zeigte man sich nun auch keineswegs so eigensinnig, wie man in Bremen zu fürchten schien. Vielmehr erklärte sich Hach wenigstens zu der Alternative bereit, entweder Entscheidung durch das Loos und jährlicher Wechsel — oder dreimonatlicher Wechsel und Vortritt Lübecks. Smidt wandte ein, das stehe ja in gar keinem Zusammenhange mit einander; wenn das Wechseln in kleinen Terminen gut sei, so bleibe es auch gut für den Fall, dass Lübeck nicht grade den Anfang mache; und wenn andrerseits das Loosen recht und billig, so sei es das bei kleinen Terminen so gut wie bei grösseren. Da Hach aber außerdem sehr nachdrücklich bezweifelte, dass die Bundesversammlung einen so häufigen Wechsel überhaupt zugeben werde, so suchte Smidt sich darüber möglichste Gewissheit zu verschaffen. Er entwarf eine gemeinsame Vollmacht für die vier städtischen Gesandten, welche so eingerichtet war, dass durch eine blosse Erklärung zum Protocoll der eine die Stimmführung auf den andern übertragen konnte, und zeigte diese mehreren Collegen, um deren Urtheil über die Zulässigkeit dieses Verfahrens zu hören. Der Erfolg war ihm sehr erfreulich. Martens, Berg, Harnier, Hendrich, alle versicherten, sie fänden das Formular vollkommen in Ordnung. Mit diesem Zeugnisse bewehrt unternahm er einen neuen Sturmlauf. Ein kurzes Promemoria, das er seinen Collegen am 4. Februar zusandte, entwickelte noch einmal die Wichtigkeit, von der es für jede Stadt sei, während der Organisationsepoche eine Zeit lang die gemeinsame Stimme geführt zu haben. Aus demselben Grunde sei es ferner — wenn auch in geringerem Grade — werthvoll, dass ausser dem stimmführenden noch ein anderer, als zweiter Bevollmächtigter, den Verhandlungen beiwohnen und an dem Vortheil des eigenen Hörens und Sehens theilnehmen könne. Da die Natur der Sache dem nicht widerspreche und es sehr leicht möglich wäre, dass auch von einzelnen andern Staaten ein Gleiches geschähe (wie ja auch in Wien Hessen-Cassel [illegible] durch zwei Bevollmächtigte aufgetreten sei), so könne es auf keinen Fall rathsam sein, dass sich die Städte durch die Form ihrer Vollmacht dieses Vortheils im Voraus begäben, [illegible] Schwierigkeit deshalb gezeigt habe, vielmehr müssten sie eine solche Form wählen, die, ohne bestimmte Prätensionen deshalb zu erheben, ihnen doch zu der möglichst vollständigen Benutzung ihrer Rechte nach Zeit und Umständen Raum liess. Dieses Programm theilte Smidt seinen Collegen mit und lud sie für den 6 Februar zu einer neuen Conferenz auf seinem Zimmer ein. Allein die Berathung kam nicht zu Stande, da Danz noch einen Gegenentwurf auszuarbeiten wünschte, welcher die Nennung aller vier Vertreter in ein und derselben Vollmacht, sowie die gemeinschaftliche Ausfertigung dieser einen Vollmacht durch alle vier Senate verlangen wollte, zwei Punkte, die Hach besonders schwierig finden wollte, obgleich bezeichnenderweise auch der herzoglich-braunschweigische Gesandte nur eine, von seinen fünf Höfen gemeinsam unterzeichnete Legitimation hatte. Smidt wollte jedoch nicht den Anschein haben, als ob er eigensinnig auf seinem Projecte bestehe und da auch nach dem Entwurfe von Danz sowohl die Zeit als die Reihenfolge des Wechsels der weiteren Ueberlegung vorbehalten blieb, und ferner durch denselben keineswegs die Möglichkeit abgeschnitten wurde, dass auch die nicht-stimmführenden Gesandten in der Versammlung erschienen, so zögerte er nicht in der nächsten Conferenz am 7. Februar dem Danz'schen Entwurf beizustimmen. Gries that dasselbe, und Hach erklärte sich wenigstens bereit ihn nach Lübeck zu übersenden. Als er auch dort gebilligt war, blieb die einzige offene Frage noch die, ob man brevi manu auf das Loos verzichten und Lübeck den Vorsitz einräumen solle. Smidt, der darüber von Bremen noch keine Weisungen erhalten hatte, glaubte jetzt selbst dazu rathen zu sollen. „Denn auf keinen Fall, schreibt er, dürfen wir es dahin kommen lassen, dass wir beim Anfang (der Arbeiten der Bundesversammlung) daselbst noch zwistig erscheinen, welches nicht allein einen Skandal geben, sondern auch wahrscheinlich zu nichts Anderem führen würde, als dass man doch die Loosziehung stattfinden liesse". Um so fester müsse man auf dem vierteljährlichen Wechsel bestehen und sich auf keine Clausel, wie Lübeck sie vielleicht vorschlagen werde, z. B. „wenn solcher Wechsel keine Schwierigkeiten finde", einlassen. Denn wenn man nur gleich erkläre, man habe das so beschlossen, dann werde Niemand an Schwierigkeiten denken, lasse man sich aber im Voraus merken, dass man dergleichen für möglich halte, dann würden sie auch gefunden werden.

Die Antwort auf diese Vorstellungen liess längere Zeit auf sich warten, so dass Smidt dem Drängen Hachs nach einem raschen Ausgange nicht nachgeben konnte. Am 1. April traf sie endlich ein. Sie lautete dahin, Smidt möge die Einladung zu weiteren Conferenzen nur ablehnen, indem Oldenburg wiederholt autorisirt sei, die Vereinbarung über den Anfang der Stimmführung, ob nach dem Rang oder dem Loos, und über die Fristen des Wechsels, sowie über alles Uebrige, was dabei noch anzuordnen sein möchte, ganz seiner Einsicht und seinem Ermessen zu überlassen. Damit, so heisst es in einem etwas späteren Briefe, werde er die Ansicht des Senates über die Stimmführung vollkommen erhalten haben. Jetzt erst, wo auch der allerängstlichste und allerscrupuloseste Diplomat keinen Zweifel mehr darüber haben konnte, ob er des Willens und der Genehmigung seiner Committenten sich gewiss glauben dürfe, erklärte Smidt sich bereit die Convention abzuschliessen und gab unter ernstlichem Bestehen auf dem dreimonatlichen Wechsel wegen der Reihenfolge nach, ohne deshalb übrigens an der Möglichkeit vielleicht doch noch an erster Stelle die Stimme zu führen zu verzweifeln. „Senator Hach, schreibt er am 7. April, am Tage vor dem Abschluss der Convention, reist am Mittwoch nach Lübeck. Er hat mir auf den nicht ganz unmöglichen Fall, dass er nicht gleich zurückkäme, versprochen, zu veranlassen, dass Lübeck dann mit Bremen tausche, so dass ich das erste Vierteljahr und er das dritte erhalte. Ich bitte übrigens von solchem möglichen Tausche nicht zu sprechen und führe es nur an, um M. H. H. zu zeigen, dass ich meinerseits Alles versucht habe um baldmöglichst zur Stimmführung in der engeren Bundesversammlung zu kommen."

Die Convention selbst übersandte Smidt zum Zweck der Ratification am 10. April nach Bremen, wo sie in der Wittheit vom 16. verlesen wurde. Statt sogleich genehmigt zu werden ward sie an die Regierungs-Commission zum Bericht verwiesen, und dieser fiel anders aus, als Smidt erwartete und erwarten musste. Neben einigen andern Ausstellungen wurde nämlich bemerkt, dass die Gründe für den dreimonatlichen Turnus nicht

11

besonders schädlich zu sein schienen, wenigstens für die Zukunft würden sie ganz wegfallen und würde dann ein jährlicher oder doch wenigstens halbjährlicher Wechsel vorzunehmen sein. Es wurde daher die Convention zwar genehmigt, aber nur provisorisch auf ein Jahr, und überdies beschlossen, die Bemerkungen der Commissarien nach Hamburg und Lübeck zur Kenntnisnahme mitzutheilen.

Wenn man meiner Darstellung aufmerksam gefolgt ist, so wird man bemerken, daß dieser Beschluss Smidt wie ein Blitz aus heiterem Himmel traf. Materiell war das Abkommen, das er getroffen, ja allerdings gerechtfertigt, er konnte nunmehr darauf rechnen, auch im ersten Jahre die Stimme zu führen und die feste Position, die er in Frankfurt bereits hatte, zu behaupten. Das war viel werth. Man denke sich einmal das Gegentheil: der vierteljährliche Turnus wäre in Bremen verworfen, der jährliche beliebt worden, Smidt hätte in die Heimat zurückkehren müssen und wäre erst Ende 1817 oder Anfang 1818 wieder in Frankfurt eingetroffen, man sieht leicht, dass seine ganze bisherige Stellung dadurch geschädigt worden wäre und er wieder von vorn hätte anfangen müssen. Aber dennoch war er, wie die Sachen jetzt standen, in einer schlimmen Lage. Er war durch die Mittheilung der Bemerkungen nach Hamburg und Lübeck auf das Bedenklichste compromittirt. Es sah jetzt aus, als ob er den dreimonatlichen Turnus ganz auf eigene Hand gegen den Willen seines Senates verfochten und seine angeblichen Instructionen einfach erfunden habe. Dass er sich dabei nicht beruhigte, begreift sich leicht. Aber wie er die Sache auffasste und wie der überraschende Vorgang überhaupt zu erklären sei, kann ich hier nicht auseinandersetzen, da die näheren Umstände sich der öffentlichen Mittheilung zur Zeit wenigstens entziehen. Ich beschränke mich also auf die Notiz, dass er sich gleich nach Empfang des verhängnisvollen Beschlusses zu einem 32 Seiten langen, meisterhaften Beschwerdeschreiben [illegible], in welchem er nicht allein verlangte, dass man ihn durch unzweideutige Erklärungen in Hamburg und Lübeck wieder rechtfertige, sondern selbst davon sprach, andernfalls seine Entlassung als Senator fordern zu müssen. Diese geharnischte Erklärung brachte die Sache wieder in Ordnung.

Die Rechtfertigungsschreiben wurden in einer Form, die er billigte, erlassen und dadurch die üblen Folgen, die er aus diesem Vorfall für seine diplomatische Ehre erwachsen sah, beseitigt.

Doch war in der Sache selbst ein Punkt noch unerledigt geblieben, der seine Lösung nur im Kreise der Bundesgesandten und auf dem Boden der Geschäftsordnung finden konnte. Wir wissen bereits, dass Smidt ein hohes Gewicht darauf legte, den Berathungen der engeren Bundes-Versammlung wenigstens jederzeit beiwohnen zu dürfen, auch wenn er nicht grade stimmführender Gesandter und also von der activen Betheiligung ausgeschlossen wäre. In der Verfolgung dieses Zieles durfte er nicht eben auf die Unterstützung seiner städtischen Collegen zählen, die theils gar kein ernstes Verlangen darnach trugen, langen Berathungen als stumme und rechtlose Zeugen beizuwohnen, theils auch einen lebhaften Widerspruch gegen derartige Ansprüche besorgten, dem aus dem Wege zu gehen die Klugheit gebiete. Smidt war also einzig auf sich angewiesen, und wenn er trotzdem sein Ziel erreichte und nachträglich auch den Dank der widerwilligen Mitgesandten dafür erntete, so musste ihm das um so höhere Befriedigung gewähren.

Der erste Schritt, den er in dieser Richtung zu thun hatte, war, dass er sich eine bremische Vollmacht verschaffte, welche ihn namens des Bremer Senates zum Besuch sämmtlicher Versammlungen berechtigte. Ob die Bundes-Versammlung diese Vollmacht anerkennen würde, war dann eine zweite Frage. Unter der nicht kleinen Zahl von Vollmachten, welche er sich von Bremen entweder selbst mitgebracht hatte oder hatte schicken lassen, befanden sich drei, die auch seine städtischen Collegen von ihren Senaten in gleicher Form erhalten hatten. Die erste liess, wenn sie von allen vier Gesandten übergeben wurde, die Möglichkeit der passiven Assistenz offen; die beiden andern sollten dann überreicht werden, wenn jene zurückgewiesen würde; sie waren so eingerichtet, dass No. 2 auf den jedesmaligen [illegible] stimmführenden Gesandten, No. 3 aber auf den Particularbevollmächtigten für das Plenum lautete. Smidt verlangte nun von seinen Collegen, dass sie No. 1 übergeben sollten. Er konnte ihnen sagen, dass Herr von Marschall

11*

für die Curie Braunschweig-Nassau gleichfalls eine Vollmacht begehre, die ihn eventuell zur passiven Assistenz berechtige; er könnte ihnen überdies mittheilen, dass Buol und Humboldt den Anspruch, welchen er erhebe, für berechtigt hielten. Letzterer habe durchaus treffend bemerkt: es sei ja doch die Absicht, dass der eine, welcher die Stimme führe, den andern Curiatbevollmächtigten mittheilen solle, was in den Verhandlungen vorgefallen, nun müsse es aber jedem Bedarf lieber sein, dass diejenigen, welche das, was er gesprochen, doch einmal erfahren sollten, es aus seinem Munde als von einem Dritten hörten, indem die Missdeutungen und Missverständnisse dadurch weniger würden. Und Buol habe nicht bloss Herrn von Eyben gegenüber seine Zustimmung erklärt, sondern auch ihm, Smidt, ganz rund zugesagt, die Sache zu vertreten. Umsonst! die drei Herren blieben für alle Vorstellungen taub und erklärten [illegible], es sei ihnen mit dem blossen Zuhören Nichts gedient, wenn Smidt es für sich erreichen könne und wolle, so gönnten sie es ihm gern, sie aber machten keine Ansprüche darauf; ja Syndicus Gries meinte ganz naiv: wenn seine Committenten wüssten, dass er jenes Recht habe, so würden sie ohne Zweifel von ihm verlangen, dass er es benutze; das würde ihm aber sehr zuwider sein, da er nichts Langweiligeres kenne, als mehre Stunden hintereinander einem lebhaften Gespräche zuzuhören und nicht mitsprechen zu dürfen. Auf eine so kleinmüthige Weise ein offenbar bedeutendes und wichtiges Recht auch für Bremen preiszugeben, konnte Smidt, wie er nach Hause schrieb, sich nicht entschliessen. Vollmacht No. 2 konnte er [illegible] verwenden, No. 1 war durchaus nicht zu gebrauchen, No. 3 hätte ihn des Anspruchs beraubt. Er bediente sich also eines Blanketts mit der Unterschrift des Bürgermeisters Heineken, um sich eine den Umständen entsprechende Vollmacht auszustellen, und übergab diese in der ersten Präliminarconferenz, die wie beschlossen am 1. October 1816 stattfand.

Die officiellen Protokolle auch dieser Präliminarconferenzen sind bekanntlich publicirt, und ich beschränke mich daher in den Mittheilungen aus Smidts Berichten auf das, was jene nicht enthalten, oder was zur Verknüpfung unerlässlich ist. Die erste Conferenz dauerte von 10–12 Uhr, Preussen war durch Humboldt vertreten. Von dem Local giebt Schmidt folgende Beschreibung: „Man tritt zuerst in ein Vorzimmer, aus diesem in das Versammlungszimmer, aus diesem in das Sitzungszimmer; hinter diesem sind noch drei Zimmer für Canzlei, Registratur etc. und einige kleinere Cabinette, alles sehr anständig und das Versammlungs- und Sitzungszimmer selbst prachtvoll decorirt. Das Sitzungszimmer ist mit schweren gelben Seidenzeugen, in welche Falten gezogen und mit rothen [illegible] versehen, tapezirt; in der Mitte steht ein grosser runder, mit grünem Tuch überzogener Tisch, um welchen 21 gleichförmige, mit rothem Saffian überzogene Lehnstühle gestellt sind. Auf dem Tische lag an jedem Platze ein gedrucktes Exemplar der Bundesacte, Papier, Feder, Dintenfass, Sandbüchse und Bleistift." Später kam „durch die Sorgfalt des Grafen Buol" noch Papierscheere, Federmesser und Falzbein dazu.

Zu den Aufgaben der ersten Sitzung gehörte nun auch die Verlesung der Vollmachten. Sie gab zu einigen Bemerkungen Anlass. Die von Waldeck fehlte noch; in der österreichischen vermisste man das [illegible] substituirende, und wünschte sie nachzutragen; in der Darmstädtischen lautete dieselbe dahin, dass der Gesandte sich „ein sonstiges geschicktes Subject in Frankfurt" substituiren dürfe; das [illegible], zumal es so aussehe, als könne irgend ein beliebiger Frankfurter zum Stellvertreter bestellt werden; in der holsteinischen bemerkte man die besondere Erwähnung von Lauenburg, an der luxemburgischen, dass sie allein lateinisch abgefasst war. Die Verlesung der Preussischen rief keine Bemerkung hervor, aber die Aufmerksameren hörten ihre Besonderheit wohl heraus, und nach der Sitzung kamen einige zu Humboldt und meinten, Sie haben Ihre Sache doch geschickter angefangen als Ihre Collegen, denn wenn diese künftig einer Berathung entgehen wollen, hängt die Genehmigung blos von unserem guten Willen ab, da ihre eigene Vollmacht gegen sie angeführt werden kann. Humboldt gratulirte sich selbst um so freudiger zu seinem Erfolge, als es ihm bereits zweifellos war, dass ein Theil der Zusammenkünfte blos discutirend und ohne dass ein Protokoll aufgenommen würde, sein dürfte. Die Discussion selbst geführt zu haben oder sie durch einen dritten zu hören ist aber schon deshalb nicht gleichgültig, weil die Leute nicht immer geradezu sagten, was sie eigentlich wollten, und weil eine nähere Kenntniss der Individuen dazu gehöre, um dies herauszuhören. „Diese besitzen aber, so dürfe er unverdächtig sagen, die Anderen lange nicht in dem Grade, wie ich sie durch langen Verkehr und fortwährende Unterhaltung über allgemeine Geschäftsangelegenheiten nachgerade bekommen habe. Denn die Gesandten einzeln zu besuchen, fällt dem [illegible] z. B. gar nicht ein, und die beiden andern machen sich vermuthlich kein eigentliches Geschäft daraus, sondern geben sich dann mehr dem Zufall hin. Ich glaube daher in der That, wenn ich die Sache durchsetze, nicht blos für unsere Höfe, sondern selbst für die ganze Geschäftsführung aller Staaten etwas Nützliches zu erreichen."

Ob er die Sache aber durchsetze, das hing nun von der Geschäftsordnung ab, und wider alles Erwarten machten sich die Dinge so, dass diese Geschäftsordnung wesentlich sein eigenes Werk wurde. Die Thatsache selbst ist durch Pertz, [illegible] u. A. genügend bekannt, aber die Einzelheiten, welche sich dort finden, sind unvollständig und zum Theil falsch, wie die folgende Darstellung zeigen wird.

Wenige Tage nach der ersten Conferenz — die zweite war auf den 9. October angesetzt — am Sonntag den 6. October nämlich, theilte Hardenberg Humboldt mit, er wünsche in der zweiten Zusammenkunft die Ablesung einer provisorischen Geschäftsordnung anzuregen. Herr von Berg, der sich schon in Wien mit dieser Sache beschäftigt, habe ihm seine Ideen darüber schriftlich mitgetheilt, die er Humboldt zugesandt habe. Darauf habe dieser ihm mehrere gründliche Bemerkungen darüber zukommen lassen und wünsche in einer auf Montag Morgen angesetzten Besprechung seine Meinung zu hören. Nun musste er aber einen Courier nach Wien expediren, der ihm viel zu thun mache, Humboldt würde ihm daher einen grossen Dienst erweisen, wenn er Bergs und Humboldts Ideen in Harmonie bringe, berichtige, ergänze und das Ganze in gehörige Ordnung zusammenstelle. Ich konnte das nicht abschlagen, berichtet Humboldt, und nahm beides mit. Da ich indess bis 4 Uhr an meinem vierzehntäglichen Berichte zu schreiben hatte, so musste ich einen Theil der Nacht zu Hülfe nehmen, so dass ich am Montag

Morgen erst um 10 Uhr glücklich damit fertig wurde, und da ich Blatt für Blatt zugleich hatte abschreiben lassen, dem Grafen auch die Abschrift bringen konnte." Buol war darüber sehr vergnügt und erklärte, nachdem er den Aufsatz angehört hatte, dass er ihn gänzlich annehme, dem Herrn von Humboldt die neue Ansicht mittheilen und ihn auch so in der Conferenz vortragen werde. Auch bei Humboldt fand die Stein'sche Arbeit ausgezeichneten Beifall; er fand sie, wie er am 8. Abends an Buol schrieb, mit einer Bestimmtheit, Klarheit und Vollständigkeit abgefasst, welche nichts das Mindeste zu wünschen übrig lassen; und durch diesen berichtigenden und vervollständigten Aufsatz hätten die beiden früheren Brauchbarkeit erhalten, nur ein einziger Punct (Offenhaltung des Protocolls für einen Gesandten, der am Erscheinen gehindert ist und auch keinen andern substituirt hat) habe ihm zu einer Bemerkung Gelegenheit gegeben, auf die er aber selbst nur sehr wenig Werth lege. Buol schickte dieses Billet mit den Humboldt'schen Abänderungsvorschlägen am 9. noch vor der Conferenz an Stein und bat ihn, schnell noch aufzuschreiben, ob und was davon brauchbar sei. Das geschah und der Präsidialgesandte verlas nun in der Conferenz den Aufsatz mit diesen Modificationen. Er äusserte dabei, derselbe enthalte ganz und gar seine Ansichten, wenn er gleich nicht unterlassen könne zu bemerken, dass er deren Aufstellung und Entwickelung mehr der gütigen Beihülfe und Unterstützung mehrerer [illegible], besonders als der eigenen Anstrengung verdanke. Zu einer Discussion kam es weder in dieser Sitzung, da der Aufsatz erst allen Gesandten abschriftlich zugestellt werden sollte, noch in den beiden nächsten am 15. und 16. October, die ganz durch die Regelung des Verhältnisses der Bundesversammlung zu der Stadt Frankfurt in Anspruch genommen wurden, sondern erst in der fünften Conferenz am 23. October, in welcher der Aufsatz mit geringfügigen Aenderungen gebilligt und Graf Buol ersucht wurde, denselben bis zur nächsten Zusammenkunft in die gehörige Form einer Geschäftsordnung umzugiessen. In Folge dessen erschien dieser andern Tags wieder bei Handt, äusserte mit Verbindlichkeit, er habe den Auftrag nur in der Voraussetzung angenommen, dass er auch hierbei auf Handts Hülfe rechnen dürfe, und bat ihn ersteren, die Arbeit zu übernehmen. Dieser erfüllte den Wunsch mit grosser Bereitwilligkeit und hatte die Freude, dass die „sehr concentrirte" Form, die er wählte, Buols volle Billigung fand; auch Plessen, dem er sie mittheilte, war sehr zufrieden damit. Humboldt erhielt durch Buol noch vor der sechsten Sitzung Abschrift des Actenstückes und fand gar nichts daran auszusetzen, als dass er statt „Präsident" überall „Präsidirender" gesetzt zu sehen wünschte, welchem Begehren Handel im Einverständnisse mit Buol schleunigst willfahrte. Alles das war für ihn eine grosse Freude. Schon bei der Discussion am 23. October hatte er „ein eigenes Vergnügen" darüber empfunden, dass die Monita, welche gemacht wurden, meist mit der Bemerkung erledigt werden konnten, die Einwendung sei ganz richtig, aber wenn man nur bis zu dem und dem Artikel warten wolle, so komme die Sache da und ganz am rechten Orte vor. Den grössten Triumph aber trug er über Herrn von Linden davon. Dieser kam zu Buol mit einer langen Liste von Bemerkungen, die man ihm aus Stuttgart gesandt hatte; als er aber mit dem österreichischen Gesandten den neuen Entwurf durchgelesen, erklärte er, er wolle seine Bemerkungen nur wieder mit nach Hause nehmen, sie seien sämmtlich erledigt.

Alle Welt war mit dem Entwurfe der Geschäftsordnung sehr zufrieden, und ihre Billigung unterlag keinem Zweifel mehr. Nur Einer würde sehr unglücklich gewesen sein, wenn sie unverändert angenommen wäre, und das war Smidt selbst. Denn noch fehlte in ihr der Artikel, auf den er persönlich so sehr grossen Werth legte und den er doch selbst als Nächstinteressirter nicht vorschlagen wollte, der Artikel, welcher den nichtstimmführenden Gesandten die Befugniss der passiven Assistenz einräumen sollte. Vorsichtig hatte er nach Beendigung der fünften Sitzung, als schon einige Gesandte weggegangen waren, es veranlasst, dass die Rede darauf kam, und dass Graf Buol Gelegenheit nahm, warm dafür einzutreten, wobei eine entschiedene Opposition dagegen nicht laut wurde. Dennoch existirte diese und um Fühlung mit ihr zu gewinnen, hatte Smidt jene Anregung wohl hauptsächlich herbeigeführt. Nun setzte er alle Hebel an, um die Lauen zu erwärmen und die Unlustigen zu bekehren. Alles, so dachte er, komme darauf an, jetzt gleich die Befugniss zu ertragen; denn es werde aber so schwer sein, ihn wieder aus dem Besitz zu vertreiben, wie denselben zu [illegible] erst [illegible] zu müssen. Seine drei Specialcollegen rührten sich nicht, auch einige andere Gesandte wollten von der Sache durchaus nichts wissen, wieder andere erklärten, sie gaben [illegible] zu Gefallen nach, die meisten aber glaubte er von der Billigkeit seines Verlangens überzeugt zu haben. Die Hauptsache war, dass er Humboldt und Buol für sich hatte und dass letzterer sich anheischig machte, folgenden Zusatz zu Artikel 1 zu beantragen:

> Die Gesandten derjenigen Bundesstaaten, welche in der engeren Bundesversammlung zu einer Gesammtstimme vereinigt sind, und unter denen **gegenwärtig** ein Turnus in der Stimmführung statt findet, dürfen in den Sitzungen der engeren Bundesversammlung gegenwärtig sein, obschon [illegible] jede Gesammtstimme nur von einem solchen Gesandten geführt werden darf, **wobei sich jedoch die Bundesversammlung für künftige ähnliche Fälle die Entscheidung lediglich vorbehält.**

Den letzten Vorbehalt wollte Humboldt durchaus dabei haben, und äusserte, er erkläre sich im Grunde nur Smidt und Marschall zu Gefallen für die Sache, da er [illegible] sei, dass diese im Gange der Geschäfte blieben, weil sie ja doch ihrer Zeit die Stimme auch ordentlich führen sollten. Aber wenn die Höfe, die sich über einen gemeinschaftlichen Gesandten und Stimmführer bereits vereinigt hätten, nun noch ausserdem blosse Auscultanten schicken wollten, die nie die Stimmen führten, so würde es zu voll werden, und für diesen Fall möchte er durch den Vorbehalt einen Zügel in der Hand haben.

In der Sitzung vom 30. October kam die Sache zum Antrag. So glatt, wie Smidt wohl hoffte, ging es dabei zwar nicht ab, aber der Sieg blieb doch auf seiner Seite. Die Discussion über den Buol'schen Zusatz war lang und heftig; sie zu resümiren und die einzelnen Vota hier anzuführen ist überflüssig, da das officielle Protocoll dieselben enthält. Nur wenige Mittheilungen sind zur Ergänzung nöthig, und diese werden auch für sich verständlich sein. Der baierische Gesandte wollte es ausdrücklich ausgesprochen haben, dass die Auscultanten nicht an der Discussion theilnehmen dürften, dem aber widersetzte sich Marschall und so war es nahe daran, dass die ganze Frage vertagt wurde. Smidt theilte im Stillen wohl Marschalls Wunsch, aber er wollte um des Besseren willen nicht das Gute gefährden. Mit Bedauern sah er, wie jener sich in Hitze redete und dadurch den Widerspruch vermehrte. Trotzdem griff er nicht in die Debatte ein, sondern verhielt sich ganz still und begnügte sich, seinem allzueifrigen Bundesgenossen heimlich zuzureden, bemühte [illegible] ihn davon abzubringen, eine schriftliche Vertheidigung des Anspruches auf das Recht der Theilnahme an der Discussion vorzubringen und zu Protocoll zu geben. Der Verzicht auf diese schon ausgesprochene Absicht beruhigte denn auch die Gemüther der Gegner und der Baron war nachher sogar bereit, sein Votum aus dem Protocoll zurückzunehmen, wenn Humboldt, der sich sehr günstig geäussert, dasselbe thue. Dieser weigerte sich dessen aber und so wurden beide Abstimmungen abgedruckt. Auch die Gesandten, deren Höfe durch den Humboldt'schen Vorbehalt beunruhigt waren, machten in der Person des Herrn von Berg lebhafte Einwendungen, allein auch hier gelang es nach einiger Debatte eine Form des protocollarischen Votums zu finden, mit der Jedermann zufrieden war. Im Uebrigen wurde die ganze Geschäftsordnung unverändert und ohne Discussion angenommen, nur ein kleiner Zusatz (betr. die Versiegelung des Nachlasses eines verstorbenen Gesandten durch das Präsidium in den Fällen, wo kein besonders dazu Berechtigter vorhanden sei) wurde auf Buols Betrieb noch angenommen, obgleich das Einschiebsel, wie Smidt ganz richtig bemerkt, gar nicht in die Geschäftsordnung gehörte, sondern entweder in den Vertrag mit Frankfurt oder als stillschweigender Beschluss ins Protocoll hätte aufgenommen werden müssen. Einen geheimen Verdruss bereitete ihm die Aufnahme des Satzes noch dadurch, dass er sprachlich entstellt war und einige Fremdwörter enthielt, während er selbst sich sorgfältig bemüht hatte, ausländische Wörter möglichst zu vermeiden. Mit Behagen berichtet er dagegen, dass er einen Ausdruck eingeschmuggelt habe, der in der That fortan zur unbedingten Herrschaft [illegible] die Benennung „hohe Bundesversammlung". Er hatte sie erst bei der letzten Redaction eingeführt. Niemand bestritt es. „Und wenn gelegentlicher Zweck bei diesem Vorschlage, so schreibt er, unserem „hohen Senate“ durch die Anlage ein grösseres Relief zu geben, scheint erreicht“. Mit noch viel grösserer Genugthuung begrüsst er seinen Sieg in der Frage der passiven Assistenz bei den Sitzungen der engeren Bundes-Versammlung. Und dass er wirklich ein wichtiges Recht dadurch errungen, bezeugte ihm wenigstens der eine seiner Specialcollegen schon nach wenigen Wochen. Dann kam nämlich eigens deshalb zu ihm und sagte, er fühle sich durch sein Gewissen gedrungen, ihm ausdrücklich dafür zu danken, dass er gegen den Wunsch der andern doch auf seiner Forderung bestanden habe; er sehe jetzt vollkommen ein, dass sie Unrecht gehabt, die Befugniss sei von der grössten Wichtigkeit und er wolle keine Sitzung versäumen.

Ein kleines Nachspiel zu diesen Verhandlungen über die Geschäftsordnung darf man, wenn es auch unbedeutend ist, doch wohl nicht auslassen. Berstett erbat sich von Buol die Einsicht der Correcturbogen vor dem Abdruck. Dieser erwiderte, auch Humboldt habe ihn schon darum ersucht, und — auf [illegible] Bemerkung, es sei dem preussischen Gesandten vielleicht noch dieser oder jene Kleinigkeit eingefallen, die er bei der Gelegenheit abzuändern dächte — das war allerdings der Fall. Humboldt wünschte im Eingang des Art. 4 den Satz „Das Präsidium sorgt vorläufig für die Protocollführung“ zu streichen und erst mit dem folgenden „Das Präsidium schlägt der Bundesversammlung den Protocollführer vor“ anzufangen. Da Buol Nichts dagegen hatte, sprach Berstett natürlich auch nicht davon, und Humboldt strich die Worte, änderte auch sonst ein paar Ausdrücke so, dass sie den Sinn nach Berstetts eigenem Dafürhalten wirklich richtiger wiedergaben, und entfernte nur einmal ein „auch“ (Art. 1 Abs. 3 oder auch das Pronomen), das er für pleonastisch hielt, das aber mit gutem Bedacht gesetzt war. Von Berstett darauf aufmerksam gemacht, fügte Buol es einfach wieder ein, zeigte das Humboldt und erhielt umgehend die Antwort, er danke ihm sehr dafür, er habe die Handakte nachgesehen und gefunden, dass er mit dem Durchstreichen Unrecht gehabt habe.

Unter den Gegenständen, welche ausser der provisorischen Geschäftsordnung die sechs vertraulichen Conferenzen vom 1. bis zum 30 October beschäftigten, war weitaus der bedeutendste die Frage des Verhältnisses der Stadt Frankfurt zu der Bundesversammlung. Sie wurde gleich in der ersten Sitzung an einen Ausschuss verwiesen, in den Martens, Eyben und Smidt erwählt wurden. Der Letztere vertrat sehr eifrig die Rechte Frankfurts zum Theil eifriger als manche Frankfurter selbst. So bestand er nicht bloss darauf, dass Martens die Bezeichnung Magistrat, die er angewandt hatte und die auch die Frankfurter aus früherer Gewöhnung wohl noch zu gebrauchen pflegten, mit Senat vertauschte, sondern er bekämpfte auch den Anspruch, dass die Bundes-Versammlung die Censur über alle Frankfurter Zeitungen führen solle, obgleich selbst der [illegible] Bürgermeister Metzler der Ansicht war, dem Senate würde eine solche Einrichtung gar nicht unlieb sein, weil sie ihn mancher Verlegenheiten überheben könne. Dem dagegen theilte [illegible] Ansicht, dass Frankfurt sich eine solche Schmälerung seiner Souveränitätsrechte nicht bieten lassen dürfe, und in der Commission huldigte Eyben denselben Anschauungen, während Freiherr Martens, der „wie alle Hannoveraner gewaltige Angst vor der Publicität“ hatte, nur widerstrebend und halb nachgab. Als Vorsitzender der Commission arbeitete er eine Vorlage aus, zu der ihm der stets schreibfertige Smidt vorher schon eine Entwicklung seiner eigenen Ansichten gab. Aber obgleich dadurch gerade der Artikel 2, der über die Presse handelte, schon sehr modificirt wurde, so fand ihn Smidt doch immer noch zu ängstlich und zu wenig liberal. Es wurde der Stadt die Censur überlassen in dem Vertrauen, dass ihre Massregeln aller ferneren Einschreiten der Bundes-Versammlung überflüssig machen und insbesondere dafür sorgen würden, dass in den Druckschriften keine Beleidigungen der Religion, der ehrbaren Sitten, der deutschen Regenten und ihrer Beamten, in den Zeitungen aber keine [illegible] Mittheilungen vorgefallener Begebenheiten vorkämen. Denn, so hiess es in dem motivirenden Berichte, Zeitungen die selbst in Bier- und Weinschenken verbreitet würden und daher vorzüglich geeignet seien das Publicum zu [illegible], dürften keinen andern Zweck haben als die Ereig-

allen Mißbräuche solcher Anstalten treffe, die eine schickliche und wohlthätige Preßfreiheit am wenigsten beeinträchtigen. — „Und," fügte Graf Buol hinzu, „die Bundesversammlung aller weiteren Beschwerungen überhoben werden." Darüber wurde nun viel hin und hergesprochen. Plessen, Bach und Smidt waren die einzigen, welche Lust hatten, den ganzen Artikel zu streichen, auch von den andern äusserten manche, wie Gagern und Humboldt, sehr liberale Ansichten, aber der Mehrheit war doch die Erklärung, dass die Frankfurter Censur den Bundestag Nichts angehe, zu stark, sie strich dieselbe und nahm auf den Rath des Humboldt'schen Vorschlages am Ende Zusätze an. Die Conventionen mussten nun diese Beschlüsse aufs Neue [illegible] gen und daher setzte Smidt gegen Martens eine Fassung durch, welche das Vertrauen aussprach, der Senat werde eine erlaubte und wohlthätige Preßfreiheit so wenig beeinträchtigen, als etwaige Mißbräuche derselben unbestraft lassen, und dadurch die Bundesversammlung in dem einen wie in dem andern Fall der Nothwendigkeit überheben, etwas Weiteres deshalb an den Senat gelangen zu lassen. Das Wort Censur war in dieser Fassung absichtlich vermieden, weil Smidt diese Einrichtung der Stadt Frankfurt gar nicht aufhängen wollte, die Verhütung der Mißbräuche, die beim besten Willen oft unmöglich sei, war in eine Bestrafung verwandelt, durch den Ausdruck „in dem einen wie dem andern Falle" wurde angedeutet, dass die Bundesversammlung auch zu Gunsten der Preßfreiheit, wenn diese vom Senat unterdrückt werden sollte, eintreten könnte, endlich war das „fatale" Wort Einschreiten durch die milde Umschreibung „etwas an den Senat gelangen zu lassen" [illegible] [illegible]. Alle diese wohlbedachten Abänderungen fanden auch in der vierten Conferenz keinen Widerspruch und Artikel 8 wurde in dieser Fassung, die also wesentlich Smidts Werk war, angenommen.

Die übrigen Artikel können wir kürzer behandeln. Der erste verlangte eine Schildwache vor dem Hotel der Bundes-Versammlung. Ob auch vor der Wohnung des Präsidialgesandten, das konnte man einstweilen dahingestellt sein lassen, da zur Zeit beide Locale zusammenfielen. Doch bemerkte Humboldt schon jetzt, dass wenn eine Trennung einträte und der österreichische Gesandte eine Ehrenwache erhielte, so müssten alle andern sie auch fordern. Ein ganz allgemein gehaltener Vorbehalt dieser Art wurde also nur aufgenommen.

Artikel 3 enthielt ausführliche Bestimmungen über die Exterritorialität der Gesandtenwohnungen, über die Unabhängigkeit des gesammten Gesandtschaftspersonals von der Gerichtsbarkeit der Stadt Frankfurt und Aehnliches, was man in den loco dictaturae gedruckten Beilagen zu den Protocollen der Bundesversammlung nachlesen kann. Ein Theil des Inhaltes dieses langen Artikels bildete nach dem ersten Entwurf der Commission einen vierten Artikel, die Vereinigung und Verschmelzung beider sowie zahlreiche Abänderungen wurden von Humboldt vorgeschlagen und durchgesetzt, dessen geistiges Eigenthum daher der jetzt vorliegende Wortlaut ist. Die Einzelheiten sind vielleicht für den Juristen, sonst aber von keinem Interesse. Nur einen Punkt wollen wir hervorheben. Die Commission schlug vor, die Bundesversammlung solle einen Ausschuss bilden, dem alle Gesandten alternirend angehörten, und welcher die Jurisdiction in Civilklagen, die gegen eine Person aus dem Gefolge eines Gesandten erhoben würden, üben solle. Diese Bestimmung wünschten manche Gesandten, die sich in jure nicht sonderlich stark fühlten, gestrichen. Sie scheuten sich mit Recht vor dem [illegible] zu Gericht sitzen. „Legatus Bremensis aber, so schreibt Smidt, hat sich von solcher Scheu Nichts merken lassen. Da es ihm manchmal gelingt, dieses oder jenes Principes aus dem Lichte der Natur aufzufinden, die zufällig auch in jure scripto grade so vorkommen, so halten ihn mehrere für einen guten Juristen, und da er bisher glücklich durchgekommen, ohne dass der Irrthum entdeckt ist, so denkt er auch für die Zukunft: Kommt Zeit, kommt Rath." Da der angefochtene Passus indess schliesslich wegfiel, so wurde Legatus Bremensis dieser Prüfung überhoben.

Im fünften Artikel war die Bestimmung von grosser Wichtigkeit, dass in Zukunft kein Frankfurter Bürger (den eigenen Bevollmächtigten der Stadt selbstverständlich ausgenommen) als Bundesgesandter angenommen werden solle. Den oben erwähnten Herrn von Leonhardi, der nun einmal zugelassen war, wollte man natürlich nicht wieder verdrängen, um so mehr aber der Gefahr vorbauen, „dass die [illegible] Höfe nicht aus ökonomischen Rücksichten Frankfurter Bürger, reiche Banquiers, wohl gar am Ende den ausgebackenen Juden-Baron Herrn von Rothschild, zu Gesandten erkoren, wodurch denn am Ende das Ansehen der Bundesversammlung wie das des weiland Reichstages zu Regensburg den Weg alles Fleisches zu gehen riskirte." Wir sahen schon früher, dass Smidt diesen Bestrebungen sich mit ganzem Eifer anschloss; nur in dem Wege, den er eingeschlagen [illegible], unterschied er sich von seinen Collegen. Nach seiner Ansicht sollte nicht durch die Bundesversammlung, sondern durch die Stadt Frankfurt die gesetzliche Unvereinbarkeit der Eigenschaften eines Frankfurter Bürgers und eines nichtfrankfurtischen Bundesgesandten ausgesprochen werden. Aber mit dieser Ansicht stand er so ziemlich allein, und selbst die Frankfurter, welche, wenn die Sache nicht mehr zu retten war, auf diesem Wege doch wenigstens die Form [illegible], wollten Nichts davon wissen und schienen es nicht recht zu glauben, wenn Smidt ihnen versicherte, er werde, hätte der Bundestag [illegible] seinen Sitz, mit gleichem Eifer jedes Mittel benutzen, um die Anstellung von Bremern zu verhindern. Vielmehr antworteten sie auf die Note [illegible], welche ihnen das Resultat der gesammten Berathungen über das gegenseitige Verhältniss der Bundesversammlung und der Stadt mittheilte, durch eine von Danz concipirte Note, welche zwar nur gegen zwei von den acht Artikeln Einwendungen erhob, dabei aber so breit und steif juristisch abgefasst war, dass Smidt meinte, man sehe daraus, wie die Frankfurter auch lernen müssten, bei ihren Communicationen an die Bundesversammlung einen andern Zuschnitt als den der Wiener und Wetzlarer Acten zu finden. Da man ein advocatenmässiges Repliciren, der dann unzweifelhaft zu Dupliken, Tripliken und Quadrupliken führen würde, der Bundesversammlung nicht anständig fand, so begnügte man sich auf Humboldts Vorschlag mit einer kurzen Empfangsbescheinigung, welche die Freude der Bundesversammlung darüber aussprach, dass in den meisten Punkten Einverständniss herrsche, und über die Differenzpunkte weitere Feststellungen vorbehielt.

Was etwa in den vertraulichen October-Conferenzen vorkam,

ist entweder aus den Protokollen so vollständig zu ersehen, daß des Smidt'schen Berichte nichts Bedeutendes hinzufügen, oder es ist an sich von zu wenig Interesse, als daß es hier zu erwähnen wäre. Dagegen hat in den letzten Tagen neben diesen Conferenzen noch ein Austausch von Wünschen und Absichten in Bezug auf die feierliche Eröffnung der Bundesversammlung hier, dessen zu gedenken wir nicht unterlassen dürfen. Der Frankfurter Senat hatte schon am 6. Juli seine Bereitwilligkeit erklärt zur Verherrlichung des Tages neben dem noch nicht vollzähligen Linienmilitär den sehr gut ausgerüsteten Landsturm zu Pferd und zu Fuße ausrücken, auch des Abends das Schauspielhaus und den Spaziergang vor demselben illuminiren zu lassen, während er eine allgemeine Illumination, die sonst sehr passend sein würde, in der jetzigen Jahreszeit nicht bloß als zu beschwerlich, sondern selbst als gefährlich bezeichnete. Ueber dieses Anerbieten sollte gleichfalls die Commission berathen, welche die Verhältnisse der Bundesversammlung zu der Stadt zu berathen hatte, also Martens, Eyben und Smidt. Ihr Antrag ging dahin aus, „dass die Illumination als eine nicht deutsche und mit ausgesuchten Berücksichtigungen für das Publicum verbundene Sitte zu verbieten," dagegen eine Theatervorstellung, bei welcher auf anständige Plätze für die Gesandtschaften Bedacht genommen werde, und das Ausrücken des Landsturms zu wünschen sei. In diesem Programm vermißten Smidt und Plessen eine kirchliche Feier und wünschten dieselbe in einer der letzten Conferenzen anzuregen. Buol hatte anfangs diese Idee als eine sehr natürliche angesehen und nur über die Art und Weise der Ausführung nicht ins Klare kommen zu können. Um so grösser war Smidt's Erstaunen, als er plötzlich wie umgewandelt mit dem grössten Eifer sich dagegen erklärte und im Wettlauf mit Humboldt, „als ob die Ruhe Europas und die ganze künftige Eintracht der Bundesversammlung davon abhängen," von einem Gesandten zum andern lief, und ihn „bald um Gottes willen, bald pour l'amour de Dieu bat, doch ja nicht davon anzufangen, doch ja nicht der Erste zu sein, der die Sache öffentlich in der Versammlung antrage." Eine doppelte Einwirkung, so vermuthete Smidt, habe diesen Um-

12

schwung herbeigeführt. Zunächst sei Buol, obschon in seinem Gemüth weder Fanatismus noch Intoleranz zu Hause sei, doch ein orthodoxer und [illegible] Katholik und in dieser Hinsicht sehr gewissenhaft und scrupulös. „Nun schwirren ihm Halbgläubige und [illegible], [illegible] und Pfaffengewäsch über das, was schicklich und nicht schicklich, erlaubt und nicht erlaubt, so viel vorgesagt und durcheinander geschwirrt zu haben, dass er selbst ganz zweifelhaft darüber geworden sei." Dazu sei dann aber noch Humboldts Stellung gekommen, dem noch mehr als Buol daran zu liegen scheine, dass aus der Sache Nichts werde, und der doch den bösen Schein auf jenen zu werfen suche, und dabei nicht einmal ganz bona fide zu Werke gehe. Um ihn von seinem Widerspruch abzubringen, bestürmten Smidt und Plessen ihn und führten ihm zu Gemüthe, welch eine unangenehme Sensation es in Deutschland machen würde, wenn diese Opposition bekannt würde. Darauf setzte Humboldt in einem Briefe an Plessen (d. d. 26 October) seinen Standpunkt auseinander. An und für sich könne er einem religiösen Acte nur [illegible], aber wie Graf Buol mit Recht einen vollen katholischen Gottesdienst mit Inbegriff der Messe fordere, so müsse auch er auf dem protestantischen Ritual in seiner ganzen Vollständigkeit bestehen. Lasse es sich nun einrichten, dass der ganze Bundestag beiden Gottesdiensten in corpore beiwohne, so sei er der Erste diesen Vorschlag zu unterstützen, jeden andern Ausweg müsse er unbedingt ablehnen. Aber grade den Vorschlag, dem er beizutreten sich geneigt erklärte, untergrub Humboldt im Stillen, wenn man Buol glauben darf. „Er hat den Grafen Buol, wie ich von diesem selbst weiss, immer instigirt, schreibt Smidt, er solle ja auf der Messe bestehen; auch hat er ihm den Satz untergeschoben und vorgesagt: ‚als Katholik könne er einem completen protestantischen Gottesdienst wohl nicht gut beiwohnen', ehe noch Buol gewagt hatte, diesen Satz auszusprechen, indem er ihn auch jetzt noch immer mit einem: man sagt, Herr von Humboldt sagt anführt." Was aber den Letzteren eigentlich zu dieser Handlungsweise bewog, war nicht herauszubringen. „Dieses Unlust und Beben sich dabei zu analysiren kann ich allein nicht. Vielleicht bewirkt

er, dass ein solcher Act in der Domkirche, wo die Kaiser gekrönt wurden, das alte Ressentiment lebhaft wieder aufregen, dass wie bei der Einweihung des zweiten Tempels zu Jerusalem diejenigen, welche die Herrlichkeit des ersten geschaut, mehr von dieser als von jener reden und die Volksstimme dorthin wieder ihre zur Sprache bringen könnte, die Protestanten vergessen zu sehen wünscht;" — vielleicht habe er noch die geheime Hoffnung, selbst Bundesgesandter zu werden und wünsche das nicht dadurch zu erschweren, dass der designierte Gesandte Gelix, der bereits angekommen war, sich in der Kirche vor allem Volk als protestantischer Vertreter zeige und es sich dadurch unmöglich mache, so schnell zurückzutreten und den König um Verwendung nach London zu bitten, irgend solch ein geheimer Grund müsse vorwalten, sonst sei Humboldts Benehmen nicht zu erklären.

Nun hätte es nahe gelegen, die Sache in der sechsten Conferenz förmlich anzuregen; indess Buol hatte so viel daran gelegen, das nicht zu thun, und das Aufsehen, ein förmliches Schisma zwischen Katholiken und Protestanten protokollieren zu müssen, wäre so gross geworden, dass die Freunde der kirchlichen Feier auf Buols Vorschlag eingingen, es noch einmal mit vertraulichen Besprechungen zu versuchen und nöthigenfalls lieber noch eine siebente Conferenz eigens zu diesem Zwecke vor dem 5. November in Aussicht zu nehmen. Smidt insbesondere hielt es trotz allen Eifers für die Sache, nicht für seinen Beruf als Hanseaten voranzugehen, weil das äusserst angenehme Verhältniss, in dem er zu den beiden bedeutendsten Gesandtschaften stand, dadurch vielleicht für immer zu verderben. Er versuchte durch den Generalvicar von Wessenberg auf Buol zu wirken. Dieser, bekanntlich einer der mildesten und aufgeklärtesten Katholiken jener Tage, bestritt entschieden, dass Buol einem protestantischen Gottesdienste anzuwohnen verhindert sei, und meinte, zum allermindesten könne man doch ein gemeinschaftliches „Nun danket alle Gott" singen oder auf ähnliche Weise sich helfen. Aber er sagte auch gerade heraus, die Geschichte sei erst durch Schlegel und dann durch Humboldt so verwirrt, dass er jetzt nicht mehr absehe, wie man herauskommen wolle.

Und so war es auch wirklich. Smidt machte noch zweimal einen persönlichen Versuch bei Buol, das erste Mal wurde er durch die Anwesenheit Anderer gestört, das zweite Mal setzte er es zwar durch, dass Buol versprach gleich nach der Eröffnung in seiner Hauskapelle blos in Gegenwart der Gesandten und ihres Gefolges ein Te deum oder Nun danket alle Gott singen zu lassen. Aber dem widersprachen dann wieder Andere und besonders Humboldt, bei dem alle Bemühungen, welche direct und durch Ottersted's Vermittlung gemacht wurden, umsonst blieben. Dass dagegen ohne Vorwissen des Senates auf Betreiben eines Geistlichen, der für einen Intimus von Schlegel galt, in den drei katholischen Kirchen Frankfurts dennoch ein Gottesdienst abgehalten und dabei das Veni creator spiritus gesungen worden sei, erfuhr man erst später, und das trug natürlich nicht dazu bei, die ganze ärgerliche Sache in einem besseren Lichte erscheinen zu lassen. Smidt fürchtete lebhaft den lauten Tadel der Bürgerschaft über die gänzliche Abwesenheit jeder religiösen Weihe, und er bat dringend, wenigstens ihn persönlich in Bremen im geistlichen [illegible] zu rechtfertigen, da er Alles gethan habe, was in seiner Macht stand.

Die siebente Präliminarconferenz fand übrigens am 4. Novbr. doch noch statt. Wäre, wie man erwarten durfte, der neue preussische Gesandte Graf Goltz in derselben erschienen, so hätte man die kirchliche Feier doch wohl noch zur Sprache gebracht. Allein obgleich Goltz Tags vorher eingetroffen war und obgleich Humboldt sich in der sechsten Sitzung förmlich und unter der Danksagung der Versammlung verabschiedet hatte, so wurde doch die nahe liegende Voraussetzung nicht erfüllt. Goltz brachte ein Podagra mit, das ihn sowohl von der letzten vorläufigen, wie von der ersten ordentlichen Sitzung fern hielt, so dass ihn Humboldt beide Male vertreten musste. Uebrigens hatte man am 4. November weiter Nichts zu thun als das letzte Protocoll zu genehmigen und Beschluss über den Wunsch der Gesandtschaftsräthe und Secretäre, die gern bei der Eröffnungssitzung zugegen sein wollten, zu fassen. Die Bitte wurde ihnen nicht allein gewährt, sondern die Mehrheit genehmigte sogar, dass ihnen Sitzplätze im Hintergrunde des

Zimmers angewiesen würden und sie der Ceremonie also nicht stehend beizuwohnen brauchten. Der Beschluss hatte für Smidt auch eine grössere Wichtigkeit bekommen, da er seit dem Tage vorher selbst noch einen Privatsecretär in der Person des Dr. G. H. Olbers zur Verfügung hatte. Er stellte ihn gleich am 4. dem Grafen Buol und den übrigen Gesandten vor, damit er an der Eröffnungssitzung Theil nehmen könne.

Die kurze Spanne Zeit, die jetzt noch bis zur Erreichung des lange erstrebten Zieles anstand, musste einen Mann wie Smidt naturgemäss zu rückwärtsschauenden Betrachtungen einladen. Ein Jahr zwei Monate und vier Tage später, als die Bundes-Acte es bestimmte, ging die Eröffnung der Bundesversammlung vor sich. In seiner einfachsten und unzweideutigsten Bestimmung war das Grundgesetz des Bundes rücksichtslos verletzt; Entschuldigungsgründe dafür gab es vielleicht für einen gewissen Zeitraum, aber sicher nicht für die ganze Zeit. Mit zwingender Nothwendigkeit musste deshalb ein Misstrauen gegen das weitere Wirken einer Institution erwachsen, welche Verschleppung und Langsamkeit wie eine Erbsünde, schon ehe sie ins Leben trat, mit auf den Weg erhalten hatte. Smidt machte sich aus diesem schleichenden Gift kein Hehl. Aber auf der andern Seite verkannte er, wie wir wissen, auch nicht die Erfolge, die unter der Hand in der Zwischenzeit erreicht waren, sah sie vielmehr wohl eher in einem zu günstigen Lichte an, und war endlich bei seinem thatkräftigen Wesen eine viel zu schaffenslustige Natur, als dass er pessimistische Anschauungen nicht überall, wo er sie erreichen konnte, mit Eifer hätte bekämpfen sollen. Dass er sich dazu durch und mittelst der Bremer Zeitung bediente, lag am nächsten; aber er suchte auch andre Wege, und wenn z. B. Heeren seine epochemachende Schrift: „Der deutsche Bund in seinen Verhältnissen zum europäischen Staatensystem" gerade in diesen Tagen erscheinen liess, so war darauf sein Aufenthalt in Frankfurt und sein Verkehr mit Smidt nicht ohne bedeutenden Einfluss. Auch ohne den nicht unwirksamen Hebel, der in ermuthigenden Zeitungsartikeln und Druckschriften geboten wurde, musste aber das Ereigniss der Eröffnung selbst, wie das in der menschlichen Natur liegt, wenigstens vorübergehend eine Hoffnung im guten Sinne innerhalb der öffentlichen Meinung hervorrufen. Schon die einleitenden Conferenzen, über welche die Zeitungen Berichte und Vermuthungen zur Genüge enthielten, hatten das Ihrige gethan und das Interesse des Publicums für den Bund wieder vielfach belebt. Smidt beobachtete das mit grosser Theilnahme. Die [illegible] Stufe hatte der Unglaube an die neue Schöpfung jedenfalls in Süddeutschland erklommen. Jetzt nahm er mit Freuden wahr, dass selbst in Baiern, wo derselbe sich vor einigen Monaten in fast lächerlicher Weise ausgesprochen habe, die politische Magnetnadel wieder etwas abweiche. Er schloss das zum Theil auch aus der Haltung der Regierungen. Der allmächtige bairische Minister Montgelas z. B. habe in den letzten Wochen wenn nicht in seinen Gesinnungen, doch unverkennbar in seinen Manieren manches geändert. Bekanntlich war die Zeit seines Regimentes ihrem Ablaufe nah; schon in den nächsten Wochen begann es zu wackeln. Noch bedeutsamer war der Wechsel in Württemberg. Nicht ohne Grund hatte man sich in Smidts Kreisen mit der Besorgniss getragen, es möchte sich eine süddeutsche Clique in der Bundesversammlung bilden, von der man immer ein und dasselbe hören werde. Die Ansätze dazu waren auch wirklich in den einleitenden Conferenzen hervorgetreten. Aber bald zeigten sich doch auch Gegensätze zwischen den drei Staaten, welche beruhigend wirkten. Begreiflicher Weise fürchtete man jenes Zusammenhalten nicht eigentlich um seiner selbst willen; Smidt wenigstens sah recht gut, dass die drei Höfe dadurch nicht mehr sich selbst als andern schaden würden, sondern man besorgte vielmehr, dass, um einer solchen Coalition sofort ein nachdrückliches Gegengewicht zu halten, sich Oestreich und Preussen enger an einander schliessen und dadurch die Kleinern erdrücken oder zum Anschluss an die Süddeutschen nöthigen möchten. Der Tod des Königs von Württemberg machte nun aller solcher Angst ein Ende; denn König Friedrich war unzweifelhaft von jenen Bestrebungen fax et tuba, wie Smidt sagt, gewesen, König Wilhelm aber erweckte überall das Zutrauen, dass er seinen bisherigen Gesinnungen gemäss nicht blos ein württembergischer, sondern vor Allem auch ein deutscher Fürst sein wolle. Daraus folgte dann weiter, dass sein Gesandter fortan die Aengstlichkeit aufgebe, durch die sich sein Votum bis dahin vor allen übrigen auszeichnete, und dass er (es ist von Herrn von Linden die Rede) nicht ferner gehindert sei, sich mit der Offenheit und Liberalität zu äussern, welche seinem wirklich geraden und liebenswürdigen Charakter entsprache. Was ihn bisher vielfach gehemmt hatte, waren seine Instructionen gewesen. Nun durch eine engherzige Fassung derselben jeder Gesandte in seiner Wirksamkeit gelähmt werden müsse, lag auf der Hand, andererseits besass die Bundesversammlung nicht die Macht einen Einfluss darauf zu üben, dass ein liberaler und von Aengstlichkeit freier Geist in Bezug auf die Instructionsertheilung zum Durchbruch komme. Was sie zur Förderung der Geschäfte beitragen konnte, das hatte sie durch den Entwurf ihrer Geschäftsordnung gethan, aus dieser ging nicht allein die Ueberzeugung, dass man etwas Rechtes zu thun bekommen werde, sondern auch die Absicht, sich in reeller Weise damit zu beschäftigen, deutlich hervor. Wundt musste es am Besten wissen, wenn er versicherte, dass bei der Ausarbeitung derselben der ängstlich ... [illegible] Sorge vorgeherrscht habe, sowohl den Mitgliedern der Bundesversammlung als den Gegenständen ihrer Verhandlung volles Recht widerfahren zu lassen, und ebenso wenig etwas zu übereilen, als in dringenden Fällen oder bei unbedeutenden Gegenständen durch die Form schädlichen und unnöthigen Zeitverderb zu veranlassen. Ganz abgesehen von dem Inhalt der Geschäftsordnung musste ihn aber aus doppeltem Grunde die Art ihres Zustandekommens erfreuen. Einmal wegen der Schnelligkeit und Eintracht, welche die Bundesversammlung dabei gezeigt: zwei Sitzungen hatten genügt um den umfassenden Inhalt zu berathen und zu beschliessen, sodann wegen der Mitwirkung, die er selbst dabei hatte üben dürfen. War doch sein Einfluss in dieser Sache so gross gewesen, dass er ihn, um nicht bei Andern Neid und Eifersucht zu erregen, sorgfältig verschwieg, dass ausser Humboldt, Plessen, Eyben und Marschall, denen Buol selbst den Hergang erzählt hatte, eigentlich Niemand recht wusste, wie es dabei zugegangen.

Dass die Geschäftsordnung inhaltlich auch Smidt's Particularismus erfüllte, dass sie durch den [illegible] Zusatz eine ganz besondere Begünstigung Bremens enthielt, zu deren Erreichung die andern Städte eher hinderlich, als förderlich gewesen waren, liefert nicht blos einen weiteren Beweis für die zur Zeit bedeutende Stellung des bremischen Vertreters, sondern erleichterte es auch ihm wie seinen Nachfolgern dieselbe zu bewahren. Augenblicklich durfte er sagen, dass Bremen mit den Erfolgen in den vorbereitenden Conferenzen [illegible], auf keinen andern Bundesstaat eifersüchtig zu sein Ursache habe. Die Grundbedingung, welche ihm ermöglicht habe, das zu erreichen, sah er in dem republicanischen Geiste, den ein collegialisches Zusammenwirken unter einer so [illegible] und sorgsam von allen Seiten beobachteten Leitung, wie die Buol's war, allerdings [illegible] konnte. Weder seitens der Grossmächte noch seitens der Mittelstaaten hatte, wenn man den Hardenberg'schen Anlauf nicht etwa anrechnen will, ein geflissentliches Vordrängen stattgefunden. Auch nicht in Äusserlichkeiten. Man braucht mit den Vergleichen gar nicht, wie Smidt es gern that, bis auf den Regensburger Reichstag zurückzugehen, man braucht nur an die Verhandlungen zu denken, welche die deutschen Staaten anderthalb Jahr früher in Wien geführt hatten. Welch lächerliche Eifersucht war da z. B. noch zwischen Hannover und Württemberg über die Frage, welcher Gesandter den Vorrang in der Unterzeichnung des Protocolls fordern dürfe, ans Licht getreten. Selbst die Bundes-Acte trug in ihrem Artikel 8 noch die Eierschalen dieser Entstehung an sich. Die Abstimmungen, so wurde dort festgesetzt, sollten einstweilen in der zufällig sich fügenden Ordnung statt finden, und diese zufällige Ordnung sollte keinem zum Nachtheil gereichen, noch eine Regel begründen. Niemandem fiel es in Frankfurt ein auf diesen Artikel zu recurriren, man fühlte zugleich, dass eine Ordnung, wie der Zufall sie füge, doch immer mit einer Art Unordnung verbunden sei, während ein bestimmter Platz und eine bestimmte Reihenfolge im Votiren den Geschäftsgang sehr erleichtern müsse. Als daher vor der ersten Präliminarconferenz angeregt wurde, man möge sich zu setzen und zu [illegible], wie die Staaten in Artikel 1 und 6 der Bundes-Acte aufgezählt seien, da wurde dieser Vorschlag ohne die mindeste Gegenbemerkung oder Berufung auf Artikel 8 einstimmig angenommen. Dass damit noch keineswegs alle Etikettenfragen ein für alle Mal beseitigt waren, versteht sich von selbst, und Smidt selbst sah eine kommen, in welcher er die Gleichberechtigung der Städte mit den monarchischen Staaten glaubte verfechten zu müssen. Bekanntlich war der Landgraf von Hessen-Homburg noch nicht als souveräner Fürst in den Bund aufgenommen, aber man war entschlossen ihn aufzunehmen, und Smidt hatte dagegen nicht das Mindeste. Um so mehr hatte er dagegen, dass der neue Staat seinen Platz als letzter der monarchischen und vor den Städten erhalte, und gedachte vielmehr ihm nur die 39. Stelle einzuräumen. Dabei kam eben wieder sein stehendes Axiom zur Geltung: Haben wir Städte uns einmal in die Reihe der vollberechtigten Staaten hinaufgeschwungen, so müssen wir uns auch überall darin behaupten. Practisch wurde die Frage erst später, aber ins Auge gefasst hat Smidt sie, sobald die Aufnahme des Landgrafen eingeleitet wurde. Nur in einem Falle war er geneigt, denselben vor den Städten rangieren zu lassen, wenn nämlich auch von den Fürsten ein Theil ihm den höheren Platz einräumen wolle.

Jedenfalls war in den vorbereitenden Conferenzen mit Rangstreitigkeiten und Fragen des Ceremoniells auch kein Augenblick verloren worden. Und mehr als das: man konnte nicht bloss negativ loben, sondern auch das, was geleistet war, als ein gutes Stück Arbeit rühmen. In sechs Sitzungen, deren jede ungefähr 2 Stunden dauerte, so resumirte Smidt, „ist der beträchtlichen Anzahl der berathenden und stimmenden Staaten ungeachtet und trotz des gänzlichen Mangels an Vorschriften über die Form dennoch mehr geschehen, als unter gleichen Umständen bei hergestellter und verstärkter Einheit Deutschlands in monarchischer Form von einem Kaiser, einem Reichsrathe und Reichsfürsten nur immer hätte erwartet werden mögen. Der bessere Geist, welcher seit 1813 die Herrschaft in Deutschland zu erstreben bemüht ist, hat einen wachsende

Macht auf mehr als eine Weise auch bei diesen Verhandlungen sichtbar werden lassen".

So trat er also mit frohem Vertrauen den Tag an, der schon in doppelter Beziehung in seinem Leben eine große Rolle spielte, und dessen Wahl zum Tage der feierlichen Eröffnung er mit Recht als ein glückliches Omen begrüßen konnte. Der 5. Novbr. war sein Geburtstag und der 5. Novbr. war der Tag, an welchem vor drei Jahren General Tettenborn zuerst die Herstellung der bremischen Verfassung verkündigte, die dann am folgenden Tage der Bürgerschaft auch auf verfassungsmäßigem Convente proclamirt wurde. Wir schließen unsere Auszüge mit dem Abdruck des Berichtes, den Smidt über den Verlauf des 5. November 1816 nach Bremen sandte.

„Die feierliche Eröffnung der deutschen Bundesversammlung hat nun endlich gestern auf folgende Weise stattgefunden.

Am Vorabend ließen die Frankfurter mit allen Glocken läuten und 101 Kanonenschüsse lösen. Gleiches Geläute und Kanonendonner ertönten in der Stunde der Eröffnung von 11—12 Uhr. Jeder Gesandte fuhr in einem besonderen Wagen und in höchster Gala mit seinem Secretär nach dem Taxischen Palast. In der Eschenheimer Gasse, worin dieser Palast liegt, war vom Frankfurter Landsturm eine Haye formirt, bei der Einfahrt jedes Wagens wurde das Gewehr präsentirt, die Trommel gerührt und die Fahne vor dem Gesandten geschwenkt — dem einem grade wie dem andern ohne allen Unterschied. Im Hofe war wieder Militär aufgestellt, und die ganze Dienerschaft des Grafen Buol, prächtig gekleidet, stand an der Thüre, hinter derselben die Secretäre der Präsidialgesandtschaft, welche die Gesandten empfingen und durch die Vorzimmer bis in das Sitzungszimmer begleiteten. Vor diesem standen wieder ein paar Grenadiere, die das Gewehr präsentirten. Nachdem Alles versammelt war, setzte man sich grade wie in den Präliminarconferenzen, jeder in seinen Lehnstuhl, blos der württembergische und der holsteinische blieben leer, indem der Graf von Mandelsloh*)

*) [illegible] Graf von Mandelsloh [illegible]

noch nicht angekommen war, und Herr von Eyben fortwährend vom Podagra an sein Bett gefesselt ist. Die Secretaire stellten sich hinter die Gesandten, wo einfache Stühle an die Wand gestellt waren. Einige setzten sich, andere blieben stehen.

Der Graf Buol eröffnete nun die Versammlung mit einer ihm von Wien zugesandten Rede, welche dann auch gedruckt ausgetheilt wurde. Um die Versammlung nicht zu ermüden, verlas er sie nur von Seite 9, von den Worten „die Bundes-Acte besagt," bis ans Ende. Herr von Humboldt verlas auch eine halbe Seite, worin er die Zustimmung seines Hofes zu diesen Grundsätzen versicherte. Gleiche Erklärungen gaben nämlich auch die übrigen Gesandten nach der Reihe, allein Herr von [illegible] verlas eine längere Rede, von der er eine Abschrift versprach, die ich beifügen werde. Die meisten sagten nur ein paar Worte, aus dem Kopf, und wer nicht gewohnt war frei zu reden, schrieb sich, bis die Reihe an ihn kam, einige Zeilen davon auf, die er dann ablas — was sich aber nicht gut ausnahm.

Ich sagte, wie die Reihe an mich kam, ohne etwas aufzuschreiben und abzulesen: Die freie Hansestadt Bremen theile mit den übrigen Bundesstaaten gleiche Gesinnungen und gleiche Hoffnungen, und ich würde es mein Bestreben sein lassen, bei meiner Vertretung derselben solche zu bethätigen.

Dann wurden die Ratificationen der deutschen Bundes-Acte, welche sämmtlich auf dem Tische lagen, vorgezeigt, die österreichische, preußische und sächsische verlesen, und die übrigen nur eingesehen von dem, der Lust dazu hatte. Die meisten waren in dunkelrothem Sammt prächtig eingebunden, und die Siegel theils in silbernen, theils in goldenen Kapseln, wovon einige so groß waren, daß sie durch das Quartblatt, auf dem ich schreibe,*) nicht bedeckt worden wären. Die unsrige, so wie die mehrerer kleiner Staaten, die bloß aus ein paar Bogen Papier bestanden, nahmen sich dagegen etwas kläglich aus.

Dann sollten die Vollmachten verlesen werden, da man

*) [illegible]

[illegible] schon sämmtlich gehört hatte, so versicherte man sich gegenseitig darüber, und nahm Alles für gut und richtig an. Nur eine neue holsteinische Vollmacht wurde verlesen, worin der mit dem Abschluss der Bundesacte [illegible] Erwerbung Lauenburgs gedacht, und in der Voraussetzung, dass man dieses Herzogthum so gut wie Holstein in den Bund habe aufnehmen wollen, die Vollmacht auf beide Herzogthümer gerichtet und der Wunsch ausgesprochen war, dass die [illegible] [illegible] künftig [illegible] möge: Dänemark wegen Holstein und Lauenburg. Bei dieser Gelegenheit gaben Mecklenburg und Anhalt eine kurze Verwahrung wegen ihrer bekannten alten Ansprüche auf Lauenburg zu Protocoll, deren Art und Form aber vorher schon mit Herrn von Eyben freundschaftlich verabredet war.

Endlich wurde die erste ordentliche Zusammenkunft auf Montag den 11. November festgesetzt und so die Versammlung geschlossen. Alles fuhr wieder nach Hause, das Militär paradirte, präsentirte und salutirte wie bei der Ankunft, Strassen und Fenster waren von einer Menge Zuschauer bedeckt.

Mittags um 4 Uhr war ein grosses Diner bei dem Grafen Buol, wobei ausser den Bundesgesandten auch Lord Clancarty, Graf Reinhard, Baron von Wessenberg, sein Bruder der Generalvicar, Herr von Otterstedt, Herr von Strahlenheim, der hiesige älteste Bürgermeister Metzler, die drei hiesigen Senatoren von der Commission der auswärtigen Angelegenheiten, der Oberst des Landsturms, der Hofrath Handel und die Legationssecretäre des Grafen Buol gegenwärtig waren. Lord Clancarty, der die Gräfin Buol, die einzige Dame, welche zugegen war, zu Tisch führte, brachte einen Toast auf die deutsche Bundesversammlung aus. Graf Buol liess dagegen die alliirten Mächte leben. Die Frankfurter Herren während der Tafel wieder [illegible] [illegible].

Um 7 Uhr war eine grosse Assemblée beim Grafen Buol, wozu auch alle zu den Gesandtschaften gehörigen Damen, die Legationssecretäre und mehrere angesehene Fremde und Honoratioren sich einfanden. Die Herzogin von Sachsen-Meiningen mit ihrem Sohne, dem jungen Herzog, war auch dort.

Der Frankfurter Senat und das Bürgercollegium haben den

Capital von 3000 Gulden, worüber sie zu wohlthätigen Zwecken zu disponiren hatten, an diesem Tage zu dem ersten Fond einer Versorgungs- und Arbeitsanstalt für verschämte Arme bestimmt, deren Verwaltung sich an den Wirkungskreis des hiesigen Frauenvereins anschliessen soll" *).

Eine Reihe von Festlichkeiten andrer Art liess Graf Buol in den nächsten Tagen noch folgen; er legte sichtlichen Gewicht darauf, die Eröffnung seinerseits so glänzend wie möglich zu feiern. Dass es ihm gelungen wäre, die öffentliche Meinung auch nur in Frankfurt lebhaft dadurch anzustacheln, ist wohl kaum wahrscheinlich, wenn es auch an officiellem Schaugepränge und neugierigem Zudrang nicht fehlte. Im übrigen Deutschland war die Aufnahme, welche das langerwartete Ereigniss fand, auch nur kühl. Smidt hätte wenigstens für Bremen gern ein wenig nachgeholfen und schlug zu dem Zweck vor, die Bundesacte, die noch nicht als Bremisches Gesetz bekannt gemacht war, jetzt zu publiciren, sie von den Kanzeln verlesen zu lassen und dabei ein eigenes Dankgebet anzuordnen. Das Ereigniss sei so wichtig für uns, dass es diese Auszeichnung wohl verdiene, denn die Selbstständigkeit unseres Staates sei allem menschlichen Ansehen nach noch nie so fest begründet gewesen wie jetzt. Gewissermassen als Surrogat für die unterbliebene kirchliche Feier in Frankfurt und zum ersten historischen Beweise, dass die Schuld daran nicht Bremen zur Last falle, hatte er selbst ein Te Deum oder Nun danket alle Gott unbedenklich dabei singen lassen, und war überzeugt, es würde solch eine Anordnung dem Senat in der öffentlichen Meinung zu grosser Ehre gereichen. Dass man in Bremen diese Ansicht nicht theilte, und die Motivirung, unter der man den Vorschlag ablehnte, mag dann wohl mit dahin gewirkt haben, ihn zu der richtigeren Einsicht zu bringen, dass der in ganz Deutschland mehr oder minder herrschende Unglaube an ein kräftiges Leben der Bundesversammlung auch in seiner Heimat weit verbreitet sei. Aber er liess sich dadurch

*) Ein [illegible] Bremer Zeitung vom 19. Novbr. 1816.

nicht entmuthigen, sondern benutzte nur um so eifriger jede Gelegenheit, um hoffnungsreicheren Anschauungen im Publikum die Bahn zu öffnen. Dass es mit Worten und ertragreichen Reden nicht abgemacht sei, wusste er recht gut. Das Volk verlangte Thaten um zu glauben, und zu Thaten die Bundesversammlung anzustacheln war denn auch Smidts eifrigstes Streben. Er verhehlte nicht, dass ihm und seinen Freunden aber geholfen werde und mit festem Vertrauen erwartete er deshalb binnen kürzerer oder längerer Frist einen Umschwung der öffentlichen Meinung. Dieses Vertrauen ward getäuscht, es gelang der Bundesversammlung in dem halben Jahrhundert ihres Bestehens nicht ein einziges Mal einen Anflug von Popularität zu gewinnen, man müsste denn die Acte hervorheben wollen, durch welche sie zuletzt ihrem eigenen Dasein ein Ende machte. Fragt man sich nun aber (und die Frage liegt nahe) wie kam es, dass Smidt bei seiner scharfen Beobachtungsgabe sich solcher optimistischen Täuschung hingab? so wird man um die Antwort nicht verlegen sein. Er, der alle Factoren der wirklichen Welt so sicher in Rechnung zu setzen wusste, [illegible] unter sie einen Factor, den er nicht von aussen sondern aus seinem eigenen Innern gewonnen hatte. Er selbst war von einem klaren, man könnte sagen nüchternen, aber aufrichtigen Patriotismus erfüllt, er selbst fühlte, dass in dem Rahmen der Bundesversammlung für einen Mann wie er nur die dürftigste Gelegenheit zu nützlicher vaterländischer Wirksamkeit geboten sei, er selbst besass den ernstlichen Willen und das tiefe Pflichtgefühl diese Gelegenheit nicht ungenutzt vorübergehen zu lassen. Sein Irrthum war, dass er diesen sittlichen Mächten, deren Kraft er in seinem Herzen spürte, eine grössere Herrschaft auch bei andern prophezeite, als sie gewinnen konnten. Es war ein Irrthum, der dadurch begünstigt wurde, dass seine nächsten Genossen in [illegible] Mitte Männer von seinem Schlage waren, dass in seiner eigenen Heimat die Gesinnungen, die er hegte, von den tonangebenden Kreisen getheilt wurden, und dass er von der gleichsam ansteckenden Kraft des Guten eine nicht geringe Meinung hatte. Diese Kraft, die sich in den Momenten des Wirkens so mannigfach bewährt, die in dem Umschwunge zu

Baiern und Würtemberg eine so [illegible] Behandlung gefunden, sollte, so hoffte er, in den republikanischen Formen der Bundeslehre der [illegible] theilhaftig werden und üppig wuchern. Das Gegentheil war der Fall. Die Verfassung des deutschen Bundes wäre ein Musterstatut für ideale Bundesgenossen gewesen; aber für Völker die einander beneideten, für Staaten, die mit einander rivalisirten, für Interessen, die sich gegenseitig bekämpften, war sie nicht geschaffen. Für die fehlte in ihr das, was in solchen Ämtern unnöthig und selbst gefährlich war, ein dominirender Einfluss. Zu glauben, dass dieser Einfluss mit zwingender Macht von einer Idee ausgehen könne, von der Idee des gemeinen Besten und der Wohlfahrt des Vaterlandes; zu glauben, dass diese Idee sich in und aus der „Amphiktyonenversammlung Deutschlands“ das Organ, ihre Macht zu üben, schaffen könne, das war ein Irrthum. Jene Idee existirte zwar und liess sich nicht unterdrücken; aber sie liess sich sehr wohl aus dem Rahmen des Bundestages herausdrängen und durch allerlei Blendwerk ersetzen, das ihren Namen trug und ihr Gegentheil war. Aus dem Taxis'schen Pallaste verbannt fristete diese Idee — auch hier nicht selten in wunderlichen Zerrbildern — Jahrzehnte lang ihr Dasein in den Köpfen und Herzen von Dichtern und Journalisten, von Studenten und Handwerksburschen, von schwärmerischen Demagogen und behaglichen Wirthshauspolitikern, hier entfaltete sie wirklich jene anziehende Kraft, die sie in der Eschenheimer Gasse nicht zu üben vermochte, und hier lernte sie mit richtigem Instinkt, dem die bundestäglichen Begriffe sehr wohl zu Statten kamen, erkennen, wo ihr wahrer Feind wohne und welche feste Burg sie zertrümmern müsse, ehe ihre Herrschaft in deutschen Landen begänne. An der Begründung dieser Herrschaft mitgearbeitet zu haben, ist die dankbarere Aufgabe. Aber wer die gefährliche Zwingburg des Bundestages mit errichten half in der ehrlichen Absicht, sie zur festen Citadelle des Deutschthums zu machen, der ist vielleicht zu beklagen, dass er den wahren Grundgedanken seiner Genossen am Bau nicht früher durchschaute (wenn er gleich andrerseits in jedem Fall zu [illegible] war sie zu verstehen); aber die lauteren

Beweggründe, die ihn trieben, und die idealistischen Hoffnungen, die ihn beseelten, wird Niemand tadeln oder verkennen, und am wenigsten wir, die wir das deutsche Reich zwar mit besserem Fug, als Sand den deutschen Bund, aber doch aus denselben Gründen preisen und verehren, weil es Deutschland wieder als Macht zeigt in der Reihe der Völker, und weil es die Selbstsicherheit unserer Stadt fester begründet hat, als je zuvor

Die Gründung Bremerhavens

von Wilhelm von Bippen.

Es ist heute unbestritten, dass die gegenwärtige Handelsgrösse Bremens ihr Fundament hat in jenem Hafen an der Wesermündung, dessen Schöpfung unzertrennlich verbunden ist mit dem Namen Johann Smidts. Wie Smidt einen wesentlichen Antheil hatte an den Verhandlungen, welche im Reichsdeputationshauptschluss dem bremischen Staate einen [illegible], nicht länger von fremden Elementen durchsetzten, Körper schufen, wie es dann seinen unablässigen Bemühungen gelang, diesem Staatskörper nach der napoleonischen Zeit ein neues selbständiges Leben zu geben, so ist es in besonderem Grade sein Verdienst, diesem Gemeinwesen, indem er ihm einen eigenen Seehafen schuf, neue Lebensenergie, die Gewähr dauernder Existenz verliehen zu haben. Vielleicht würden die beiden ersten jener drei grossen Errungenschaften, welche die neueste Epoche der bremischen Geschichte einleiten, schon heute aufgehört haben, Wirksamkeit zu üben, wenn nicht die Gewinnung eines Antheils an der deutschen Meeresküste Bremen über die Bedeutung einer Provinzialstadt emporgehoben hätte. Umschlossen von einem eifersüchtigen Nachbarn hätte es unter den erneuten Erschütterungen des Territorialbestandes in Deutschland leicht das Schicksal jenes Nachbars theilen können, wenn ihm nicht die durch seine Welthandelsbeziehungen errungene, weit über das Maass seiner materiellen Kräfte hinausgehende Bedeutung den Muth zu einer selbständigen Politik gegen Hannover eingeflösst hätte. Smidt hatte in den Jahren 1814 und 1815 die Selbständigkeit der Hansestädte vor Allem aus dem Gesichtspunkte vertheidigt, dass nur in diesen republikanischen Gemeinwesen der Handelsstand sich ungе-

fassen könne, wie er für Deutschland nothwendig sei; aber Bremen befand sich in den nächsten Jahren nach Wiederherstellung des Friedens keineswegs in einer Lage, die geeignet war grosse [illegible] in eine dauernde Blüthe seines Handels [illegible].

Die Stadt hat von jeher eine sehr schwierige Stellung unter den deutschen Seehandelsplätzen gehabt. Jahrhunderte lang sah sie zwar die kleineren Seeschiffe jener Zeiten auf der damals unvergleichlich viel wasserreicheren Weser unmittelbar vor seinen Mauern ankern, aber nicht jedes Schiff, das glücklich die Mündung des Stroms erreicht hatte, kam auch unversehrt bis an die Stadt. Immer und immer wieder waren sie den räuberischen Angriffen der Friesen zu beiden Seiten des Stroms ausgesetzt, die ganze mittelalterliche Geschichte Bremens ist erfüllt mit Kämpfen um die Beherrschung des Weserstroms, „des königlichen Stromes" wie die Bremer gern betonten, die frei sein sollte bis „in die salze See". Jene Kämpfe hatten im Beginne des 15. Jahrhunderts zu einem ausserordentlich günstigen Resultate für Bremen geführt, es beherrschte damals weite Strecken des unteren Wesergebietes zu beiden Ufern, am linken das Stad- und Butjadinger-Land, am rechten das Land Würden, das Amt Bederkesa mit dem Flecken Lehe und die wenig unterhalb der Stadt gelegenen Schlösser Blumenthal und Stotel. Im Besitze dieser Herrschaft, welche ihm eine werthvolle Stütze an der Mündung des Stroms und die wichtigsten Punkte am unteren Laufe desselben in die Hand gaben, konnte Bremen seinen Handelsverkehr völlig gesichert halten. Aber schon nach wenigen Jahren gingen die Länder am linken Ufer ihm wieder verloren, bald nach Beginn des 16. Jahrhunderts war von dem ganzen Gebiete, ausser Blumenthal und Neuenkirchen, nur noch Bederkesa und Lehe unter bremischer Hoheit. Das war freilich wichtig genug. Eben das Gebiet, auf welchem heute Bremerhaven steht, hielt die Stadt damit in freien Händen, von dort aus konnte sie seine Wachtschiffe in die Mündung des Stroms legen, die ankommenden Schiffe fanden in der wenig nordwärts von Lehe in die Weser mündenden Geeste bei stürmischem Wetter oder gegen feindliche Angriffe einen willkommenen Zufluchtsort unter stadtbremischem Schutz.

Aber der Gedanke, jenes Gebiet an der Geeste zu einer grösseren Hafenanlage zu benutzen, wie man eine solche im Beginne des 17. Jahrhunderts bei Vegesack an der Mündung der Lesum in die Weser herrichtete, lag doch jener Zeit noch völlig fern. Der weite Abstand Lehes von Bremen mochte damals den Transport der Waaren vom Hafen in die Stadt zu gefährlich erscheinen lassen, wie die Schiffe selbst mochten so nahe dem Meere, so fern der Stadt für nicht genügend gesichert gelten. Es war vielleicht ein Glück für Bremen, dass der Gedanke zu jener Zeit entweder gar nicht auftauchte oder doch jedenfalls verworfen wurde, denn schwerlich hätte die Stadt damals und für lange Zeit die Früchte einer solchen Anlage geerntet, wie sie es in der friedlicheren Entwickelung des 19. Jahrhunderts gethan hat. Schon während des dreissigjährigen Krieges hatte die für die Ueberwachung der Wesermündung bedeutende strategische Wichtigkeit jenes Punktes demselben eine für Bremen keineswegs angenehme Beachtung zuerst von den kaiserlichen Truppen, sodann von dem dänischen Prinzen Friedrich, der seit 1634 auf dem erzbischöflich bremischen Stuhle sass, eingetragen. Als dann im westfälischen Frieden das Herzogtum Bremen in Schwedens Hände fiel, war es bald um Bremens Stellung an der Unterweser geschehen. Im Stader Vergleich vom Jahre 1654 musste die Stadt, um nur im [illegible] übrigen Besitzstande ungefährdet zu bleiben, Bederkesa und Lehe an Schweden abtreten. Sie sah sich fast ausschliesslich auf ihr kleines Stadtgebiet beschränkt, fast allen Einflusses auf den Strom, die Pulsader ihres Lebens, beraubt. Und wenn auch keine Strandräuber die Weser mehr bedrohten, so war die Freiheit des Verkehrs auf derselben doch in anderer Weise empfindlich beschränkt. Schon seit dem Beginn des 17. Jahrhunderts hatten die Grafen von Oldenburg Anspruch an die Erhebung eines Zolles bei Elsfleth gemacht, es waren darüber langjährige Streitschriften zwischen Bremen und Oldenburg gewechselt worden, aber im Frieden von 1648 war der Anspruch des oldenburgischen Grafen ausdrücklich bestätigt, und damit eine Plage legalisirt, welche den bremischen Handel zwei Jahrhunderte lang schwer gedrückt hat. Dazu kam, dass die Schweden ernste Miene machten, Bremens Stellung

13*

[illegible] zu untergraben. Im Jahre 1672 faßte König Karl XI. den Entschluss nördlich von der Geeste an der Weser, wo heute der Bremerhaven liegt, nicht nur eine Schanze zu errichten, wie eine solche schon zur Zeit des dreissigjährigen Krieges von den Dänen dort angelegt war, sondern auch ein Handelsemporium daselbst zu eröffnen. Noch während man mit der Anlage der weitausgedehnten Befestigung beschäftigt war, unterzeichnete der König am 16 März 1674 ein Diplom, in welchem der Karlsburg, wie die künftige Stadt nach ihrem Gründer heissen sollte, bedeutende Rechte zugesichert wurden, unter denen sogar — merkwürdig genug — sich die Gewerbefreiheit fand*). Wenn diese Anlage, deren Bedeutung für den Handels- und Schiffsverkehr das Privileg ausdrücklich betonte, von Erfolg war, so stand es übel genug um Bremen, es wurde dann im Laufe der Zeit zu einem binnenländischen Handelsplatz herabgedrückt. Man scheint darüber in unserer Stadt nicht im Unklaren gewesen zu sein, aber was sollte man gegen die schwedische Grossmacht thun? Zum Glück kam die europäische Constellation der geängsteten Stadt zu Hülfe. Während sie selbst eine zweifelhafte Neutralität beobachtete, eroberten holländische und brandenburgische Kriegsschiffe die Karlsburg am 13 Januar 1675, und wenn dieselbe auch mit den Herzogthümern im Frieden von 1679 an Schweden zurückfiel, so hatte doch dieses den Muth zu den früheren Plänen verloren. Im Jahre 1686 demolirten die Schweden selbst die Werke. Aber der glückliche Gedanke war damit nicht erloschen; im Jahre 1694 nahm ihn ein Amtmann von Bremervörde Joh. Ernst Rist in einer Denkschrift über den Zustand der Herzogthümer Bremen und Verden wieder auf und kaum war Karl XII. im Jahre 1697 auf den schwedischen Thron gestiegen, als er mit dem ihm eigenen Ungestüm die Absicht seines Vaters aufs neue ergriff. Er gedachte sich dazu der aus Frankreich vertriebenen Evangelischen zu bedienen und erliess deshalb Befehle an seine Gesandten in England, Holland und Frankreich, während gleichzeitig ein Plan für die Stadtanlage gemacht wurde. Die

*) S. [illegible] Versuche [illegible] an der unteren Weser im Bremischen Jahrbuch I. S. 38 ff.

europäischen Kriege des Königs haben indes auch diesmal den Plan nicht zur Ausführung kommen lassen.

Ein Jahrhundert lang ruhte dann der Gedanke Karls XI., während Bremens Schiffsverkehr durch die zunehmende Versandung der Weser in eine immer precärere Lage kam. Längst konnten die grösseren Seeschiffe nicht mehr bis Vegesack hinaufkommen; sie mussten bei dem durch den Elsflether Zoll so verhassten Oldenburg zu Gaste gehen, da das Fahrwasser sich ganz auf die oldenburgische Stromseite gewandt hatte, und bei Brake oder noch weiter unterhalb beim Grossensiel ankern. Man sollte denken, dass unter diesen misslichen Umständen in Bremen selbst ernstlich auf eine Besserung derselben Bedacht genommen wäre, zumal gegen Schluss des Jahrhunderts durch die Eröffnung des Handels mit Nordamerika ein lebhafter Geschäftsaufschwung erfolgt war. Durch schnelles Zugreifen war es einigen bremischen Handelshäusern gelungen, den bedeutendsten Antheil am amerikanischen Tabakshandel zu gewinnen, ein Geschäftszweig, in dem bekanntlich Bremen noch heute den deutschen Markt beherrscht. Aber es fehlte an der leitenden Energie, als im Jahre 1798 der Advocat Wagner aus Celle, ein intelligenter und mit den Küstenverhältnissen Hannovers genau bekannter Mann, hier vertraulich seinen Plan darlegte, durch eine bremisch-hannoversche Handelsgesellschaft, welche unter der Direction einiger Mitglieder des Bremer Raths stehen sollte, auf der Stätte der alten Karlsburg ein Hafenetablissement zu errichten, oder aber zur Umgehung des Elsflether Zolls einen Canal von der Geeste zur Lesum zu bauen.

Wagner hatte, schon ehe er sich nach Bremen wandte, den ersten Theil des Plans in Hannover mitgetheilt, war aber abschlägig beschieden worden. Jetzt musste er erfahren, dass trotz einzelner Freunde, die sich der Plan in Bremen gewann, hier doch, zumal in der Kaufmannschaft, kein Verständniss für ein grossartiges Risico vorhanden war, welches durch einmalige bedeutende Opfer den bremischen Handel auf selbständige Füsse stellen und ihn von den Schikanen des feindlichen Nachbars befreien wollte. Freilich ist bei Beurtheilung der damaligen Sachlage nicht zu vergessen, dass es sich um ein durch Private auszuführendes Unternehmen handelte, dessen dauernde Haltbarkeit man mit Recht bezweifeln mußte, und nur das zeigte die Kurzsichtigkeit der kaufmännischen Beurtheiler des Plans, daß man ihn ein Project nannte, „wodurch eigentlich die hannoverschen Lande nur könnten in der Folge beglückt werden." Als dann das hannoversche Commerzcollegium sich noch dem Plane näher trat und sich lebhaft machte, indem es die [illegible] Summe von 3000 Thalern zur Ausführung desselben bestimmte, mußte sich Wagner wohl überzeugen, daß sein Streben vergeblich sei.

Indess schlummerte der angeregte Gedanke doch in Bremen nicht zugleich wieder ein. Als im Frühjahr 1801 der Senator Dr. Georg Gröning nach Paris gesandt wurde, um am Hofe des ersten Consuls die Interessen der bremischen Republik zu vertreten, da wurde ihm neben den wichtigsten Angelegenheiten, der Erwerbung der hannoverschen Enclaven innerhalb des bremischen Gebiets und der Beseitigung des Elsflether Zolls, auch aufgetragen, auf die Erwerbung eines Hafenplatzes an der Unterweser bei [illegible] Bedacht zu nehmen. Aber kaum war Gröning in Paris angekommen, als er selbst rieth von dem letzten Punkte für jetzt abzusehen. Er hatte offenbar eingesehen, welchen Schwierigkeiten schon seine beiden ersten Anträge begegnen würden, und [illegible] er [illegible] halten, dieselben nicht durch die dritte Forderung noch zu steigern. Die schweren Kriegszeiten, die dann folgten, mussten auch diesmal das Nichtgelingen des Plans als glücklich erscheinen lassen.

Der Frieden war [illegible] kaum zurückgekehrt, als die Idee rasch neu auftauchte und zwar diesmal von Seiten des Mannes, dem ihre endliche glückliche Durchführung zehn Jahre später zu verdanken ist. Als im Mai 1816 Smidt in Frankfurt die Verhandlungen wegen Aufhebung des Elsflether Zolles begann, fiel es ihm ein in einer Unterhaltung mit dem oldenburgischen Bevollmächtigten von Berg, die mit Hülfe Hannovers durchzuführende Anlage eines Hafenplatzes am rechten Weserufer als Drohung gegen Oldenburg hinzuwerfen. Den damit geäusserten Gedanken erörterte er dann näher mit dem hannoverschen Minister von Martens und fand bei diesem ein [illegible] bereitvölligen Reorganisationen. Unter dem 15. Mai berichtete er darüber an den Senat und empfahl die Erwägung des Planes um so mehr, als sich Bremen gegenwärtig im freundschaftlichen Einverständnisse mit Hannover befinde, freilich fügte er damals hinzu: „ich denke hiebei nicht so an Acquisition von Land und Leuten, die Hannover doch nicht zugestehen würde und die uns im Grunde wenig frommen, sondern an Handelsvortheile [illegible] Art, die im Grunde auch nicht ohne Vortheil für Hannover sind." Der Gedanke fand aber keineswegs den Beifall seiner Collegen im Senat, und zwar aus Gründen, deren Unrichtigkeit zehn Jahre später durch die That erwiesen wurde. Am 23. Mai antwortete ihm Gröning: „Die von Dr. Martens und Berg hingeworfenen Ideen, etwa mit der hannoverschen Regierung an dem rechten Weserufer zu verabredenden Anker- und Löschungsplatzes, um für Bremen eine Concurrenz und eventuell eine Zuflucht gegen dortige Vexationen zu finden, ist als eine Demonstration bei den vorseienden Verhandlungen und gegen die Vexationen sehr angemessen in der Wirkung bemerkt worden. Es ist aber zugleich von allen des Fahrwassers Kundigen so bestimmt behauptet, dass oberhalb Geestendorf am rechten Weserufer durchaus kein Ankerplatz möglich, bei Geestendorf aber oder noch unterhalb die Einrichtung desselben der Fluth und der Strömung wegen unthunlich sei, auch dass diese Localität den Behörden und dem Herzog von Oldenburg selbst so wohl bekannt sei, dass der Wirkung die Ansicht fände, es könnte eine ernstlichere Betrachtung dieser Sache zu nichts führen und vielleicht, wenn die Gegner der Unausführbarkeit des Planes gewiss würden, eher schädlich wirken. Es ist deshalb auch keine eigentliche Commission zur Untersuchung der Sache angeordnet, obgleich jeder, der noch genauere Nachrichten über die Localität einzuziehen im Stande ist, solche zu Stellen zu bewirken übernommen hat." So wurde die Sache wieder bei Seite gelegt. Wahrscheinlich aber war es doch eine Folge dieser von Smidt ausgehenden Anregung, dass Hannover wenig später die Angelegenheit aufs neue und diesmal ernstlicher ins Auge fasste.

Die Regierung kaufte Landstrecken an der Geeste und Weser, um hier in der unteren Geeste einige Dock [illegible] einschlagen, an denen die Schiffe festliegen konnten, sie erbaute ein Hafenhaus und setzte einen Hafenmeister daselbst ein und traf einige andere Vorkehrungen, welche die Bequemlichkeiten der dort ankernden Schiffe dienten. Das geschah im Jahre 1618. Es war damit immerhin ein günstig gelegener Nothhafen gewonnen, in welchem einlaufende Schiffe vor schwerem Sturm oder auf der unteren Weser ankernde Fahrzeuge vor dem Eisgang des Frühjahrs sich schützen konnten; aber es fehlte doch viel, dass damit den wachsenden Bedürfnissen der bremischen Seeschifffahrt auch nur entfernt genügt war. Die Ausstattung der Geeste, eins der ersten Erfordernisse für einen ordentlichen Hafen, war ganz unterblieben, so dass zur Ebbezeit die dort ankernden Schiffe vollkommen im Schlick sassen und selbst zur Fluthzeit war das Fahrwasser so enge, dass oberhalb liegende Fahrzeuge nur dann in die Weser laufen konnten, wenn die weiter unten ankernden vorher hinausgelegt worden. Ferner war es bei westlichen und nördlichen Winden, welche die Schiffe zum Auslaufen aus der Weser doch bewegen brauchen konnten, unmöglich aus der Geeste zu legen, ein Uebelstand, dem nur durch einen zweiten Ausgang aus dem Hafen hätte abgeholfen werden können.

So sah sich Bremen nach wie vor im wesentlichen auf die oldenburgischen Hafenanstalten und Löschplätze angewiesen. Diese genügten allerdings den augenblicklichen Erfordernissen der bremischen Schifffahrt einigermassen, aber es mussten sich ernstliche Sorgen für unsere Stadt geltend machen, sobald Oldenburg sich dazu aufraffte nicht mehr blos die Dienerin des bremischen Handels sein zu wollen, sondern selbstthätig an den Vortheilen des internationalen Verkehrs theilzunehmen, Bremen eine gefährliche Concurrenz zu machen. Dazu aber musste der Vorzug seiner Lage, die Beherrschung des wichtigsten Theils des Weserstroms es von selbst auffordern, auch wenn nicht noch ein politischer Umstand hinzutrat, der das Nachbarland in eine feindselige Stimmung gegen unsere Stadt versetzte. Im Jahre 1820 wurde in Folge der eifrigen und geschickten Bemühungen Smidts beim Bundestage der Elsflether Zoll, der trotz seiner Aufhebung durch den Reichsdeputationshauptschluss ruhig fortbestanden und gleich nach der französischen Zeit wieder eingerichtet war, dadurch beseitigt. Der bremische Handel hatte dadurch die Befreiung von einer drückenden Fessel erhalten, aber gleichzeitig sich die bittere Feindschaft eines der Staaten zugezogen, auf dessen freundnachbarliche Gesinnung er zu seinem Gedeihen nicht zu verzichten rechnen mußte. Die Animosität des Herzogs von Oldenburg gegen Bremen hatte, wie Smidt sich in der ersten Verhandlung wegen der Hafenanlage gegen den hannoverschen Minister ausdrückte, seit Aufhebung des Elsflether Zolls fast den Charakter einer persönlichen Leidenschaft angenommen, die von seinen Ministern eher angefacht als gemildert wurde. Von diesem Zeitpunkte an war die bremische Schifffahrt vollkommen der Willkür Oldenburgs preisgegeben. Die Handhabung der Quarantaine auf der Weser hatte es allein in Händen und benutzte diese Anstalt zu bequemer Bereicherung der Staatskassen und schwerer Schädigung des Handels. Auf unbestimmte Gerüchte von dem Ausbruche einer Fieberepidemie in einem westindischen Hafenplatz wurden auch Schiffe, die aus andern transatlantischen Häfen auf die Weser kamen, selbst wenn sie reine Gesundheitspässe hatten und die ärztliche Untersuchung die Gesundheit der gesammten Mannschaft constatirte, oft mehrere Tage aufgehalten und zu unnützen Kosten veranlaßt. Die oldenburgischen Lootsengesellschaften monopolisirten bei der Lässigkeit der Hannoveraner das Geschäft des Einholens und Ausbringens der Schiffe fast vollständig. Die Bestimmung der Hafengebühren und Liegegelder fand gleichfalls keine maßgebende Norm in einer Concurrenz fremdstaatlicher Häfen. Die mangelnde Integrität der Quarantaine- und Hafenbeamten, die zum Theil gewissermaßen im Solde einzelner bremischer Handelshäuser standen und deren Schiffe und Ladungen in der ungebührlichsten Weise begünstigten, trug noch mehr dazu bei, Verhältnisse unleidlich zu machen, deren vielfache Unbequemlichkeiten sich auch den Bremern täglich zeigen mußte. Die weite Entfernung der Ankerplätze von dem Orte, auf den die Güter consignirt waren, die dadurch nothwendig gemachte häufige Abwesenheit des Schiffers von seinem Fahrzeuge, der Mangel einer guten Landcommunication mit den oldenburgischen Uferplätzen, der zumal im Winter, wenn Frost oder Eisgang den

Stromverkehr behinderten oder völlig ausschlossen, sich in empfindlicher Weise geltend machte, alles Das bot zu zahlreichen Beschwerungen steten Anlass.

Dazu kam nun das Bestreben der oldenburgischen Regierung ihren Hauptverkehrsplatz, das kleine Brake, allmählich zu einem wirklichen Concurrenzort für Bremen zu machen. Ueber diese längst bemerkbare Tendenz wurden dem bremischen Senate im Jahre 1825 die Augen vollends geöffnet. Im Mai jenes Jahres befand sich der Senator Gildemeister in Berlin, um wegen eines über die Erhebung des durch die Weserschifffahrtsacte vom Jahre 1823 normirten Lastgeldes zwischen Bremen und Oldenburg ausgebrochenen Streites mit der preussischen Regierung zu verhandeln. Bei dieser Gelegenheit erhielt er Kunde und Abschrift von einer Instruction, welche das oldenburgische Ministerium unter dem 30. April 1821 an seine Consuln erlassen hatte. Die versteckte Absicht dieser Consularinstruction ist die, die bis dahin im Seeschifffahrtsverkehr festgehaltene Fiction, als sei Bremen ein Seehafen, die sich in den auf den „Port of Bremen" lautenden Certificaten ausdrückte, zu vernichten und statt dessen, dem wahren Sachverhalt entsprechend, das oldenburgische Brake als den eigentlichen Weserhafen in die Connossemente und Schiffslisten einzuführen. Zu diesem Zwecke heisst es im § 13 der Instruction: „Die Stelle solcher Urkunden (der Ladungscertificate) wurde bis zum Jahre 1820 von den Elsflether Zollpassen vertreten. Seit dieser Zeit, wo nicht wohl schon früher, hat aber die Hansestadt Bremen geglaubt, solche ertheilen zu können. Es fällt jedoch in die Augen, dass Eingangs-Manifeste nur da, wo die Entladung eines Seeschiffes geschieht, und Ausgangs-Manifeste auf gleiche Weise nur da, wo ein solches Schiff seine Befrachtung erhält, von den dazu competenten Officialen mit Sicherheit und Zuverlässigkeit ausgestellt werden, nicht aber von den Officialen einer auswärtigen Obrigkeit, welche die Entladung oder Befrachtung gar nicht unter Augen haben, 4, 5 und mehrere deutsche Meilen davon entfernt sind, und dergleichen öffentliche Glaubwürdigkeit erfordernde Urkunden in Beziehung auf Vorgänge in einem dritten Staat auszustellen gar nicht befugt sein können." Es ist daher einleuchtend, wie gefährlich es besonders in Kriegszeiten werden

in Beziehung auf ein auswärtiges Stromgebiet von Bremen aus geschehen ist."

Die im Schlussparagraphen hinzugefügten Worte, es sei keineswegs die Absicht der herzoglichen Regierung durch diese Bemerkungen den Flor des bremischen Handels zu schädigen, an dessen Blüte vielmehr ihr im eigenen Interesse sehr viel gelegen sei, konnten natürlich den Eindruck nicht verwischen, dass Oldenburg es auf eine radikale Veränderung der Schifffahrtsverhältnisse auf der Weser abgesehen habe. Und es liegt auf der Hand, welche Bedeutung es haben musste, wenn es Oldenburg gelang seine Absicht durchzusetzen. Verschwand der Name Bremen aus den Schiffspapieren, so würde es allmählich im internationalen Verkehr vergessen, es würde „aus der Reihe der Seehandlung treibenden Staaten ausgemerzt" und sank zu einem binnenländischen Stapelplatz herab. Wenn dann Oldenburg auch die durch die Weserschifffahrtsakte für die Stromzollstätten angeordneten Verificationspapiere ausstellte, so führten die Leichterschiffe die für das Binnenland bestimmten Güter gegen Erlegung des festgesetzten Zolls von 60 Pfennigen für das Schiffspfund von 300 Pfund bremisch an der Weserstadt vorbei, und sobald es gelang einige intelligente Kaufleute nach Brake zu ziehen, welche den Handel für eigene Rechnung betrieben, musste das Geschäft im Laufe der Zeit den bremischen Händen entwunden werden. Ein heller Sehenden und Smidt vor Allem blieben aber diese Gefahren keinen Augenblick im Zweifel und ihre Besorgnisse mussten dadurch erhöht werden, dass neben vielen einzelnen Unrichtigkeiten und Entstellungen, welche die Instruction enthielt, doch das Wesentliche, die Nichtexistenz eines bremischen Seehafens, sich nicht leugnen liess. Auch begann die vor einem Jahre erlassene Instruction bereits Früchte zu tragen. Zwar hatten sich die oldenburgischen Behörden seit einigen Jahren vergeblich bemüht „die holländischen und dänischen Schiffe zu disponiren, ihre Connossemente auf Brake zu zeichnen, indem sie ihnen deutlich gemacht, sie brauchten dann nicht auf das Begehren der Bremer Kaufleute die Waaren noch so viel höher zu bringen, als der jedesmalige Wasserstand erlaubt, und könnten in Brake die Frachtgelder fordern, die sie sonst aus Bremen holen müssten, es helfe dies wegen der Weigerung der bremischen Kaufleute, sich solche Commissionsbeträge gefallen zu lassen, nicht vorschlagen wollen"; *) aber der englische Consul zu Brake, Macgregor, hatte doch seit zwei Jahren die meisten kleineren Schiffe von Hull und anderen Plätzen veranlaßt, zu ihren Papieren Brake als Bestimmungsort aufzunehmen und die neuesten englischen Schiffslisten führten in der That eine Reihe von Schiffen als nach oder von Brake bestimmt auf.

Unter diesen Umständen sah sich der Senat veranlaßt, am 1. Juni 1826 gleich nach Empfang jener Consularinstruction seine Commission für die auswärtigen Angelegenheiten, an deren Spitze Johann Smidt stand, zu beauftragen, die Mittel in ernstliche Erwägung zu ziehen, mit denen man den oldenburgischen Absichten entgegen treten könne. Schon einige Monate früher war der gleichen Commission aufgegeben, über eine Neuordnung der Quarantäneanstalten auf der Weser Berathung zu pflegen, da eine im Spätherbst 1825 einseitig von Oldenburg angeordnete Sperrung der Weser gegen alle mit Helgoland in Berührung gekommenen Schiffe die Unzulänglichkeit der gegenwärtigen Handhabung jener Anstalt aufs neue erwiesen hatte. Bei diesen Berathungen war man zu dem Entschlusse gekommen, sich wegen Einrichtung einer den drei Uferstaaten der Unterweser gemeinsamen Quarantäneanstalt zunächst mit Hannover in Verbindung zu setzen. Auch die Erwägungen über die neuesten Manipulationen Oldenburgs mussten dazu führen, die Handelsgenossenschaft Hannovers zu suchen.

Bei dieser Sachlage war es, wo in Smidts Haupte der Gedanke auftauchte, das [illegible] zu einer eigenen Hafenanlage für Bremen zu erwerben. Eine von Smidts Hand aufbewahrte Notiz sagt uns, dass dieser Gedanke, den er 1818 ausdrücklich abgelehnt hatte, in der Nacht vom 31. Mai zum 1. Juni 1826 geboren wurde. Seine Vaterstadt befand sich in kritischer Lage, aber er hatte ihre Selbständigkeit schon aus schwierigeren Verhältnissen gerettet, wie sollte es nicht jetzt möglich sein, wo neben dem Ziele, die unabhängige Bewegung des

*) Aus „Bemerkungen zu der Instruction" [illegible] Bremer Archiv.

bremischen Handels, zugleich das Mittel, die Verlegung der Schiffsanker(?) vom linken auf das rechte Weserufer durch Herrichtung eines eigenen bremischen Seehafens auf hannoverschem Boden, sofort sich ergab? Freilich wie Bremen in den Besitz dieses Mittels kommen sollte, das war nicht ohne weiteres beantwortet. Aber wie Smidt das als nothwendig erkannte Ziel mit staatsmännischer Energie erfasste und es dann mit der zähen Ausdauer eines um seine Erfolge ringenden Mannes festhielt, so durfte er der Vermittlung seines Geistes, dem oft erprobten diplomatischen Talente vertrauen, dass sich ihm die Wege zur Ausführung des grossen Zweckes ebnen würden.

Ohne Aufschub trat er in Besprechung mit seinen Collegen in der auswärtigen Commission, unter denen namentlich der Senator Heineken, der schon Bremens Vertreter bei den Verhandlungen über die Weserschifffahrtsregulirung gewesen war, sich aufs wärmste den neuen Plänen hingab. Ferner aber zog er einige [illegible] Kaufleute zu Rathe, die Aeltermänner Boltz, Fritze und Benkwald, von denen der erstgenannte bereits am 6 Juni ein Memoire an Smidt einreichte, in welchem er die Nothwendigkeit der von Smidt geplanten Hafenanlage und der schleunigen Inangriffnahme der Verhandlungen mit Hannover in klarer und scharfer Weise auseinandersetzte. Am 12 und 13 Juni machten Bürgermeister Nonnen und Aeltermann Fritze eine Inspectionsreise nach Geestendorf und brachten die Ueberzeugung von der Möglichkeit einer dortigen grossen Hafenanlage nach Hause. Der Bericht, welchen Smidt über die gepflogenen Berathungen und gefassten Beschlüsse namens der Commission für die auswärtigen Angelegenheiten dem Senate am 17 Juni vorlegte, fasst in präciser Weise alle Verhältnisse zusammen, welche den Ausgangspunkt für die gleich darauf eingeleiteten Verhandlungen mit Hannover bildeten, und wird seine Wiedergabe durch sich selbst rechtfertigen.

„Bei Gelegenheit der letzten durch die Sperrung der Weser gegen alle seit Helgoland in Berührung gekommener Schiffe veranlassten Quarantaineverhandlungen mit Oldenburg wurde die Commission der auswärtigen Angelegenheiten beauftragt, darüber nachzudenken und zu seiner Zeit zu berichten, wie

nachtheilig für uns sei, unter Weserregiment auf unsern Handelsplatz beschränkt und diesen in einer Entfernung vom Meere etablirt zu sehen, wo der Betrieb des Seehandels nur durch Begünstigung künstlicher Hülfsmittel aufrecht erhalten werden kann. Aber wir befinden uns nun einmal in dieser ungünstigen Lage, wir bedürfen nun einmal entweder der Handels-Apathie der an der Niederweser belegenen Staaten, oder einer engeren Handelsallianz wenigstens mit einem derselben. Seit aber Oldenburg seiner Apathie gänzlich zu entsagen und eine eigene Handelspolitik kräftig auszuüben begonnen hat, und Hannover wenigstens Miene macht, ihm darin nicht ganz ruhig zuzusehen, sondern auch seinen Antheil daran für sich nehmen zu wollen, können wir es nicht bergen, dass wir gewissermassen in die Lage der holländisch-ostindischen Compagnie gerathen sind, welche sich in Batavia nur dadurch fortwährend zu erhalten gewusst, dass sie bald den sogenannten Kaiser von Java und bald den sogenannten Sultan von Java näher an sich zog und von ihrem Handelsverkehr gewisse Vortheile zuwandte, für welche sich einer derselben dann zu den Hülfsleistungen bereit fand, wodurch der jedesmalige gefährlichste Gegner unschädlich gemacht werden konnte.

„Bei der so offenbar feindseligen Stimmung Oldenburgs gegen Bremen kann an eine freundschaftliche Verbindung mit diesem jetzt nicht gedacht werden — es bleibt also nur Hannover übrig, das sich seit seinen Hauptdifferenzen mit uns [illegible] sind*), loyaler und gefälliger wie jemals gegen uns bewiesen. Bis diesen Augenblick dürfen wir doch annehmen, dass es freundlicher gegen uns steht, als gegen Oldenburg, da es von diesem bei mehreren Gelegenheiten schnöde und anmassend behandelt worden. Eins nach dem andern, dürfte es also Zeit sein uns mit Hannover zu gemeinschaftlichen Massregeln gegen die von Oldenburg projectirte Alleinherrschaft auf der Weser selbst zu verbinden.

„Hannover wünscht einen Theil des Handelsverkehrs, welcher die Niederweser belebt, auf das rechte Ufer derselben verlegt

*) Gemeint ist die Auseinandersetzung über die hannoverschen Besitzungen innerhalb des bremischen Gebiets im Jahre 18[illegible]

14

zu erhalten, es hat dazu durch Anlegung eines Hafens zu Geestendorf bedeutende Aufopferungen gemacht, die vielleicht nur deshalb zum Theil mislungen sind, weil es ohne gehörige Sachkunde und ohne Benutzung des Beiraths und der Erfahrung, welche die Praxis der bremischen Schiffahrt und des bremischen Handels ihm hätte darbieten können, dabei verfuhr, indem es wahrscheinlich bremische Eifersucht fürchtete. Könnte es dazu gebracht, könnte ihm begreiflich gemacht werden, dass es wirklich im bremischen Interesse liege, nicht in dem Grade wie bisher vorzugsweise an die Schifffahrtsanstalten des linken Weserufers gebunden zu sein, dass Bremen es vielmehr wünschenswerth finden müsse, Hannover mit Oldenburg concurriren zu sehen, dass es zur Erreichung dieses Zwecks selbst einige Aufopferungen nicht scheuen dürfte, so möchte Hannover sich hoffentlich nicht abgeneigt finden in nähere Verhandlung darüber mit uns einzugehen, die, zumal auf eine ersprießliche Weise eingeleitet und mit Bereitwilligkeit unterhalten, uns mehr als eine gute Gelegenheit darbieten müssten, den oldenburgischen Anmaßungen kräftiger als bisher begegnen zu können.

„Die Commission kann es daher nur rathsam finden bei Hannover vertraulich anzufragen, ob es zu einer solchen Verhandlung mit Bremen geneigt sei.

„Die nächste Veranlassung zu einer solchen Aufforderung liegt, wie bereits oben gesagt, in den Quarantaineverhandlungen, worüber Hannover uns bereits versprochen hat, aber es ist in diesen Tagen noch eine andere hinzugekommen, welche es dringend erscheinen lässt, nicht damit zu säumen.

„Es ist nämlich bereits durch die öffentlichen Blätter bekannt, dass man in Braunschweig die Anlage einer Eisenbahn nach Lüneburg beabsichtigt und darüber eingezogene Privaterkundigungen haben ergeben, dass in diesem Augenblicke bereits Verhandlungen deshalb zwischen der braunschweigischen und hannoverschen Regierung eröffnet sind.*) — Die Vortheile, welche der hamburgischen Handelsverkehr dadurch zum Nachtheil der bremischen erwachsen dürften, haben in unserer Börse

*) [illegible] später [illegible] der hannoverschen Regierung [illegible] keine officielle Kenntniss von dem Projekte.

das lebhafteste Bewegung erregt. Das Collegium [illegible] hat sich deshalb bereits in diesen Tagen außerordentlich versammelt, und der Senat dürfte darüber einen Antrag desselben zu erwarten haben, wenn er diesem nicht etwa durch einen, vielleicht als zweckmäßig von durch die Commission zu gebenden Wink, dass er diesem Gegenstande bereits seine [illegible] Aufmerksamkeit geschenkt, zuvorkommen sollte. — Dass sich gegen die Erwirkung eines solchen Planes [illegible] gar nicht [illegible] lasse, und dass, wenn er wirklich zu Stande käme, für Hamburg nichts anderes übrig bleiben würde, als seinerseits es zu versuchen, für die Belebung der Circulation in seiner Handelsprovinz, da wo es nöthig und ersprießlich, ein Gleiches zu Stande zu bringen, ist so einleuchtend, dass es deshalb keiner weiteren Auseinandersetzung bedarf. Wir können aber einmal in dieser Hinsicht nichts [illegible] ohne Hülfe und guten Willen Hannovers wollen und verwirklichen und wir [illegible], dass es, wenn es einmal darauf eingegangen ist, seine Kräfte mit Braunschweig und vielleicht mit Hamburg zu vereinigen, wenig Lust bezeigen möchte, uns seinerseits auch im Uebrigen zu [illegible].

„Auch in dieser Hinsicht scheint der Commission eine baldige vertrauliche [illegible] des hannoverschen Ministeriums nöthig, um zu erfahren, wie weit es mit jenem Projecte gediehen ist, um die Berücksichtigung der Vortheile, welche den hannoverschen Landen die Aufrechthaltung des hiesigen Handelsflors gewährt, der Aufmerksamkeit zu empfehlen und guten Willen zu zeigen, auch dafür, wenn es erforderlich sein sollte, sich anzustrengen und in gemeinschaftliche Untersuchungen und Berathungen mit Hannover einzugehen.

„Der Antrag der Commission geht also nach diesem Allen dahin, dass der Senat eine vertrauliche Sendung an das hannoversche Ministerium beschließen möge, um den [illegible] Ansichten gemäss dasselbe zur Eröffnung von Verhandlungen zwischen beiden Staaten zum Zwecke der Erleichterung wie der Vergrößerung des hiesigen wie des hannoverschen Handels und Gewerbeflors sowie zu den deshalb erforderlich erscheinenden näheren Untersuchungen und Berathungen aufzufordern, auf dass mittelst solcher Unterhandlungen dem

14*

Nachtheile möglichst vorgebeugt würde, welcher Bremen unfehlbar treffen müsste, wenn Hannover sich zu solchen Zwecken näher und inniger mit Oldenburg oder mit Braunschweig und Hamburg vereinigte, und das was es für Handel, Schifffahrt und Communication aufzuwenden im Stande ist, vorzugsweise in dem Interesse jener Staaten zu unternehmen begänne und seine Kräfte in der Verbindung mit ihnen erschöpfte.“

Es erscheint auffallend, dass in dem ganzen Berichte mit keinem Worte des Planes einer eigenen bremischen Seehafenanlage Erwähnung geschieht. Aber Smidt wusste, wie nothwendig eine strenge Geheimhaltung des Planes war, wenn derselbe nicht von Oldenburg durchkreuzt werden sollte, und es musste er das volle Vertrauen seiner Collegen in Anspruch nehmen, dass er auch bei der Sendung, die er nun jetzt unternehmen wollte, wie bei früheren Anlässen das bremische Staatsinteresse in vollem Umfange wahren werde. Dies Vertrauen ist allerdings bei einer collegialischen obersten Regierungsbehörde in noch viel höherem Grade als in monarchischen Staaten die Grundbedingung für den Erfolg des Staatsmannes, dem man unabhängig die Führung eines wichtigen politischen Geschäftes überlässt; man weiss wie viele republikanische Staatsmänner an dem Misstrauen ihrer Mitbürger gescheitert sind, und es ist merkwürdig, dass Smidt dieses Misstrauen so häufig fühlte, obwohl ihm nach fünfundzwanzigjähriger siegreicher Führung der höchsten Interessen des bremischen Gemeinwesens wie keinem Zweiten das ganze Vertrauen seiner Collegen und Mitbürger in die Integrität seines Charakters und die Fähigkeit seines Geistes folgte. Auch während der nun beginnenden Verhandlungen mit Hannover hat ihn jene Besorgniss mehr als einmal ergriffen und sie ist ein zu charakteristischer Zug in seinem Wesen, als dass sie unerwähnt bleiben dürfte. So schreibt er am 23. Juni aus Hannover an Heineken: „Meldete ich jetzt Details, von denen ich noch gar nicht weiss, ob sie nicht morgen schon ganz anders hier modificirt sind, so geht man dort vielleicht darauf zu Werke, überlässt sich der Freude der Kritik, will jeden Punct irgend ein klein wenig anders und bedenkt nicht, dass dergleichen Arbeiten nur aus einem Stücke gegossen und nicht gekleistert werden können, dass man den

Glas wohl zerschlagen und einen neuen anschaffen kann (wenn ich alles Ernst erfahren habe), dass es aber nicht thunlich ist ihn zu wechseln.

„Kommen aber nun solche Mischungs-Instructionen, so wäre mein ganzer Glaube, mein ganzes Vertrauen und alle meine Kraft auf einmal dahin — ich könnte dann auch gegenüber keinen Glauben und Vertrauen aufrecht erhalten und alles würde ebenso schnell wieder zu Staub zerfallen, als es dem Staube entstiegen ist. Darum muss ich aus Liebe zur Republik jetzt schweigen und bitte Glauben zu behalten, bis ich zurückkomme etc." Hierauf antwortete Heineken am 23. Juni, er freue sich, dass des auf seiner Rückkehr von Berlin in Hannover verweilenden Senator Gildemeisters Gegenwart dazu beitragen werde, „den schon wieder sein Spiel treibenden und Allen bei Ihnen, mein verehrter Freund, wohl bekannten Dämon der Ängstlichkeit, ob Ihnen auch volles Vertrauen zu Ihren Operationen zu Theil werde, und der unbedingt nach allen früheren Vorgängen, die es Ihnen jederzeit bewiesen haben müssten, dass er nichts als ein Spiel der aufgeregten Phantasie sei, nicht mehr spuken sollte, bannen zu helfen."

In Gemäßheit des Berichts beschloss der Senat sofort die Sendung Smidt's nach Hannover, nur sollte zuvor auch den Deputirten der Sicherheits-Commission, den Aeltermännern [illegible], Tidemann und Wilkens, vertrauliche Kunde von dem beabsichtigten Schritte gegeben werden. Dies geschah noch am Abend des 17. Juni; am 19. fuhr Smidt nach Hannover und hatte am 20. Morgens seine erste Unterredung mit dem Minister von Bremer.

Es kam offenbar Alles darauf an, der hannoverschen Regierung deutlich zu machen, dass ihr Interesse und das bremische in Bezug auf Schiffahrts- und Handelsverhältnisse Hand in Hand gehen, dass die Blüte Bremens für Hannover nur von Vortheil sei, und dass es daher im eigensten Interesse des Königreichs liege, Bremen aus der von Seiten [illegible] drohenden Gefahr zu befreien, indem es der Stadt wieder zu einem selbständigen Seehafen und zu gebührender Theilnahme an der Herrschaft auf dem Weserstrome verhelfe. Die Dinge von diesem Gesichtspunkte aus zu betrachten, die Ueberlegenheit des kleinen Staates in mercantilischen und nautischen Kenntnissen zur Belebung eines halb schlummernden Interesses des grösseren Nachbarlandes geltend zu machen und das so erweckte Interesse wieder zu Gunsten der eigenen Heimath zu benutzen, dem hannoverschen Minister zu zeigen, was viel Werth für sein Land die Freundschaft Bremens habe, selbst wenn sie nur mit einer feindseligen Stimmung Oldenburgs erkauft werden könnte, das war eine dem diplomatischen Takte Smidts in hohem Grade angemessene und sympathische Aufgabe. Er sprach dabei vollkommen offen über die schwierige Lage Bremens, was hätte es auch geholfen die so augenfälligen Verlegenheiten der Stadt zu verbergen? „Mit einem der beiden Uferstaaten, gestand er, müssen wir uns vorzugsweise verständigen. Wollen sie uns beide entgegenwirken, so verlieren wir zwar gewiss, aber sie selbst gewinnen wenig und so wie die Sache jetzt liegt, Hannover am wenigsten." Er hob hervor, wie der deutsche Bund noch „viel zu locker und träge" sei, als dass sich von ihm für die Pflege des deutschen Handels etwas erwarten lasse, deshalb müssten sich einzelne Bundesstaaten zu solchem Zwecke die Hand reichen. Bremen sei darüber jetzt zu einer festen Ansicht und klaren Ueberzeugung gelangt und der Senat habe beschlossen, diese Angelegenheit nach grösseren Ideen zu behandeln. Die Zänkereien über die Details untergeordneter Verhältnisse, woran die Weserschifffahrtsacten von den Staaten bis zu den neuesten Zeiten voll seien, führten zu nichts, man verschwende ungebührlich Zeit und Kräfte. Inzwischen bringe dem Welthandel durch die Emancipation der südamerikanischen Staaten grosse Veränderungen und Entwickelungen hervor, alle Nationen würden ihren Vortheil davon ziehen, aber Deutschland, wie gewöhnlich, den letzten und geringsten, weil es zu spät zu der erforderlichen Einheit der Interessen gelange.

Die Verhandlungen wurden dann namentlich mit dem Geheimen Cabinetsrath Rose geführt, dessen Eifer und Gefälligkeit während der ganzen Dauer der Besprechungen bis zu dem noch innerhalb Jahresfrist glücklich erfolgten Abschluss Smidt nie genug rühmen kann. Rose war, wie auch der Minister von Bremer, schnell für Smidts Plan gewonnen und erfasste den-

achten mit dem gleichen freien Sinn, der nicht um irrelevante Kleinigkeiten markter, wo es ein bedeutendes Interesse zu fördern gilt, er wurde durch Smidt vollkommen überzeugt von der Identität der Interessen der beiden Staaten in Bezug auf die Verhältnisse des Weserhandels und stand von da ab treu zu Smidt, [illegible] selbst gegen die Ansichten seiner hannoverschen Collegen.

Smidt hatte sich nicht verhehlen können, dass die Abtretung einer Strecke Landes mit vollen Hoheitsrechten von Hannover zu erlangen die grösste Schwierigkeit haben werde, hatte er doch im Jahre 1816 eine solche Cession für unmöglich erklärt. Er hütete sich deshalb ängstlich in den ersten Unterredungen mit Bremer und Rose die Sache bei Namen zu nennen; erst wenn er die Meinung der beiden Männer für sein Project im allgemeinen gewonnen hatte, wollte er offenbar mit jener Forderung hervortreten. Er entwickelte deshalb Rose gegenüber, nachdem er die allgemeinen Gesichtspunkte erörtert, welche Bremen zu dem Plane bestimmt, das System, dessen Durchführung er für die Sicherung des bremischen Handels für nothwendig hielt, ohne der Hoheitsübertragung Erwähnung zu thun. [illegible], so explicirte er im wesentlichen, was für Geestendorf als Seehafen erforderlich sei, um dort die Entladungen und Ausladungen unter bremischer Obhut und Controle vornehmen zu können, bedürfe es von dort aus einer völlig gesicherten Communication mit Bremen und zwar zu Lande wie zu Wasser; deshalb müsse eine zu jeder Jahreszeit gut passirbare Chaussee vom Hafenort möglichst direct ins bremische Gebiet führen und auf dem Wege müssten die Abgaben, welche die Waaren zu zahlen haben, wie die Chausseegelder möglichst gering und auf jeden Fall fest bestimmt und keiner willkürlichen Abänderung unterworfen sein. Für den Wasserweg aber sei es nothwendig, dass See- und Leichterschiffe so früh wie möglich bremisches Gebiet erreichten, hier beladen und entladen würden, von der bremischen Schiffspolizei möglichst beobachtet und controllirt werden; die Controlle der Leichterschiffe sei ganz besonders dringendes Bedürfniss, da die Schiffsführer [illegible] mehr [illegible] und Bremen [illegible] Betrag daran wenden würde, wenn es dagegen vollkommen gesichert werden könnte. Er hob hervor wie durch die bremische Controlle der Seeschiffahrt erst Leuchtfeuer, Baken und Bettonnenlegung eine feste Basis gewinnen würden, wie dann Hannover und Bremen gemeinschaftlich eine Quarantaineanstalt errichten würden, dagegen die oldenburgischen Schiffahrt schützte, welchen Aufschwung das Lootsenwesen auf dem rechten Weserufer nehmen würde, wie der Buchenbau und Ankerfischfang, der jetzt unbedingt den Blankenesern zufalle, dann von den hannoverschen Anwohnern betrieben werden könne, wie sich eine Menge anderer Gewerbe in die Hafenanlage knüpfen würden, und wenn jetzt unterm täglich nur [illegible] Anzahl Hannoveraner in Vegesack ihr Brod fänden, so würde die Versorgung von Fremden von Geestendorf ausgehen; vor Allem auch würde der hannoversche Frachtverkehr sich ausserordentlich steigern. Es werde das Alles freilich nicht hindern, dass nach wie vor auch die oldenburgischen Anstalten vom Schiffsverkehr benutzt werden, dass Concurrenz zu treiben für das Ganze des Handels auch nur wünschenswerth; der grössere Hälfte werde doch unzweifelhaft bald dem rechten Ufer zufallen, und um diesen Zeitpunkt noch zu beschleunigen, empfehle es sich beim Mesenkläuder Sand, an der Südgrenze des Landes Wursten, einen Ankerplatz für grössere Schiffe einzurichten, der dann gleichfalls unter bremischer Aufsicht stehen müsse.

Bose war mit dem Allen sehr einverstanden, aber er durchschaute doch gleich, dass Bremen an einen Hafen unter bremischer Hoheit dachte und besorgte Weiterungen; er sagte dann freilich sogleich, daran könne gar nicht gedacht werden, sowohl weil Geestendorf militairisch ein viel zu wichtiger Punct für Hannover und selbst für England sei, als auch weil Hannover schon Kreuz genug davon habe, dass von dem in sein Gebiet hineinragenden Lande Wührden, von Grohn und Vegesack aus bremische Schmuggelei stattfinde, an der es die Gelegenheit nicht freiwillig vermehren werde, endlich und vorzugsweise, weil eine Gebietsabtretung gegen Geld gegen die Ehre des Landes gehe, und wenn Preussen etwa an Gebietstausch denke, so sei Vegesack das einzige Aequivalent, was es anbieten könne und gewiss nicht anbieten werde, das nördlich von der Wumme gelegene bremische Gebiet, das zu einer besseren Communication zwischen

Lilienthal und Ottersberg für Hannover allerdings sein würde, sei doch zu unbedeutend, um gegen jenen wichtigen Punkt an der Niederweser in Betracht zu kommen. So würden die Minister es denn auch nicht wagen Propositionen, die auf Gebietsabtretung hinausliefen, [illegible] einzubringen. Indess glaubte er, dass die Hauptsache sich doch so werde erreichen lassen; zur Erwerbung von Grundeigenthum behufs Hafenanlagen und Schifffahrtsanstalten an der Geeste und am [illegible] Siel werde Hannover gerne die Hand reichen und selbst über gewisse bremische Schifffahrts[illegible] werde man Verträge schliessen können. Er erinnerte an Vegesack, wo Bremen bis 1803 auch nur das Eigenthum nicht aber die Hoheit besessen habe.

Indess eben die unerquicklichen Verhältnisse bei Vegesack, die noch in frischer Erinnerung in Bremen waren, mochten in Smidt die Ueberzeugung erweckt haben, dass nur wenn der neue Hafenplatz unter bremischer Staatshoheit stände, er völlig seinen Zweck erfüllen würde. Mit vollendeter diplomatischer Kunst bekämpfte er jeden einzelnen Einwand, den ihm Rose machte, er erinnerte daran, wie ihm Graf Münster im Winter von 1814 auf 1815 in Wien gesagt habe: „ich wäre wohl im Stande gewesen bei der jetzigen Gelegenheit gegen die Selbständigkeit Bremens zu Gunsten Hannovers etwas zu unternehmen, aber ich habe es nicht gewollt, weil ich überzeugt bin, dass das unabhängige Bremen, in der Mitte des hannoverschen Landes belegen, nützlicher für dasselbe ist, als wenn Bremen zu einer hannoverschen Municipalstadt gemacht würde." Das gleiche Argument suchte Smidt jetzt auf den Geestehafen anzuwenden; er betonte vor Allem aber, dass Bremen nur, wenn es die Sicherheit habe auch für seine Nachkommen zu arbeiten, zu so bedeutenden Geldopfern, wie der Hafen sie erfordere, sich werde entschliessen können, und dass eben deshalb Hannover auch nur dann für sich selbst den Vortheil von der Anlage ziehen werde, denn nur, wenn Bremen ein grosses Capital in dieselbe stecke, werde der Hauptzweck, die Herüberziehung der Schifffahrt auf das rechte Weserufer, erreicht werden, den Hannover allein ohne Hilfe Bremens zu bewirken doch nicht im Stande sei. Wie wenig man in der That in Hannover eine

Vorstellung von den Erfordernissen eines grossen Hafenetablissements hatte, mochte Smidt aus den Worten Rose's entnehmen, dass man aus dem Geschäfte etwas erhebliches hätte machen wollen, so würde man 200,000 Thaler mehr haben verwenden müssen, als geschehen, und das sei die Sache für Hannover nicht werth gewesen. Smidt griff diese Summe von 200,000 Thalern sogleich auf und so ist sie, wie wir später sehen werden, in den Vertrag hineingekommen. Sicherlich aber wusste Smidt schon damals, dass die projektirte Anlage unvergleichlich viel mehr erfordern werde, wenn man auch freilich grade über den Kostenpunkt in Bremen noch garnicht zu einer nur einigermassen klaren Ansicht gekommen war.

Smidt beharrte trotz aller Entgegnungen, die ihm von Bremer und Rose gemacht wurden, trotzdem dass man im Cabinetsrathe sich dahin ausgesprochen hatte, von einer Hoheitsabtretung könne nicht die Rede sein, ruhig bei seiner Ansicht, dass ohne diese das ganze Projekt für Bremen ohne genügende Bedeutung sei. Senator Gildemeister, der auf seiner Rückreise von Berlin am 23 Juni in Hannover eintraf und auf Smidt's Wunsch dort blieb, bestärkte diesen in seiner Meinung, und so nahm Smidt, von dem hannoverschen Minister zur Entwerfung von Traktatsbasen aufgefordert, die bremische Hoheit über den Hafenplatz sowol, wie über die Anlage am Neuenlander Siel und über eine Verbindungsstrecke zwischen Vegesack und dem Hauptkörper des bremischen Staatsgebiets in die Basen auf. Er durfte es wagen, weil es ihm gelungen war, in Hannover ein so lebhaftes Interesse an dem Plane zu erwecken, dass er hoffen konnte, seine Entschiedenheit werde auch die Bedenken gegen einen Gebietsaustausch besiegen. Deshalb setzte ein Artikel seiner Basen fest, dass Bremen einen Theil seines am rechten Weserufer belegenen Gebietes mit voller Hoheit an Hannover abtrete. Er hatte in der That die Genugthuung, dass man gegen die Hauptsache keine weiteren Einwendungen erhob; nur gegen die Hoheitsüberlassung am Neuenlander Siel und für die kleine Verbindungsstrecke zwischen Vegesack und dem diesseitigen Ufer der Lesum sträubte sich Bremer noch, versprach aber nach London seine Bedenken dagegen nicht zu äussern. Davon, dass die Hoheit über den Hafen für Bremen nothwendig sei, wurde er durch Smidt, Gildemeister und den auf Smidt's Wunsch am 26. Juni ebenfalls in Hannover eingetroffenen Aldermann Heller, wie er schrieb, völlig überzeugt. Die Hoheit auf dem Grundstück sollte nach den Basen von beiden Staaten gemeinsam geübt werden, und desgleichen sollten beide Staaten gemeinsam die Vertheidigungsanstalten, wie das ausschließliche Besatzungsrecht in den Hafenanstalten haben, jedoch so, daß Hannover mit neun Zehntel, Bremen mit einem Zehntel daran participire. Dadurch war in Wirklichkeit aber die hannoversche Militärhoheit auf jenem Punkte gewahrt.

Als Smidt diese Basen, deren Detailbestimmungen hier füglich übergangen werden können, nach einander den Ministern von Bremer, von Ompteda und von Arnswaldt vorlas, stieß er nirgendwo mehr auf Einwendungen. Arnswaldt sagte ihm offen: „Die Anträge, die Sie uns gemacht haben, finde ich so vortheilhaft für Hannover wie für Bremen. Dem Herrn von Bremer hat die Sache gleich bei Ihrer ersten Unterredung mit ihm eingeleuchtet und uns übrigen auch, sobald er uns davon sagte." Ompteda bemerkte: „Wenn man nur in England auf die Sache eingeht, so kann, hoffe ich, viel Gutes daraus erwachsen."

Den Basen wurde noch ein von Gildemeister und Smidt aufgesetztes Memoire hinzugefügt, welches die einzelnen Bestimmungen erläuterte, um die Sache dem Grafen Münster zu London zu empfehlen. Voll guter Zuversicht und froher Hoffnung verließ Smidt am 29 Juni Hannover, wo man ihm von allen Seiten mit dem ehrenvollsten Vertrauen entgegen gekommen war.

Indeß doch nicht so leicht und schnell, wie es damals den Anschein hatte, sollten die Dinge zum gewünschten Ziele kommen. Am 18. August schrieb Böse an Smidt, indem er sich zu einer von dem letzteren gewünschten neuen Zusammenkunft bereit erklärt: „Inmittelst will ich Ihnen nicht vorenthalten, daß man (d. h. Graf Münster) sehr geneigt ist, Ihnen Concessionen zu machen und Garantien zu geben, daß man aber durchaus die eigentliche Hoheit und Souveränität nicht weggeben will. Dieses ist also der cardo quaestionis und es wird daher darauf ankommen, ob Sie Mittel finden, unsere Interessen mit den Ihrigen zu vereinigen. Ich hoffe dieses um so mehr, als ich den guten

Plan zu beiderseitigen Interesse gleich vortheilhaft halte, und
es mir leid thun sollte, wenn es Ihnen nicht gelänge hierunter
einen annehmlichen Ausweg zu finden." Am 27. August traf
dann Rose auf Smidt's Einladung in Bremen ein und entwarf
hier am 28. neue Propositionen, wonach der Stadt Bremen in
dem von ihr einzurichtenden Hafen folgende Rechte eingeräumt
werden sollten: die Befugniss über alle Handel und Schiffahrt
betreffende Gegenstände im eigenen Namen Gesetze und Ver-
ordnungen zu erlassen, die indess vorgängige Zustimmung der
hannoverschen Regierung finden müssten, welche nur dann verweigert werden kann, wenn dieselben erweislich dem hannoverschen
Interesse zuwiderlaufen; sodann die Erlaubniss in dem Hafenort ein eigenes Handelsgericht zu etabliren, von welchem Berufung an das bremische Obergericht stattfindet, ferner die
Polizeigewalt; hannoversche Abgaben sollen daselbst nie ohne
Genehmigung des bremischen Senats erhoben werden, dagegen
soll es dem letzteren freistehen Hafenabgaben zu normiren und
in Bezug auf dieselben Verträge mit fremden Staaten abzuschliessen, jedoch unter der, schon in Smidt's Entwurf ausge-
drückten, Voraussetzung, dass die hannoverschen Unterthanen
die Hafenanstalten unter den gleichen Bedingungen wie die Bremer
benutzen dürfen. Den Hafenbewohnern wird für Friedenszeiten
Freiheit von Kriegsdienst und Einquartierung zugesichert, endlich
wird ein ungehinderter Gütertransport zwischen dem Hafen und
Bremen gegen Erhebung derjenigen Abgaben, worüber beide
Staaten sich vereinigen werden, versprochen.

Es waren immerhin gewichtige Concessionen, welche mit
diesen Vorschlägen Bremen gemacht wurden, und durch ihre
Annahme hätte der bremische Handel eine ungleich freiere
Bewegung gewonnen, als er sie gegenwärtig besass; aber sie
lagen doch weit ab von dem, was Smidt erstrebte und in der
That war ihre Annahme für Bremen kaum möglich. Selbst
wenn man auf ein dauerndes so gutes Einvernehmen zwischen
den Regierungen der beiden Staaten, wie es damals existirte,
hätte rechnen können, wäre eine fortwährende Controlle der
bremischen Gesetzgebung und Verwaltung durch eine fremde
Regierung nachtheilig gewesen und sie konnte zu unaufhör-
lichen Conflikten führen, sobald das freundschaftliche Ver-

ständnis zwischen den leitenden Persönlichkeiten beider Staaten aufhörte. Vor Allem aber wäre Bremen nicht zu einer selbständigen Schifffahrt gekommen, wie es derselben eben jetzt am so dringendsten bedurfte, als es im Begriffe stand einen Handelsvertrag mit England abzuschließen, dessen Reciprocitätsprincip immer eine Fiction blieb, wenn Bremen keinen Seehafen besaß, den es mit Fug und Recht den seinigen nennen, wenn es keinen Platz hatte, auf dem es eigene Seeschiffe erbauen konnte.

Wenn demnach die jetzigen Verhandlungen mit Rose auch in der Hauptsache zu keinem weiteren Resultat führten, so waren sie doch für einen mit jener zusammenhängenden Umstand von Bedeutung. Das Projekt der Eisenbahnanlage von Braunschweig nach Lüneburg war, wie Rose mittheilte, in den letzten Wochen eifrig weiter verfolgt, und wenn es auch in Hannover noch viele Bedenken fand und officiell dort auch immer nicht bekannt gegeben war, so mußte man sich in Bremen doch dringend aufgefordert sehen, der dem bremischen Handel durch Ausführung jenes Projekts drohenden Gefahr vorzubeugen. Dafür bot sich allerdings kein anderes Mittel, als der Versuch auch Bremen durch eine Eisenbahn mit Hannover zu verbinden. Rose conferirte über die Ausführbarkeit dieses Projekts mit den Aeltermännern Behn, Fritze und Rodewald und am 30. August, nach Rose's Abreise, berichtete Smidt in der Senatsversammlung über diese Angelegenheit, indem er zugleich ein Memoire über den Nutzen der Eisenbahnen übergab. Auch über diese Sache wurde strengstes Geheimniß beliebt und die weitere Förderung derselben der Commission für auswärtige Angelegenheiten überwiesen.

Am 14. September traf der Minister von Bremer hier ein und verhandelte weiter mit Smidt, welcher nun seinerseits auf Grund des von Rose aufgestellten Entwurfs einen neuen Vorschlag zu einem „Handels- und Schifffahrtstractate" zwischen Hannover und Bremen ausarbeitete. Diese Bezeichnung hatte er absichtlich gewählt, um der Sache in den Augen Dritter, deren Urtheil Hannover scheute, eine unschuldigere Bedeutung zu geben. Der Entwurf, in welchem zum ersten Male der Name „Bremer Hafen" für das neue Etablissement vorkommt, schließt nach dem Rose'schen ziemlich so, und heißt es in § 5. „Um dem dadurch (durch Anlage des Hafens) erwarteten bremischen Handels- und Schifffahrtsverkehr zum Vortheil beider Staaten die volle und dauernde Sicherheit zu verschaffen, welche die Anlage und Unterhaltung so bedeutender Unternehmungen erfordert, und um die Einheit und Nationalität des von diesem Hafen ausgehenden bremischen Schifffahrts- und Handelsbetriebs zu befestigen, gestattet Hannover der Stadt Bremen in diesem Hafen und Hafengebiet und von demselben aus, sowie über die Gebietstheile, welche sich daselbst anreihen dürften, unter den weiter folgenden Modificationen das Exercitium aller Staats-, Regierungs-, Gesetzgebungs-, Justiz- und Polizeirechte, wie solches in dem bremischen Hafenort Vegesack stattfindet." Die berührten Modificationen beziehen sich lediglich auf die Militärgewalt, welche im wesentlichen Hannover verbleiben soll.

Unter dem 17 September übersandte Smidt diesen Entwurf an Rose mit einem ausführlichen Schreiben, welches die Nothwendigkeit jenes § 5 darlegen sollte. Dazu gab sich der unermüdliche Mann an die Ausarbeitung mehrerer Memoires, welche bestimmt waren, den Vortheil des neuen Instituts für Hannover von allen Seiten ins Licht zu setzen. In einer ersten Denkschrift erörterte er mit besonderer Vorliebe die politischen Perspectiven, welche sich an den Bremerhaven knüpfen dürften. Durch seine lebhaftere Betheiligung am Handel, heißt es da im wesentlichen, werde Hannover eine materielle feste Verbindung mit den süddeutschen Staaten und dadurch einen festeren Halt im deutschen Bunde gewinnen, welcher ihm gegen die über kurz oder lang nothwendig eintretenden Bestrebungen Preussens, die östlichen und westlichen Theile seiner Monarchie auf Kosten Hannovers zu verbinden, von Wichtigkeit sein müsse. Es wird natürlich auch nicht vergessen, die vortheilhafte Stellung, welche Hannover gegen Oldenburg erhalte, zu erwähnen. Eine zweite Denkschrift bespricht die militärischen Vortheile der neuen Anlage. Durch die neue Kunststraße zwischen Bremen und Hannover, die eventuell zu einer Eisenbahn umzugestalten sei, werde eine schnellere und sichere Bewegung der Truppen durch das Land, durch den Hafen eine bequeme Gelegenheit zum Ein- und Ausschiffen des Militärs geboten. Auch der durch den Matrosenberuf belebte Muth der Bevölkerung, ihre Vermehrung, ihre erhöhte Intelligenz werden aufgeführt, und selbst die durch Steigerung des Frachtfuhrverkehrs gehobene Pferdezucht bleibt nicht unerwähnt. Eine dritte Denkschrift endlich resumirt noch einmal die Erwägungen, welche den Versuch eines Handelsvertrags zwischen den beiden Staaten veranlasst haben und stellt eine Reihe von Detailfragen zusammen, welche bei dem gegenwärtigen Stande der Sache in Rücksicht zu ziehen seien.

Am 24. September hatte Smidt eine neue Zusammenkunft mit Rose in Nienburg und begleitete diesen am folgenden Tage nach Hannover, da die dortige Anwesenheit des Geheimen Cabinetsraths von Stralenheim aus London ihm erwünschte Gelegenheit bot, eine directere Einwirkung auf den Grafen Münster zu üben. Seine dort geführten Unterredungen mit dem genannten Herrn, und mit den Ministern von Arnswaldt, von Meding und von Ompteda mussten ihn überzeugen, dass auf Grund seines neuen Entwurfs noch keine Einigung mit der hannoverschen Regierung zu erzielen sei und dass Bremen sich werde entschliessen müssen, seine Ansprüche noch weiter herab zu setzen. Doch konnte Smidt am 30. September an den Senat die Mittheilung machen, dass man in Hannover jetzt das identische Interesse beider Staaten am Handel begreife, dass man einsehe, dass, wenn die braunschweigische Eisenbahn zu Stande komme, auch zwischen Bremen und Hannover eine solche angelegt werden müsse, und dass es vielleicht räthlich sein werde mit Hannover über Erwerb eines Punktes an der Niederweser behufs Anlegung eines Seehafens, sowie über gemeinsame Quarantaineanstalten zu unterhandeln. Er bat die auswärtige Commission mit Fortführung dieser Unterhandlungen in Gemeinschaft mit den vier Bürgermeistern zu betrauen, und der Senat trat unter zweckmäßiger Festsetzung des strengsten Geheimnisses dieser Ansicht bei.

In den ersten Tagen des October reichten dann die Männer, welche bei den Besprechungen in Bremen vorzugsweise betheiligt waren, die Senatoren Heineken, Horn und Pavenstedt, die Aeltermänner Baltz, Fritze und Bodewald je eine Denkschrift an Smidt ein, in welchen sie ausführlich die Gründe und

Gegengründe für das Projekt anführten. Denn Smidt hatte mit der genialen Sicherheit, die ihm bei der Verfolgung seines großen Zieles eigen war, so plötzlich das Leben des bremischen Gemeinwesens in eine neue Bahn gewiesen, hatte der unzweifelhaften Richtigkeit seines Gedankens vertrauend so schnell die Verwirklichung desselben sich angenommen, daß die Einwendungen über die sicheren und wahrscheinlichen Folgen der Ausführung erst hinterdrein kamen. Es war ein Triumph seines staatsmännischen Blickes, daß jene Denkschriften fast übereinstimmend günstig für das ganze Projekt ausfielen, denn die Befürchtungen Pavenstedts, daß die neue Anlage viel mehr dem hannoverschen als dem bremischen Interesse dienen werde, namentlich dann, wenn etwa Hannover mit Umgehung Bremens eine direkte Eisenbahn von dem Hafen zur Hauptstadt baue, wurden siegreich von den Andern zurückgewiesen und Heile und Dalewald waren so kühn, die bremischen Staatsmittel für ausreichend zu halten, um neben dem Hafenbau und der Eisenbahn auch noch eine Canalisirung der Weser bis zur Lesum, welche Pavenstedt der Hafenanlage vorziehen wollte, zu ermöglichen. Smidt war klug genug, das Bessere nicht den Feind des Guten sein zu lassen und so legte er das letzte Projekt einstweilen bei Seite.

Gestützt auf die bei den fortschreitenden Erwägungen immer sicherer sich gestaltende Beihülfe der eingeweihten Freunde machte er sich unverdrossen an einen neuen Entwurf.

Er glaubte nun in der Proposition einer gemeinsamen Hoheit beider Staaten über das Hafenetablissement einen freilich unbequemen aber immer noch annehmbaren Ausweg zur Förderung seines Zweckes zu finden und sandte auf Grund dieses Princips am 28. October einen dritten Entwurf nach Hannover. Er begleitete denselben mit einem ausführlichen Exposé, welches die Fragen beantworten sollte, warum die staatlichen Concessionen an Bremen nothwendig seien, wenn es an das neue Etablissement das Maß von Willen und Kraft wenden solle, welches zur Erreichung des gemeinschaftlichen Zwecks nothwendig ist, und weshalb Hannover nicht auf den thatsächlichen Erfolg rechnen dürfe, wenn es das Etablissement allein zu errichten unternähme.

Jede Veränderung dieser Art (der Verlegung der Schifffahrts- und Handelsbeziehungen), betrat es da, wo für die zarten Fühlfäden, an denen das Handels- und Schifffahrtsleben sich fortspinnt, mit mannigfachen Schwierigkeiten verbunden, [illegible] welchen die Besorgniss einer Gefahr schon als die Gefahr selbst erscheint. Es wird also eventuell Ueberzeugung von einem grösseren Interesse dazu gehören, um sich, wie es bei der dem Handel unentbehrlichen Freiheit nothwendig ist, freiwillig und gerne darauf einzulassen. Solcher Ueberzeugung bedarf indess nicht die bremische Börse allein, sie muss von den Börsen aller mit ihr verkehrenden Handelsplätze vollkommen getheilt werden. Das dürfte aber nur dann der Fall sein, wenn die auswärtige Handelswelt den reellen Glauben erhält, dass die Benutzung dieses neuen Weges unter vollkommener Obhut und Leitung der Regierung eines Staates steht, von dem sie einmal weiss, dass er den Handel und dessen Beförderung als das belebende Princip aller seiner Regierungshandlungen betrachtet. Bei allem Vertrauen auf die anerkannte höchste Rechtlichkeit der hannoverschen Regierung ist es doch eben so notorisch, dass Hannover kein Handelsstaat ist, und dass das Gouvernement desselben vorzugsweise andere Interessen der Staatsangehörigen zu beachten hat, wodurch es bei deren Collision mit den Handelsinteressen fremder Staaten zu diesen unvortheilhaften Diagonalen (sic!) genöthigt werden kann. Selbst der doch immer nur allmählig in die Ueberzeugung des Auslandes übergehende Glaube, Hannover gehe von jetzt an darauf aus, zu einem Handelsstaate zu erwachsen, und auch die aus dieser Absicht hervorgehenden Regierungsprincipien anzuerkennen, reicht hier nicht aus, da die Erfahrung der Geschichte die verfehlten Versuche, welche bei jeder solchen Wendung einer Staatspolitik nicht ausbleiben können, dabei nicht entbehren lässt, und das Bewusstsein, ein Opfer derselben zu werden, mit in Anschlag bringt. Die erlangte Kunde, dass der Punct des neuen Etablissements unter der bremischen Regierung stehe, und die mit dieser Kunde sofort gegebene durch lange Erfahrung begründete Ueberzeugung, Bremen wäre, was es zu thun und zu lassen habe, um mit dem Handel aller Nationen nach der Weser auch den seinigen zu erhalten und zu befördern, dürfte aber

[illegible]

allein im Stande sein, jene Besorgnisse völlig niederzuschlagen, und das unerlässliche Vertrauen zu begründen, welches nicht bloss zur Benutzung der neuen Bahn überhaupt, sondern auch zu einer so schnellen, als die gegenwärtige Krise des Welthandels sie zu gebieten scheint, erforderlich ist."

Und weiterhin: „Es ist nicht zu verkennen, dass auch bei der bremischen Börse die volle Sicherheit und der volle Glaube nur durch die Ueberzeugung begründet werden dürfte, hier von keiner [illegible], in der Ansicht über ihre Interessen bei dem Wechsel der Zeiten und Personen wandelbaren Regierung, sondern nur von einer solchen abzuhängen, mit der sie die Interessen als identisch und die in ihrer steten Beachtung zugleich [illegible] darf. Nur diese volle Sicherheit wird im Stande sein, das Ohr von allen Lockungen der Vortheile der Concurrenz zu verschliessen, welche Oldenburg, sobald es Hannovers Ernst bei der Sache gewahrt, ihr zu bieten schwerlich verfehlen wird. Nur diese volle Sicherheit wird sie zu den Aufopferungen vermögen können, deren Maass bei einmal angegriffener und consequent befolgter Einschlagung der neuen Wege gar nicht abzusehen ist." Es wird dann die Nothwendigkeit des Ueberganges der einzelnen Souverainetätsrechte an Bremen nachgewiesen und endlich zur Beantwortung der zweiten Frage, ob nicht Hannover besser auf eigene Kosten den Hafen für sich erbaue, dargestellt, dass dann das bremische Interesse nothwendig dahin führen müsse, die Concurrenz zwischen den oldenburgischen und den hannoverschen Hafenanstalten möglichst zu fördern. Dadurch aber würde ein grosser Theil der Vortheile, welche die hannoversche Industrie aus der vollen Verlegung der bremischen Schifffahrt auf das rechte Weserufer ziehen soll, verloren gehen. Es bliebe dann nichts übrig, als dass Hannover darauf ausgehe, den Flor des bremischen Handels völlig zu vernichten; einer solchen Absicht gegenüber würde sich dann Bremen sicherlich aufs engste mit Oldenburg verbinden, und gewiss erst nach Jahrhunderten würde es Hannover gelingen können eine andere Seehandelsstadt an die Stelle Bremens zu setzen, das viel wahrscheinlichere Resultat eines solchen Kampfes aber würde die völlige Vernichtung des Weserhandels zu Gunsten der Elbe und des Rheins sein.

Dieses Exposé begleitete ein Schreiben Smith's an Rose, in welchem es mit Bezug auf jenes heisst: „Dem von Ihnen geäusserten Ansinnen [illegible] ich Sie, Ihre völlige Aufmerksamkeit schenken zu wollen, ich wüsste kaum, was ich noch mehr über die Sache sagen könnte, wenn Sie mir nicht durch Fragen, Anweisungen oder Gegenbemerkungen Gelegenheit dazu geben. Was die Erörterung der zweiten Frage betrifft, so wäre es unbillig, darüber etwas der Art erwarten zu wollen, da wir keinen Anspruch darauf machen dürfen, dass Hannover uns die Gründe seiner politischen Ansichten über diesen Punkt näher entwickele; hinsichtlich der ersteren hoffe ich aber, nachdem wir dergestalt mit dem vollsten offensten Vertrauen herausgegangen und unsere eigenen Wünsche geschildert haben, man werde es wenigstens versuchen uns zu widerlegen, wenn die von uns dargelegten Gründe die volle Ueberzeugung von der Richtigkeit derselben zu bewirken nicht im Stande gewesen sein sollten. Zur Unterstützung dieser Gründe weiss ich Ihnen in der That nichts Besseres zu sagen, als dass ich auch in der Sphäre, welche die vertraulichere Haltung dieses Privatbriefes verstattet, [illegible], und über die Thatsache unseres während 4 bis 5 Monaten fortgesetzten Bestrebens, Hannover über unsere sämmtlichen Schifffahrts- und Handelsinteressen, über unsere Stärken und Schwächen in Beziehung auf den Weserverkehr, wo es begehrt und nicht begehrt worden ist, den vollkommensten detaillirten Aufschluss zu geben, doch für das non plus ultra einer thörichten Politik gehalten werden müsste, wenn wir nicht der allerbegründetsten Ueberzeugung lebten, die beiderseitigen Handelsinteressen ständen wirklich in keinem Widerspruche mit einander, und es werde dies am Ende auch von Seiten Hannovers so vollständig anerkannt werden, dass es völlig [illegible] auf das innigste bestens zu fördern sich bemühen werde, und dass jede ihm bei dieser Gelegenheit verschaffte Kunde unserer Verhältnisse diesem Zwecke und dieser Absicht daher völlig entsprechen.

„Ich bin bei diesem Verfahren übrigens nicht bloss von dem mir immer bewährt erschienenen Grundsatze ausgegangen, dass da, wo man von gegenseitiger Redlichkeit im Voraus überzeugt ist, die grösste Offenheit die beste Politik sei, sondern ich habe

15*

werden, dass ich nicht hoffen darf, Anträgen Eingang zu verschaffen, die auf solcher Basis beruhen. Selbst die Mitaufnahme in die Hoheit, wie Sie jetzt proponirt haben, wird, soviel ich solches zu beurtheilen vermag, Anstoss erregen und nicht angenommen werden, auch führt diese Art der Bestimmung das Unangenehme mit sich, dass sie ungewiss und dunkel bleibt, und nur zu leicht zu Differenzen führen kann, welche das gute Einverständniss und offene Vertrauen stören, ohne welche es unmöglich ist, gemeinschaftlich etwas Gutes zu erwirken.

„An der Hoheit als solcher kann Ihnen aber auch nichts gelegen sein, sondern Sie verlangen dieselbe nur als Mittel zum Zweck, um Ihren inneren Handels-Einrichtungen Einheit, Ordnung und Kraft geben und in Beziehung auf auswärtige Staaten dergestalt selbständig erscheinen zu können, dass die Auswärtigen sich überzeugen, dass kein fremder Einfluss störend in die Handels-Verhältnisse eingreifen könne.

„Dieser Ihr Zweck kann, ohne dass es dazu der Abtretung der Hoheit bedarf, unserer Ansicht nach erreicht werden, wenn Ihnen diejenigen Rechte eingeräumt werden, welche dazu erforderlich sein dürften, namentlich wenn Ihnen gestattet wird, in Beziehung auf den Hafen Handelsverträge abzuschliessen, und Ihren Handel und Alles, was damit in Verbindung steht, durch eigene Gesetze zu reguliren." Auf Grund dieser Anschauungen hatte Bose einen neuen Entwurf gesandt, in welchem es ausdrücklich hiess, dass der Hafendistrict fortwährend einen integrirenden Theil des Königreichs Hannover bilden solle. Der Entwurf unterschied sich zwar durch eine Fülle von in ihm aufgenommenen zum Theil ganz neuen Detailbestimmungen principiell von dem im September von Bose verfassten nur dadurch, dass die bremischen Gesetzgebungs- und Verwaltungsbefugnisse im Hafenorte nicht mehr an die vorhergehende Zustimmung der hannoverschen Regierung geknüpft waren. Das war allerdings ein Fortschritt im Interesse Bremens, aber keineswegs für Smidt's Pläne genügend. Nur eine neue persönliche Besprechung konnte die erwünschte Einheit erzielen und so reiste Smidt denn zu Ende December 1825 abermals nach Hannover.

Die erneuerten Besprechungen führten endlich am 6 Januar

1826 zur Aufstellung eines gemeinsamen Entwurfes, dessen nachdrücklichste Empfehlung an den Grafen Münster man in Hannover übernahm. Durch diesen Entwurf erlangte Smidt in Wirklichkeit ziemlich alles das, was er von Anfang an erstrebt hatte; zwar war von einer Abtretung oder auch nur von einer Theilung der Hoheit über den ganzen Hafendistrict nicht mehr die Rede, aber mit Ausnahme der Militärhoheit wurde Bremen die freie Ausübung aller der Befugnisse, welche insgesammt die Staatssouveränität ausmachen, im einzelnen zugestanden, und überdies erklärte sich Hannover noch in einem geheimen Separatartikel verbindlich, von seiner Hoheit über den Hafendistrict niemals Gebrauch zu machen und ferner einen noch näher zu begrenzenden Bruchtheil des Bezirks zur Anlegung bremischer Schiffswerften mit voller Staatshoheit an Bremen abzutreten. Von der Anlage eines Lösch- und Ankerplatzes beim Vegesacker Siel war nur noch als von einer Eventualität die Rede und an Stelle der Gebietsübertragungen bei Vegesack von Seiten Hannovers an Bremen und zwischen Lilienthal und Ottersberg von Seiten Bremens an Hannover wurde jetzt nur von einer gegenseitigen Erleichterung der Communication auf diesen Punkten gesprochen. Unter Zustimmung Smidt's beschloss man indess den neuen Entwurf nicht sogleich nach London zu schicken, sondern mit seiner Vorlage bis zu dem für den Sommer angekündigten Eintreffen des Grafen Münster in Deutschland zu warten, wo dann eine persönliche Besprechung Smidt's mit dem leitenden Staatsmann die Angelegenheit leichter ins Gleise bringen würde.

So folgte der athemlosen Spannung, mit welcher der bremische Bürgermeister seinen Plan seit einem halben Jahre verfolgt hatte, eine ruhigere Zeit, die er aber freilich doch nicht ungenützt verstreichen liess. Kurz vor seinem letzten Eintreffen in Hannover war daselbst die erste officielle Mittheilung über das [illegible] Eisenbahnprojekt gemacht worden, was Smidt dann Veranlassung gegeben hatte auch hierüber in neue Erörterungen mit dem dortigen Ministerium zu treten, und einen Passus über eventuelle Eisenbahnverbindung zwischen Bremen und Hannover in den Vertragsentwurf hineinzubringen. Unter dieser günstigen Stimmung des hannoverschen

Ministeriums für eine bremische Hafenbauanlage machte er unter dem 10. Januar dem Senate Mittheilung; den Aeltermann Fritze veranlasste er zu einer eingehenden Denkschrift über die Vortheile einer solchen Anlage und sandte dieselbe am 18. April an Rose. Das Terrain, auf welchem der neue Hafen entstehen sollte, wurde näher ins Auge gefasst und auf Smidts Wunsch von Rose eine ungefähre Werthtaxation der 500 Morgen Landes, welche man zu erwerben für nöthig erachtete, aufgemacht. Dieselbe ergab die Summe von 89,000 Thaler Gold, d. h. 178 Thaler für den Morgen, was sich später freilich als bei weitem nicht ausreichend erwies.

Am 7. Mai traf Smidt auf der Durchreise nach Frankfurt, wo er die Stimmführung für die Hansestädte zu übernehmen hatte, abermals in Hannover ein und verweilte dort zu der Erörterung mehrerer Details wiederum einige Tage. Zugleich übergab er an Rose ein neues ausführliches Memoire, welches Erläuterungen zu den einzelnen Artikeln des Entwurfs vom 6. Januar enthielt und bestimmt war dem Grafen Münster vorgelegt zu werden.

Der letztere kam in der zweiten Hälfte des Juni nach Hannover, hatte bald mit dem Minister von Bremer und mit Rose Unterredungen über die Hafenanlage und zeigte sich den letztgetroffenen Verabredungen geneigt. Smidt, durch Rose hiervon in Kenntniss gesetzt, eilte sofort nach Hannover und traf auf Münster's Einladung am 10. Juli mit Rose auf dem Schlosse des Grafen, Derneburg im Hildesheim'schen, ein. Bremer war bereits früher dahin gekommen und hier auf Derneburg wurde dann am 11. Juli 1826 die Präliminarconvention abgeschlossen, auf deren Grundlage genau ein halbes Jahr später der Definitivtractat zu Stande kam.

Diese Convention von Derneburg stimmt sowohl ihrem Inhalte, wie ihrem Wortlaute nach im wesentlichen mit den Bestimmungen der Abrede vom 6. Januar überein. Nur ist der Geheime Separatartikel als Artikel 8 in den Vertrag selbst mit aufgenommen und der einen Hauptbestimmung desselben, der Abtretung eines begrenzten Theils des Hafendistricts mit voller Staatshoheit eine neue Concession von Seiten Bremens hinzugefügt, nämlich die gleichfalls mit voller Hoheit stattfindende

Uebertragung einer Landstrecke zwischen Ottersberg und Lilienthal an Hannover. Es heisst mit Bezug auf diesen Gebietstausch:

„Da auch die freie Hansestadt Bremen zu vollständiger Benutzung dieses Hafenetablissements und namentlich zur Aufrechthaltung der Bestimmungen ihrer Handelstractate mit fremden Mächten, nach welchen die Vortheile der Bremer Flagge nur solchen Schiffen zustehen, welche in bremischen Häfen auf wirklichem bremischen Gebiete erbaut werden, der vollen Staatshoheit auf einem Theile des gedachten Terrains bedarf, so wird hinsichtlich eines unter Berücksichtigung dieses Bedürfnisses näher zu bestimmenden Flächeninhalts der vorgedachten fünfhundert Morgen, welcher nicht unter fünfzig und höchstens hundert Morgen einnehmen wird, ein vollkommener Gebietsaustausch gegen einen näher zu bestimmenden Flächeninhalt des Gebiets der freien Hansestadt Bremen auf dem rechten Ufer der Wümme zwischen beiden Staaten stattfinden."

Man sieht aus diesem für Bremen nach den vorhergehenden Unterhandlungen durchaus günstigen Resultat, welchen bedeutenden Einfluss die Persönlichkeit Smidt's auf den Grafen Münster übte. Es gelang ihm den prinzipiellen Gegensatz, in welchem sich die hannoversche Regierung gegen einen Gebietsaustausch befunden hatte, zu beseitigen und die handelspolitische Unabhängigkeit seines Heimathstaates wieder zu erobern. Es war freilich ein sehr unbedeutender Fleckchen Erde, was Bremen nach dem neuen Vertrage künftig nahe an der Mündung der Weser in vollem Sinne sein eigen nennen konnte, aber es hatte für die Handelsstadt eine unermessliche Wichtigkeit: es gab ihr das Recht zurück sich ebenbürtig neben die Seehandelsplätze zu stellen, welches die Gunst der Natur und politisches Missgeschick ihr seit langem geraubt hatten. Es war freilich noch manche Geduldsprobe zu bestehen, noch manches Hemmniss aus dem Wege zu räumen, ehe Smidt und seine Mitbürger sich des Besitzes jenes Landstreifens ganz erfreuen konnten.

Zunächst galt es, ehe ein definitiver Abschluss erfolgte, einen Plan für den Hafenbau festzustellen, damit demgemäss eine genaue Abgrenzung des für denselben erforderlichen Terrains erfolgen konnte. Um die dann nöthige Untersuchung durch Sachverständige so unauffällig wie möglich zu machen und durch vorzeitiges Bekanntwerden der Absicht einerseits nicht den Preis des Landes in die Höhe zu treiben, andererseits nicht den Argwohn Oldenburgs zu erregen, erhielt Senat am 14. Juli ein entsprechendes Schreiben, in welchem die hannoversche Regierung mittheilte, sie beabsichtige eine Untersuchung des Terrains an der Geeste vornehmen zu lassen, um festzustellen, was dort, oder wenn jener Platz sich als ungeeignet erweise, an einem andern Punkte der Weser für die Vervollständigung der Schiffahrtsbedürfnisse geschehen könne. Da auch Bremen dabei interessirt sei, so bitte sie eine geeignete Persönlichkeit zur Theilnahme an jener Untersuchung bezeichnen zu wollen.

Am 18. Juli machte Smidt in der Senatssitzung die Mittheilung, daß die auswärtige Commission gemäß dem ihr am 30. September vorigen Jahres ertheilten Auftrage in fortwährender Berathung mit den Bürgermeistern Unterhandlungen mit Hannover zur Erleichterung des gemeinschaftlichen Handels- und Schiffahrtsinteresse gepflogen und daß er kürzlich zur Besprechung dieser Angelegenheit eine Zusammenkunft mit dem Grafen Münster und Herrn von Bremer gehabt habe. Er theilte jenes Schreiben vom 14. mit und bat der auswärtigen Commission die Wahl des bremischen Vertrauensmannes zu überlassen.

Um einen im Wasserbauten erfahrenen Techniker zu engagiren, reiste Frühe gegen Ende Juli nach Amsterdam, wo es ihm denn in kurzer Zeit gelang in dem Ingenieur van Ronzelen einen Mann für Bremen zu gewinnen, dessen in langjährigem [illegible] Staatsdienste erprobte Tüchtigkeit ihm ein dauerndes rühmliches Andenken in seiner neuen Heimath erworben hat.

Inzwischen war Smidt auf seinen Frankfurter Posten zurückgekehrt; er hatte vor am Rhein eine Traubenkur zu gebrauchen, um seine in den anstrengenden Geschäften angegriffenen Kräfte wieder zu erfrischen, aber sein Bremerhaven ließ ihm keine Ruhe. Er wünschte auf jeden Fall [illegible], der zunächst nur auf kurzen Urlaub nach Bremen kam, zu sprechen und meldete daher am 5. August an Heineken, er habe jene Cur bis in den October verschoben, „und," fügte er hinzu, „wenn es auch gar

recht thun könne, so ist der glückliche Fortgang jener Sache zum Grunde die allerbeste [illegible] für mich."

Am 13. und 14. August fand die Untersuchung an der Geeste statt, an der von Seiten Hannovers der Geheimrath und Wasserbaudirector von Schulte und Baurath Meinegel, von Seiten Bremens ausser van Ronzelen Senator Heineken, Aeltermann Fritze und der Capitän Lepager theilnahmen. Die Terrainaufnahmen und Ausmessungen ergaben, dass das ins Auge gefasste Leher Aussendeichsland am nördlichen Ufer der Geeste und dem östlichen Ufer der Weser für den Zweck der Hafenanlage in jeder Hinsicht günstig sei. „Wie von Ronzelen", heisst es in dem Berichte Heinekens an Smidt vom 16. August, „an Ort und Stelle alles auseinandersetzte, wurden Schulte und Meinegel ganz warm und behaupteten einstimmig, es werde ein Werk, wie Norddeutschland noch keines aufzuweisen habe, und wenn Hannover nicht für lange Zeit alle dazu etwa disponiblen Geldkräfte an der Ems verplempert hätte, so hätte es sich die Ehre der Ausführung gar nicht nehmen lassen." Die Besichtigung des Terrains am Neuenlander Siel ergab dagegen, dass das dortige Gebiet für Anlage eines Landungsplatzes wenig geeignet sei. Nach Bremen zurückgekehrt entwarf van Ronzelen sofort eine Skizze für den Hafenbau, deren Ausführbarkeit von den hannoverschen Technikern vollkommen zugestanden wurde, nur suchten diese mit Heineken und Fritze über die Grösse des abzutretenden Terrains zu feilschen, indem sie behaupteten, dass 600 Morgen, wie im Vertrage stipulirt, dort gar nicht abzulassen seien, dass aber auch 300 Morgen für die erste Anlage völlig genügen würden; eine Schmälerung, der sich die Bremer natürlich auf das Entschiedenste widersetzten.

Inzwischen hatte Smidt erfahren, dass Graf Münster noch auf wenige Tage nach Hannover zurückgekehrt sei, und da er diesen vor seiner Abreise nach England noch wieder zu sprechen wünschte, so eilte er, nachdem er zuvor noch dem auf dem Johannisberg eingetroffenen Fürsten Metternich einen Besuch abgestattet hatte, ohne Aufenthalt nach Hannover, wo er am Mittag des 19. August anlangte. Noch am selben Nachmittage sprach er Münster und schon zu einem Diner zu Ehren ge-

gehenden Abschiedsaudienz theil, wo ihn der Herzog von Cambridge und die hannoverschen Minister mit grosser Auszeichnung begrüssten und ihm ihre lebhafte Freude über das glückliche Resultat der Verhandlungen und der Unterzeichnung aussprachen. Doch bemühte er sich vergeblich vom Grafen Münster zu erlangen, dass auch ein Theil des eigentlichen Hafens mit in das unter voller bremischer Hoheit abgetretene Gebiet falle.

Schon am 16. August war dem Senate Mittheilung von der stattgehabten Unterzeichnung gemacht worden. Gegen Ende des Monats, nachdem Smidt wieder in Bremen eingetroffen war, kam Rose auf einige Tage hieher, um einem hannoverschen Beamten die nöthigen Instructionen für Acquisition des Terrains zu ertheilen.

Zu Anfang September erfolgte die Ratification des Präliminarvertrages von [illegible] seitens des bremischen Senats und einige Zeit darauf auch seitens des Königs Georg IV.

Am 7. November gab Smidt in der Senatsversammlung einen ausführlichen Bericht über die gesammten seit dem Jahr 1825 durch die auswärtige Commission geführten Unterhandlungen, aus welchem wir Folgendes hervorheben. Nachdem zunächst die Gefahren, denen der bremische Handel ausgesetzt zu sein schien, ins Gedächtniss gerufen sind, heisst es: „Ohne sich über das Maass der Realität oder des Scheins, der Nähe oder Ferne dieser Gefahren bestimmte Rechenschaft zu geben, ging die allgemeine Ansicht des Senats dahin, dass die Existenz solcher Besorgnisse allein schon hinreichenden Grund abgebe, seine angestrengteste Thätigkeit zur Beseitigung derselben in Anspruch zu nehmen, und dass der Versuch einer öffentlichen schriftstellerischen Widerlegung jener oldenburgischen Anstrengungen (d. h. der Chausseeconstruction seit 1824) dann nicht ausreichend erscheine, weil das was denselben wirklich zum Grunde liege, nämlich das sich täglich evidenter darlegende vermehrte und erweiterte Bedürfniss der Betreibung unsers Handels durch grössere Seeschiffe, als bei dem frühern vergangenen Verkehr mit den europäischen Seestaaten [illegible] gefunden, und die Unmöglichkeit unserer bisherigen eigenen Anstalten für die Befriedigung dieses Bedürfnisses, sowie die Unmöglichkeit deren im Umkreise unseres Gebiets zu errichten, sich einmal doch nicht ablenken lassen, und bei einem solchen Widerlegungsversuche also nur um so schlimmer hervortreten dürften. Die Commission für die auswärtigen Angelegenheiten erhält daher nur den allgemeinen Auftrag zu Ueberlegung und Berichterstattung was in der Sache zu thun sei.

„Die Ansicht, welche sich sofort als unzweideutigste bei ihr aussprach, dass uns nur dann reell geholfen werden könne, wenn wir zu eigenen, für die grössere Seeschifffahrt hinreichenden, Hafenanlagen an der Niederweser gelangten, und uns die freie Benutzung derselben in organischer Verbindung mit unsern übrigen, die Cultur des Handels und der Schifffahrt bezweckenden, Einrichtungen zu sichern vermöchten, musste unter Berücksichtigung der vorwaltenden Umstände ohne weiteres auf die Ueberzeugung führen, dass wir dazu der ausreichenden Hülfe eines andern an der Niederweser belegenen Staats bedürften. Hierbei konnte aber nur an das Königreich Hannover gedacht werden, da bei den offenbar feindseligen Gesinnungen Oldenburgs von diesem kaum williges und bei der Gegenwart-Ueberlegung [illegible] und des bremischen Staats durch den hannoverschen ohne letzteren kaum in einer gemeinsamen Handelsinteresse vollkommen eingreifende Mitwirkung zu erwarten war. Was diese Ueberzeugung aber lebendig machte, war der sofort sich einstellende Glaube, dass eine solche Hülfleistung nach den gegenwärtigen eigenen Interessen Hannovers angemessen erscheinen, und daher ohne Aufschub mit offenem Vertrauen und voller Zuversicht von demselben begehrt werden dürfte.

„Die Richtigkeit dieser ersten intuitiven Anschauungen dessen, was in der Sache recht und thunlich sei, hat sich bei deren weiter folgender Bearbeitung immer überzeugender dargestellt."

Nachdem anderer von der „bremischen Handelsprovinz", d. h. dem Wesergebiet, und dessen gegenüber dem Rhein und der Elbe kleineren und ungünstigeren Verhältnissen gesprochen ist, heisst es weiter: „Nur durch concentrirteste Pflege und calculirende Sparsamkeit, nur durch ein immer lebensreges unermüdliches Genie hat sich also bisher für Bremen eine Handelsprovinz zwischen Rhein und Elbe erhalten und erweitern lassen; denn wenn es das durch die sorgsame Unterhaltung einzelner Handels-

[illegible] auch von Zeit zu Zeit gelungen ist, aus seinem Handelsgebiet die mächtigeren Nachbarströme zu [illegible], wie es noch jetzt mit dem Tabaksverkehr der Fall ist, so darf nicht vergessen werden, dass dies nur ein [illegible] Ersatz [illegible] Ueberschreitung des ihm von der Natur angewiesenen Handelsgebietes ist, wie die vielfachen Waaren, welche in der Regel nie direct, sondern nur über Hamburg oder Amsterdam von uns bezogen werden, hinreichend an den Tag legen.

„Der politisch [illegible] Horoskop Bremens deutet aber in jeder Hinsicht auf ein [illegible] Bestreben noch bedeutenderer Anstrengungen dieser Art, um bei der schon beginnenden neuen Gestaltung vielfacher, neue Handelsbeziehungen bedingender Verhältnisse den nachtheiligen Folgen seiner Lage zwischen Elbe und Rhein und seiner Entfernung von dem [illegible] Lade- und Löschplatze der Weserschifffahrt nicht zu erliegen.

„Denn wenn es der einen Seite die Vollendung der Emancipation und die wachsenden Handelsbedürfnisse der transatlantischen Staaten im allgemeinen und [illegible] Handels-[illegible] Deutschlands günstige Wirkung äussern dürften, so ist doch von der [illegible] grösseren [illegible] des Rheins und der Elbe für die Cultur der damit eröffneten neuen Verkehrswege wohl zu erwarten, dass sie nicht bloss eine [illegible] Masse derselben, sondern diese zugleich in einer beschleunigteren Strömung an sich ziehen werden. Der vollständigere und reichere Markt ist es aber, was durch bessere Auswahl und wohlfeilere Preise zur Ueberflügelung anderer nach allen Richtungen [illegible] befähigt. Haben beide Nachbarflüsse sich mittelst der Unternehmung der Rheinisch-Westindischen Compagnie doch jetzt schon über Bremen hinweg vortheilhaft die Hand gereicht. Eilt der deutsche Theil des Rheins seiner Entfesselung von den niederländischen Banden doch mit jedem Jahre sichtlicher entgegen, und was wird vereinte Kraft dort nicht vermögen? Droht nicht die Elbe und ihre Verbindung mit dem Rheine, für die man die stipulirten Millionen doch nicht nutzlos wird verwendet haben wollen, sogar unserer Handelsprovinz noch weit näher zu rücken, und ihr Grenzen noch von einer andern bis dahin ungefährdet gebliebenen Seite zu beschränken? Hat nicht Hamburg den braunschweigischen Handel schon fast ausschliesslich in seine Canäle zu leiten gewusst? Wird die aufkommende mit den Gefahren der Meere und Flüsse noch weniger vertraute Schifffahrt der süddeutschen Staaten sich nicht vor allem nach sicheren Ankerplätzen auf dem Continente umsehen, von welchen die Waaren auf dem schnellsten Wege in die Packhäuser geliefert und der sehnlich erwartete Verschluss auf dieselben dann unverzüglich geleistet werden kann? Treten bei der Ausfuhr nach jenen Gegenden nicht ähnliche Verhältnisse ein? Wird der ganze Verkehr mit [illegible], da er nur durch grössere Seeschiffe betrieben werden kann, nicht bald für das bei seiner Erbauung und bei seinen eigenen Hafenanstalten nur auf die Nord- und Ostsee-Schifffahrt beschränkte Bremen als ungeeignet erscheinen? Und was wird von allem diesem die Folge sein, wenn, wie es gar nicht fehlen kann, die Zeit einmal kommt, wo auch in der Wagschale der Politik des alternden Europa von der kräftigeren neuen Welt [illegible] und die Nothwendigkeit geeigneter Hafenstützpunkte für die Bedürfnisse dieser es sein wird, was über die Fortdauer selbständiger Existenz der kleinen europäischen Continentalstaaten [illegible] entscheidet? Sollte Bremen dann von dieser Seite kein neues [illegible] zu fürchten haben?"

Nachdem hierauf die oldenburgischen Pläne zur Schädigung des bremischen Handels, sowie die Machinationen besprochen worden sind, die auch Hannover dahin führen könnten, dem Handel der Weserstadt in Verbindung mit Oldenburg und durch Begünstigung der hamburgischen Verkehrsstrassen empfindliche Schläge zu versetzen, werden endlich noch politische Verhältnisse hervorgehoben, die ein enges Zusammengehen Bremens mit Hannover empfehlen.

„Betrachten wir endlich die doch bei aller gegenwärtigen Unwahrscheinlichkeit nicht aus den Augen zu verlierende Möglichkeit, dass der allgemeine Friedenszustand von Europa einmal wieder unterbrochen werde, und dass die beiden grössten Genossen des deutschen Bundes in dieser Unterbrechung sich feindlich berühren sollten, was wäre bei der noch immer ungebildeten und von jenen beiden bisher hauptsächlich verbündeten engern Verbindung aller übrigen deutschen Bundesstaaten unter einander wohl anders zu erwarten, als daß eine solche Verbindung dann entgegenstehende in den nächsten nachbarlichen Berührungen von jedem unter ihnen bestmöglichst zu entziehen und zu ersetzen sein würde, um die Folgen des drohenden Systems doch so wenig wohl als möglich zu empfinden; mit wem anders könnten wir vermöge unserer geographischen Lage eine solche Verbindung zunächst einzugehen wohl irgend beabsichtigen, oder uns durch die Umstände veranlasst finden, als gerade mit dem Königreich Hannover, und was würden wir während derselben oder bei Beendigung einer solchen Crise von dieser Verbindung wohl zu erwarten haben, wenn eine selbstsüchtige Handelspolitik unser Interesse von dem hannoverschen trennte, wenn dieses nicht in der Erhaltung unserer Selbständigkeit auch seinen eigenen Vortheil zu finden und zu erstreben vollständig überzeugt wäre?"

Aus allen diesen Gesichtspunkten sei denn die Commission zu der Ueberzeugung gelangt, man müsse sofort vertrauliche Verhandlungen mit Hannover beginnen und dort die Ueberzeugung von dem wesentlich identischen Handelsinteresse der beiden Staaten zu erwecken suchen. Der Bericht giebt sodann eine ausführliche Erzählung der genannten Verhandlungen bis zum Abschluss der Convention von [illegible] und deren Ratification seitens des Senats und des Königs Georg.

Am 30. November erhielt Smidt die Nachricht, dass der Kaufcontract über die bisher Amtsvörde'schen Anlagen der Krone Hannover abgeschlossen sei. Das für die bremischen Anlagen erworbene Gebiet betrug im ganzen 342 calenbergische Morgen, von denen 73 schon früher Eigenthum der hannoverschen Krone gewesen waren, die Kaufsumme des Gebiets belief sich auf 19,991 Thaler, eine Summe, zu der dann noch erhebliche Vergütungen für die bisherigen hannoverschen Unterthanen hinzutraten. Es fehlten also 158 Morgen an der in der [illegible] Convention festgesetzten Anzahl, indess war im Augenblick nicht mehr zu erhalten und so musste sich Bremen einstweilen mit dem kleineren Terrain begnügen.

Am 24. November wurde der Bürgerconvent zusammenberufen und ihm unter Verpflichtung jedes einzelnen Mitgliedes zu strengster Verschwiegenheit Mittheilung von dem Präliminarvertrage gemacht. Diese Mittheilung schien, wenn auch nach Smidts Auffassung staatsrechtlich noch nicht nothwendig, da die Bürgerschaft an diplomatischen Verhandlungen keinen Antheil habe, doch erforderlich, weil einmal in Folge des Landkaufs an der Geeste über Brake her nach Bremen schon allerlei Gerüchte gedrungen waren, welche von mit Hülfe Bremens beabsichtigten bedeutenden Hafenanlagen Hannovers wussten, und zweitens, weil die Finanzdeputation schon jetzt ermächtigt werden musste, in dem Staatshaushaltsetat für das Jahr 1827 die wegen der Hafenanlage erforderlichen Mehrbewilligungen in Rücksicht zu ziehen. Dazu kam, dass man hannoverscher Seite die Mittheilung an die Bürgerschaft wünschte, um schon jetzt sicher zu sein, dass dieselbe auch demnächst den Definitivvertrag genehmigen werde; und auch dem Senate selbst musste daran gelegen sein, den guten Willen der Bürgerschaft durch eine freiwillige Mitwirkung an dem grossen Werke sich zu sichern.

Dem Antrage des Senats ging eine eingehende Motivirung voraus, die gleichfalls aus Smidts Feder geflossen ist. Wir heben, um nicht zu vieles zu wiederholen, nur Folgendes aus derselben heraus:

„Der Gegenstand, welcher die heutige Versammlung der Löbl. Bürgerschaft vorzugsweise veranlasst hat, nimmt die wichtigsten Interessen unseres Freistaates, die Sicherung und Fortbildung seines Handels- und Schifffahrtsverkehrs, in unmittelbaren Anspruch.

„Zwei verschiedene, durch Zeit und Umstände allmählig herbeigeführte Veränderungen in der Lage und den Verhältnissen, wodurch die Benutzung dieser vorzüglichsten Quellen unseres individuellen Staatslebens bedingt wird, haben nämlich seit einer Reihe von Jahren für Bremen die Staatsaufgabe zur Sprache gebracht, wie es seine bisherigen Anstalten für den Seehandel und die Seeschifffahrt diesen veränderten Verhältnissen [illegible] [illegible] im Stande sei, und jede Art des Versuchs ihrer Lösung weise auf die Nothwendigkeit [illegible] ausserordentlicher Anstrengungen hin."

Es wird sodann einmal auf die durch Aufhebung des Reichsverbandes veränderte politische Lage, die Souveränität der [illegible] und den damit [illegible] Wegfall mancher den bremischen Handel begünstigenden Reichsprivilegien hingewiesen, und auf die Nachtheile, welche die günstigere [illegible] Lage der Nachbarstaaten Bremen bereitet habe.

„Zweitens, heisst es weiter, hat unser ganzer Seehandel seit dem amerikanischen Kriege die veränderte Gestalt gewonnen, dass die transatlantische Richtung desselben in den Vordergrund getreten ist, wodurch denn ein bedeutender Theil aller früheren nur auf den Betrieb europäischer Seeschifffahrt berechneten Hülfsanstalten derselben mangelhaft und für das vermehrte und erweiterte Bedürfniss unzureichend erscheinen musste.

„Bremen hat das, was ihm bisher an eignen Mitteln gebrach, daher immer mehr nur bei seinen Nachbarstaaten an der Niederweser suchen und finden können, lästige Bedingungen waren davon unzertrennlich, und die Combination jener beiden veränderten Verhältnisse ergab vollends wachsende Abhängigkeit von fremdem Interesse und fremdem [illegible] Willen.

„Die fortschreitende Emancipation transatlantischer Staaten, die in den Folgen derselben zu ihrer Zeit nicht ausbleibende Vereinigung beider grossen Oceane hat vollends auf eine ganz neue Aera des Welthandels Aussicht eröffnet. Schon beginnt ein Wetteifer aller seefahrenden Staaten in vorbereitenden Maassregeln zu möglichst reicher Theilnahme an einem solchen grösseren Umschwung des Völkerverkehrs, und die Thätigkeit unserer Börse hat auch hier ihren alten Ruhm nicht verleugnet."

Um nun die bei der schwierigen geographischen Lage Bremens drohende Concurrenz der [illegible] und der Elbe zu bestehen, bedarf es bedeutender Staatsanstrengungen, der Einrichtung nach eigenen Bedürfnissen abgemessener Hafenanstalten. Es werden die Gründe dargelegt, welche Bremen

16

auf Hannover hinwirken und die Ansichten, welche dem Nachbarstaate gegenüber geltend gemacht werden mussten und endlich zu dem glücklichen Compromiss der beiderseitigen Interessen führten.

Die Bürgerschaft trat den aus diesen Motiven sich anschliessenden Anträgen des Senats bei, nämlich dass sie erstens einverstanden sei mit Fortführung der Verhandlungen, dass zweitens die Finanzdeputation zu autorisiren sei, schon jetzt im Budget für 1827 die Mehrbedürfnisse zu berücksichtigen und dass drittens der Senat, wenn er es bei den ferneren Unterhandlungen für nöthig erachte, mit der geheimen Deputations-Commission und den Repräsentanten der Bürgerschaft bei derselben sich berathe. Die Bürgerschaft fügte nur den Wunsch hinzu, dass ihr der Tractat vor seiner definitiven Erledigung zur Ratification vorgelegt werde, und endlich bezeigte sie „denen Herren, welche sich in dieser Angelegenheit so thätig und mit so vieler Umsicht bemüht, ihren innigsten Dank für den abermals so deutlich zu Tage gelegten höchst patriotischen Eifer zur Förderung des Staatswohles."

In den Weihnachtstagen ging Smidt abermals nach Hannover, um den definitiven Abschluss des Tractats zu erwirken. Zwar wünschte man in Hannover nicht eher abzuschliessen, als bis der Plan von Ronzelen's für den Hafen endgültig festgestellt sei, da nur dann die Lage der mit voller Souveränität an Bremen abzutretenden Morgen genau bestimmt werden könne; indess Ronzelen lag eben krank in Amsterdam und konnte für's erste nicht weiter arbeiten und Smidt hoffte auch so zu einem Schlusse zu kommen, „da wir uns der Hauptsache, worauf es bei den einzelnen Bestimmungen ankommt, die Lage des Hafens, wovon wir im März nicht weiter sind, bis März aber allerlei in die Quere kommen kann, zumal da Alle, die sich bis jetzt mit der Angelegenheit so verdienstvoll beschäftigt, sterbliche Menschen sind." „Unter sehr mislichen Umständen, heisst es in dem am 23. December an Rom geschriebenen Briefe weiter, und bei besonderen Schwierigkeiten bei der Verhandlung ist ein ebenfalls fördernder guter Genius niemals ausgeblieben, sobald man sich nur im Vertrauen auf ein [illegible] zu rechter Zeit ans Werk machte. Warum sollte er denn diesmal fehlen?"

Als Brandt dann aber am Tage darauf in Hannover eintraf, fand er doch allerlei Schwierigkeiten, zumal da, dem Graf Münster nicht von [illegible] sondern nur von [illegible] mit voller Hoheit abzutretenden Terrain wegen und den Hafen selbst aus diesem Gebiete ausschliessen wollte. „In Oldenburg, schreibt er am 20. December an Manteuffel, soll die Sache jetzt gewaltige Bewegung verursachen, wie ich von Herrn von Grote vernommen, bei dem sein Oldenburger Bruder kürzlich deshalb um Rath gebeten, weil er einen Brief darüber aus Oldenburg erhalten. Der Kriegskanzleidirector hat seinem Bruder [illegible] geantwortet, man möge nur keinen Spectakel anfangen, die Sache sei so gut wie richtig und nichts mehr dagegen zu machen. Und der Oldenburger hat halb und halb eine eigene Satisfaction darin gefunden, weil er dem Herzoge schon vor anderthalb Jahren vorgeschlagen, er möge den Bremern an Brake einen Vorhafen zugestehen, um sein Interesse mit dem ihrigen zu verbinden; der Herzog aber hat nicht darauf hören wollen und [illegible] Memoire darüber wieder aufzusetzen befohlen."

Am folgenden Tage berichtet Brandt, dass verschiedene Berichtigungen über Detailfragen des Vertrages von hannoverschen Beamten bearbeitet werden und dass der Vertrag jedenfalls vor Ende der Woche zu Stande kommen könne. „Ich halte es aber aus mehreren Gründen für sehr räthlich, die Hoffnung jetzt zu dem Definitivabschluss zu gelangen nicht aber aufzugeben, bis alle Aussicht dazu abgeschnitten ist. Je mehr von der Sache unter Leuten, die bisher gar nichts davon wussten, besprochen zu werden beginnt, desto mehr schon beseitigt geglaubte Schwierigkeiten kommen wieder zur Sprache, und mehr Kabale reihen sich daran, da jeder bei dieser Gelegenheit auch seinen Senf in die Sauce gemischt zu sehen wünscht. Die (hannoverschen) Landstände sollen Anfangs Februar zusammen kommen und dann möchte es noch länger damit aussehen. Dann regen sich die Oldenburger gewaltig. Ich höre hier, dass sie von allen Seiten und auf allen Wegen

16*

Erkundigungen einzuziehen, um der Sache vollends auf den Grund zu kommen."

Die Schwierigkeiten steigerten sich, je mehr man dem Abschluss sich näherte. Nicht nur die Grösse und die Lage des mit voller Hoheit an Bremen zu überlassenden Terrains, sondern auch das Gebiet, welches Bremen an Hannover abtreten sollte, ferner die Summe, welche von Bremen für die bisherigen hannoverschen Hafenanlagen zu zahlen war, führten zu Meinungsverschiedenheiten, endlich tauchte noch eine bis dahin ganz unberührte Frage auf, die dem ganzen Plane verderblich zu werden drohte. Smidt berichtet darüber in einem Briefe vom 4. Januar 1827: „Mit unserer Unterhandlung will es noch immer nicht sonderlich vorwärts, denn obgleich ich ein Projekt zu einem definitiven Abschluss vorgestern unter möglichster Nachgiebigkeit vollständig ausgearbeitet, vorgestern Abend drei Stunden mit Rose durchgenommen und gestern wieder drei Stunden mit ihm und Herrn von Grote darüber verhandelt habe, so will dies doch keineswegs nach dem gehofften Betrieb fördern. Rose und Grote wollen es heute und morgen für sich bearbeiten, dann soll es in einer Conferenz mit mir, wozu auch Herr von Schulte vermutlich eingeladen werden soll, wieder durchgenommen werden, und erst wenn wir uns darüber lediglich einverstanden wollten, werde ich mit Herrn von Bremer förmliche Verhandlung über den Abschluss beginnen können. Unter diesen Umständen halte ich es nun noch ebenso möglich, dass die Sache ganz abgebrochen oder doch bis nach Vorlegung des [illegible] werde, als dass [illegible] zu Stande komme.

„Der gänzliche Abbruch ist eigentlich nur wegen eines einzigen Punktes zu besorgen, von dem ich bisher noch nichts geschrieben, weil ich immer noch hoffte, man würde einsehen, dass die Basen, worüber man sich doch einverstanden bezeugt hat, auf keine Weise berechtigen ihn zur Sprache zu bringen, und weshalb ich am Ende geradezu erklärt habe, dass ich die stete Erneuerung desselben nur für einen Vorwand die Unterhandlung ganz abzubrechen und sich von allem bisher Versicherten wieder loszusagen ansehen könne. Dieser Punkt betrifft die Handelstractate, welche auch Hannover über den Gebrauch und die Benutzung des Hafens mit fremden Staaten möchte abschliessen können, und darüber etwas in die Stipulation aufgenommen zu sehen wünscht. Das hannoversche Raisonnement ist folgendes: da wir die Hoheit nicht abtreten, als nur zu Behuf der Werfte, so gilt der Hafen in dem Auge Auswärtiger für einen hannoverschen Hafen. Wenn wir nun mit einem fremden Staate einen Reciprocitätsvertrag abschliessen, mit dem Bremen noch keinen hat, und die Schiffe desselben werden in dem Bremerhaven anders behandelt, als unser Tractat es anzeigt hat, so heisst es, wir hätten unsern Tractat gebrochen und unsere Schiffe müssen daher in den fremden Häfen übel behandelt zu werden. Dergleichen Tractate sind uns aber besonders wegen unserer [illegible] Schifffahrt wichtig und wir können doch nicht im Voraus versprechen mit keinem Staate einen Handels- und Schifffahrtsvertrag abzuschliessen, mit welchem Bremen nicht vorab schon einen abgeschlossen hat, und auch nicht, dass wir ihn nur gerade so abschliessen wollen wie Bremen.

„Mein Raisonnement geht hingegen dahin: der Hauptzweck, weshalb wir die ungeheuren Kosten an den Hafen wendeten, deren so vielfach beschränkte Benutzung uns kaum die jährliche Unterhaltung decken werden, sei dahin gegangen, den fremden Staaten, mit welchen wir Handelstractate hätten oder zu schliessen dächten, sowohl etwas anzubieten zu haben, um ihn zu rechten Gegenleistungen zu vermögen, als auch dadurch Mittel zu Repressalien zu besitzen, um sie zum Abschluss und zur Aufrechthaltung solcher Tractate zu nöthigen. Könnte Hannover auch mit fremden Staaten über den Gebrauch des Bremerhavens Verträge abschliessen, so würden diese thöricht sein, wenn sie sich deshalb an uns wendeten, da sie die nämlichen Vortheile bei Hannovers geringerem Interesse an dem Seehandel weit billiger würden erhalten können; wir würden dann aller Mittel zur Anwendung von Repressalien entblösst sein und hätten im Grunde nur für Hannover gearbeitet und unser Geld ausgegeben. Man könne uns aber nicht zumuthen eine solche Thorheit zu begehen, u. s. w."

Am 7. Januar schreibt Smidt weiter: „Mit der Hauptschwierigkeit bin ich (bei Rose wenigstens) doch dahin gekommen, dass man einzusehen beginnt, wir könnten die Sache so nicht zugestehen. Dies Ungeheuer hat sie uns wie Proteus ihre Gestalt verändert und ist in anderer Form wieder aufgetreten. Man will nicht, dass bei den Handelstractaten über die Weser von Hannover gar nicht die Rede sei, man will auch Handels- und Schiffahrtstractate haben, und um sie zu haben, etwas ablassen und mit etwas drohen können. Wenn man nun von dem Bremerhaven abstrahiren muss und darüber keine Tractate, die offenbar nur Riemen aus fremdem Leder wären, schliessen kann, so will man doch Abgaben auf der Geeste erheben, um in Ansehung dieser ablassen und drohen zu können." Smidt machte dagegen geltend, dass die Sache im wesentlichen Hannover allein angehe und deshalb in den Tractat nichts darüber aufzunehmen sei, wenn Rose die Sache in der Conferenz berühren wolle, so werde er, Smidt, sofort nach Bremen abreisen, da er ohne Instruction über die Sache sei. In der am 6. Januar stattfindenden langen Conferenz hatte Smidt namentlich durch den Hofrath Mosengel, „der weil ihm die Ehre zu diplomatischen Verhandlungen zugezogen zu werden, etwas Neues war, sich nun zu zeigen suchte und bei jedem Ausdruck Bedenklichkeiten hatte", viel zu leiden. Als ihm das in der zweiten Stunde zu arg wurde, sagte er scherzend: „Wenn man alle möglichen Fälle, worüber ein Streit entstehen könnte, im Voraus erschöpfen und dann noch einen code de procédure über ihre Schlichtung hinzufügen wollte, so dürften wir uns zunächst wohl nach einer Schubkarre umzusehen haben, auf welcher der Tractat zu transportiren sei". Das wirkte für den Augenblick, aber am 8. Januar schreibt Smidt wieder: „Dieser [illegible] und eingebildete Mosengel hat mich dermassen ennuyirt (in der Conferenz vom 8.), dass ich die Verhandlung abbrach, indem ich anfing von heterogenen Dingen zu reden, und Rose hinterher sagte, ich würde mit Mosengel nun nicht weiter zusammen kommen", womit denn Rose ganz einverstanden war.

Zu diesen grösseren und kleineren Hemmnissen, die sich

Smidt in den Weg legten, kam endlich noch ein ganz neues durch die aus London eintreffenden Nachrichten von dem stündlich zu erwartenden Tode des Herzogs von York. Wenn derselbe eintrat, so siedelte der in Hannover gern gesehene Herzog von Cambridge nach England über, und die damit bevorstehende Aenderung in Hannover machte Alle ängstlich. „Der Herzog von York, schreibt Smidt am 9. Januar, der uns in seinem Leben nichts zu Leide gethan, betrübt uns in seinem Tode. Diese Geschichte ist an der ganzen Verzögerung Schuld. Alles ist darüber ängstlich geworden und glaubt sich nicht genug vorsehen und gegen künftige mögliche Vorwürfe decken zu können. Man will die Sache wohl immer, aber man will zugleich die allgemeine Ueberzeugung dabei ausgesprochen sehen, dass sie nur so und nicht anders habe zu Stande kommen können, und deshalb muss ich mit jedermann die Tour bis an die Grenze unserer Nachgiebigkeit in der ganzen Peripherie durchmachen. York todt! Wie peinlich das für mich ist, brauche ich Ihnen nicht ausführlich zu schildern. Handelte es sich von meinen eigenen Interessen, ich hätte längst die Karte vor die Thür geschoben, so aber musste ich schon Geduld haben."

Die Sache kam dann doch viel schneller zum glücklichen Ende als Smidt erwartete. Schon am 10. Januar schreibt er: „Im ganzen bin ich heute zufriedener wie gestern, da ich sowohl gestern Abend, wo ich noch eine Zusammenkunft mit Bose und Grote hatte, als auch heute bei Herrn von Bremer wirklich so vollkommen guten Willen für die Beendigung der Sache gefunden habe, dass ich an einem endlich guten Ausgange jetzt doch nicht mehr zweifeln möchte." Dieser gute Ausgang war denn in der That am folgenden Tage erreicht. Am 11. Januar 1827 unterzeichneten der Minister von Bremer und Smidt den Vertrag, durch welchen die Stadt Bremen wieder in den Besitz eines so lange entbehrten Seehafens kam, durch welchen nicht dem bremischen Staate allein, sondern einem grossen Theile des nordwestlichen Deutschland neuer Lebensimpuls gegeben ward, durch welchen dem deutschen Handel ein neuer Weg gebahnt und einer unabweislichen Anforderung wesentlich entsprochen worden ist.

Die Einleitung zum Vertrage vom 11. Januar betont die im Wesentlichen übereinstimmenden Interessen beider Staaten und die zu ihrer Förderung nothwendigen gemeinschaftlichen Maassregeln. Artikel 1 bestimmt ohne nähere Ortsbezeichnung, dass an der hannoverschen Küste der Unterweser ein Hafen angelegt werden soll, geeignet Seeschiffe von wenigstens 120 Last aufzunehmen. Im 2. Artikel verpflichtet sich Bremen zur Anlage des Hafenetablissements in der Weise, dass dadurch der Seeschiffahrtsverkehr mit der Weser daselbst thunlichst concentrirt und die Industrie der hannoverschen Umgegend möglichst gefördert werde. Artikel 3 und 4 bestimmen die Lage und die Grösse des Hafengebiets, geben Anordnungen zum Schutze des [illegible] (Hannover verbleibenden) Grenzufers, über Zahlung der Kaufsumme für das [illegible] Terrain und der darauf befindlichen hannoverschen Hafen- und Schiffahrtsetablissements, die Uebertragung des Kaufcontracts über das übrige Gebiet an Bremen; endlich verspricht Hannover der Stadt Bremen, falls diese es wünsche, bei Erwerbung von weiteren 180 Morgen behülflich zu sein. Der 5. Artikel verpflichtet Bremen ausser dem Kaufgelde binnen drei Jahren 200,000 Thaler zu den Hafenbauten zu verwenden. Der Artikel ist, wie man leicht sieht, nur aus der uns heute unbegreiflichen Besorgniss hervorgegangen, Bremen werde schliesslich doch nicht Ernst machen mit der Herstellung eines völlig eingerichteten Hafens, sondern sich mit der Anlage eines Anker- und Löschplatzes begnügen. Die stipulirte Summe beweist freilich, wie schon früher bemerkt, wie wenig man in Hannover über die Erfordernisse einer grossen Hafenanlage unterrichtet war; wenn Bremen sich mit der Verwendung jener Summe begnügte, so hätte es in der That nicht viel mehr schaffen können, als was man hannoverscher Seits durch die ausdrückliche Fassung derselben eben verhindern wollte.

Im 6. Artikel wird die Nichtübertragbarkeit der im Vertrage einem der beiden Theile zugestandenen Rechte an einen dritten Staat festgesetzt und Hannover entsagt allen Ansprüchen auf eine Zurücknahme oder Beschränkung der Stipulationen, namentlich solchen, welche aus Motiven des sog. jus eminens hergenommen werden konnten; ein Artikel durch welchen in Folge das ganze Terrain mit Ausnahme der [illegible] der vollen Staatshoheit Bremens unterworfen wurde, wenn dieses auch nach Artikel 7 der Stadt nur über ca. 100 Morgen zustehen sollte. Wichtig ist hier, dass es Smidt doch gelungen war einen Theil des eigentlichen Hafens mit in diese 100 Morgen einzuschliessen. Artikel 8 überträgt an Bremen die einzelnen staatlichen Rechte im Hafendistricte, bestimmt, dass die hannoverschen Unterthanen daselbst gleiche Rechte und Pflichten mit den bremischen haben sollen und enthält ein Abmachungen über die Hannover verbleibende Militärhoheit über das gesammte Terrain.

Artikel 9 handelt von der gemeinsamen Quarantaineanstalten, der folgende von einer künftigen Postconvention. Die Artikel 11–13 treffen Bestimmungen über die Abgabe der Güter bei deren Transport durch hannoversches Gebiet, über die Anlage der Chaussee von Lehe nach Vegesack und eine bessere Verbindung dieses letzteren Ortes mit Bremen. Artikel 14 und 15 sprechen von der Ueberlassung von ca. 200 Morgen Landes seitens des bremischen Staates an Hannover behufs einer besseren Communication zwischen Lilienthal und Ottersberg. Artikel 16 endlich stellt einige Punkte auf, über welche künftige gemeinsame Verhandlung vorbehalten bleibt, als Verhütung von Zolldefraudationen, Anlage eines Anker- und Löschplatzes beim Neuenlander Siel, Verbesserung der Land- und Wassercommunicationswege.

Der so zu glücklichem Abschlusse gediehene Vertrag wurde am 28. Februar 1827 vom König Georg IV., am 9. März vom Senat und Bürgerschaft in Bremen ratificirt. Am 10. April wechselten Smidt und von Bremer in des letzteren Hause zu Hannover die Ratificationen aus und trafen die Abrede, dass die Tradition der beiderseits abgetretenen Gebiete unter Vorbehalt genauer Grenzregulirung ohne weitere Förmlichkeit am 1. Mai stattfinden solle.

Aber Smidt liess es sich doch nicht nehmen, dabei gegenwärtig zu sein, wenn zum ersten Male auf dem [illegible] Boden an der Geeste die bremische Flagge wehte. Mit Senator [illegible], Aeltermann Rodewald und dem Regierungssecretär

Bereits fuhr er am 30. April nach Lehe, und es musste ihm eine eigene Genugthuung sein, als am nächsten Morgen auf dem früheren hannoverschen Hafenbaum die Flagge seiner Vaterstadt gehisst und von der hannoverschen Flagge am jenseitigen Geesteufer, sowie von dem auf der Weser liegenden bremischen Schiffe Johann Carl salutirt wurde, als er dann Mittags im landesüblichen Aufzuge auf das Gelände Bremerhavens einzuziehen.

Als Smidt grade 30 Jahre später sein ehrenreiches Leben beschloss, da hatte sich auf dem damals öden Boden ein reger Verkehr entfaltet, das ursprüngliche Hafenbassin genügte schon lange nicht mehr für die steigende Zahl von Schiffen, welche dort einliefen, eine blühende Stadt erhob sich längs der Hafens und sah einer glänzenden Zukunft entgegen.

Aber jene 30 Jahre hatten ununterbrochene Mühe und Arbeit gekostet, und ehe das Werk zu praktischer Bedeutung gedieh, ist Smidts und seiner Freunde sicheres Vertrauen in den Werth der neuen Anlage dadurch noch auf viel schwerere Probe gestellt worden, als es während der Unterhandlung mit Hannover geschah.

Noch ehe die bremische Flagge an der Geeste wehte, thaten sich in Bremen tadelnde Stimmen gegen die beabsichtigte Anlage kund, die, da sie von einer grossen Anzahl kundiger Geschäftsleute ausgingen, nicht ohne eingehende Erwiderung bleiben konnten. Der Aeltermann Fritze unterzog sich dieser Mühe mit gutem Erfolg.

Inzwischen war van Ronzelen als Baurath in den bremischen Staatsdienst getreten, um die Oberleitung des gesammten Baus zu übernehmen. Die Hafenarbeiten wurden einem holländischen Consortium am 30. Mai zum Preise von 830,000 holländischen Gulden zugeschlagen und dieselben begannen unverweilt. Im Juni ging ein bremischer Amtmann nach Bremerhaven ab, wo die wachsende Arbeitercolonie die Wahrnehmung staatlicher Functionen schon erheischte.

Während aber die Arbeiten rüstig fortschritten, begann in Bremen sich Missstimmung, Unzufriedenheit, offene Feindseligkeit gegen das neue Institut zu bilden. Dem Handelsstande Fern-

[illegible]hende sahen in den außerordentlichen Geldopfern, welche die Anlage erforderte, eine einseitige und unbegründete Begünstigung eines Theils der Staatsangehörigen; um so ungerechtfertigter erschien ihnen dieselbe, als ihnen die Nothwendigkeit des Werkes nicht einleuchtete. Anderen, welche den Vortheil eines eigenen bremischen Seehafens nicht ganz verkannten, schien dennoch der Aufwand durchaus in keinem Verhältnisse zu dem zu erwartenden Nutzen zu stehen, sie sahen eine unheilvolle Verwirrung der bremischen Staatsfinanzen voraus, weil, selbst wenn das Unternehmen gelang, doch die Hafeneinnahmen niemals die Zinsen des Anlagecapitals und die jährlichen Unterhaltungskosten decken würden. Unter den Kaufleuten erinnerten diejenigen, welche ein überseeisches Geschäft betrieben, an dem Werke eine ungerechte Bevorzugung des Importhandels, und selbst unter denen, welche mit dem letzteren sich beschäftigten, gab es viele, welche, je weiter die Hafenanlage gedieh, um so unzufriedener über dieselbe sich aussprachen, weil Oldenburg neuerdings die bremische Schifffahrt viel zuvorkommender behandele und damit die Ueberflüssigkeit der bremischen Anstrengungen erwiesen sei. Dass dieses freundlichere Verhalten der oldenburgischen Behörden eine Folge der bremischen Bestrebungen war, und dass es zeigte, wie sehr man in Oldenburg die drohende Gefahr erkannte, wie fest man von dem ernstlichen Willen Bremens und der Möglichkeit seiner Durchführung überzeugt war, das wurde gänzlich übersehen. Misstrauen gegen diejenigen Männer, welche im geheim die Vorbereitungen zu dem wichtigen Unternehmen getroffen hatten, persönliche Rankünen aller Art, wie sie in einem kleinen Gemeinwesen so leicht sich geltend machen, endlich die Trägheit der Masse, sich an neue Ideen zu gewöhnen, traten hinzu, um die Stimmung der bremischen Bevölkerung in [illegible] Weise zu beeinflussen.*) Man solle nur so und so viel daran wenden, um die Pläne wieder fortzuwerfen; solche Redensarten konnte man überall hören. Das gute Einvernehmen zwischen Senat und Bürger-

*) S. darüber J. G. W. [illegible], über die Anlage von Bremerhaven, im Bremischen Magazin, [illegible] Jahrgang, 1. Heft [illegible]

schiff wurde geräumt, und als die Hafenanlage glücklich beendet war, ließ man noch längere Zeit das Werk entgelten, was man an Vorurtheilen gegen seine Leiter aufgewendet hatte.

Die Deputation, welcher unter Smidts Vorsitz die Verwaltung des Hafenbaues anvertraut war, ließ sich durch alles das nicht beirren, sondern förderte das ihr vertraute Werk derartig, dass der Hafen im Sommer 1830 zur Aufnahme von Schiffen bereit war. Aber nur wenige bremische Rheder konnten sich entschliessen, ihren Capitänen Anweisung zum Einlaufen in den neuen Hafen zu geben, und es kam so, dass das erste Seeschiff, welches am 13. September 1830 durch die Schleuse in den Bremerhaven legte, ein unter amerikanischer Flagge segelnder Schooner war. Bis zum Ende des Jahres liefen überall nur 16 und unter diesen nur 10 bremische Schiffe in den Hafen ein. Im Jahre 1831 benutzten von 1095 für Bremen bestimmten Schiffen, welche in die Weser einliefen, nur 95 Bremerhaven; doch besserte sich das Verhältniss bis 1835 schon derartig, dass unter 1066 Schiffen 834 in dem neuen Hafen löschten.

Bessere Einsicht und die Macht der Gewohnheit haben die Vorurtheile, welche jenes Missverhältniss herbeiführten, längst beseitigt. Heute ist Bremerhaven das Concentrationspunkt der Weserschifffahrt. Neben dem alten Hafenbassin ist bereits im Jahre 1851 ein zweites grösseres eröffnet, mit einem Aufwande von Millionen wird gegenwärtig ein drittes ausgegraben, mehr für die erhofften Bedürfnisse der Zukunft als für das augenblickliche Erforderniss berechnet.

Im Todesjahre seines Gründers wurde der bremische Seehafen von 817 Schiffen mit 177,588 Last besucht, d. h. genau zwei Drittel des gesammten bremischen Schifffahrtsverkehrs hatte sich dorthin gezogen. Seitdem hat sich sowohl die Zahl wie namentlich die Grösse der Schiffe, welche in Bremerhaven einliefen, ausserordentlich gesteigert, sie betrug im Jahre 1872 1280 Schiffe mit 436,341 Last, und obwohl im Beginn der sechziger Jahre hannoversche Eifersucht am linken Ufer der Geeste eine eigene Hafenanlage schuf, welche, bestimmt dem bremischen Handel Concurrenz zu machen, doch freilich in Wahrheit das Wachsthum desselben nur erhöht, so repräsentirte dennoch der vorigjährige Verkehr in Bremerhaven mehr als 75 Procent des gesammten bremischen Schiffsverkehrs.

So über alles Erwarten hat sich die Zuversicht bewährt, mit welcher Smidt in einem der gefahrvollsten Momente seine persönliche Energie, seinen staatsmännischen Willen einsetzte, um unterstützt von wenigen Freunden dem Handel seiner Vaterstadt neue Bahnen anzuweisen, auf welchen sie erst in dem friedlichen Wettkampfe der Nationen den ehrenvollen und gewinnbringenden Platz erringen konnte, den sie heute einnimmt. Das Gut staatlicher Selbständigkeit hat unter der glorreichen Kraftentfaltung unseres Vaterlandes an idealem wie an praktischem Werthe unwiederbringlich verloren, aber um Bremerhavens willen müssen wir die noch erhaltene Autonomie beibehalten, vor allem bewahrt der binnenländischen Stadt seine „goldene Meeresader“, welche sie unter physischer und politischer Ungunst durch die Jahrhunderte sich erhalten hat, und welche ihr doch vielleicht heute schon verloren wäre, wenn nicht Smidts Genius ihr zu rechter Zeit die Tochterstadt an der Mündung seines Stromes geschaffen hätte.

Mittheilungen

aus dem handschriftlichen Nachlasse Johann Smidt's.

I. Schreiben an Perret vom 8. December 1797.*)

(Bremen.) 8. Decbr 97.

Lieber Perret!

Es soll einmal ein alter Weiser gesagt haben, jeder Mensch habe sein Maß Arbeit auf Erden, aber das Herz könne dabei nicht bleiben. So rathe ich euch, — ich habe auch mein Maß Arbeit auf Erden erhalten, ich suche täglich etwas herzustellen, das ohne mich nicht dastände — aber der Mensch soll doch kein Tagelöhner sein, volle Befriedigung giebt ihm der Blick auf das Tagewerk nicht. Die Gegenwart steht vor ihm in scharf abgeschnittenen Farben, soll sein Auge wohlthätig auf ihr ruhen, so dürfen ihm die sanfteren Schattirungen der Zukunft und Vergangenheit nicht fehlen. Für die erste habe ich selbst zu sorgen, aber daß mir der Spiegel der letzteren nicht nachgerade verdunkele, erwarte ich auch zum Theil von der Sorgfalt meiner Freunde. Ihr lebendiges Bild ruft mir das Bild meines vorigen Lebens zurück — und wenn ich sehe, was

*) Der Empfänger, ein Liefländer, gehörte dem Jenaer Freundeskreise Smidt's an, siehe oben S. 49. [illegible] Concept Smidt's [illegible] „Bremer Nachrichten" vom 4. November [illegible]

sie geworden sind, stehen die Abhängigen wieder vor mir, die mein Herz im Umgange mit ihnen heben oder drücken. Das letzte war bei dir nie der Fall, mir ist immer wohl gewesen in deiner Nähe, denn du bist einer von denen, deren Kraft und Wahrheitssinn ich es vertrauen durfte, dass sie trotz allem Wechsel ihrer Außenwelt sich auf ihrer gerechten Höhe dennoch behaupten werden. In der That, ich glaube es nicht, dass du seit unserer Trennung jetzt die ersten Zeilen von mir lesen würdest. Aber seit deinem Aufenthalt in der Schweiz schriebst du keinem von uns — keiner vernahm etwas von dem Orte deiner Existenz. — Vor einem Jahre etwa las ich in einer Zeitung, du seist als Legationssecretär mit dem General Clarke nach Italien gereist. Ihr Bruder in Basel wurde mir diesen Sommer diese Nachricht bestätigt. Im August war ich in Mailand, wo ich dich zu finden hoffte, aber alle meine Nachforschungen waren vergebens. Der Lohnbediente im [illegible] wollte dich einige Monate zuvor dort gesehen haben, wusste aber nicht, wo du geblieben seist. Ich ging in Bonapartes Comptoir, aber die Secretäre konnten mir keine Auskunft geben; es sei ein Secretär des Namens beim General Berthier, sagten sie — und zeigten mir etwas von seiner Hand, aber es war nicht die deinige; auch lebt jener in Paris. — Wahrscheinlich warst du damals mit Clarke in [illegible], wenn du anders noch bei seiner Legation angestellt bist.

Es scheint mir nicht unwahrscheinlich, dass dich die Geschäfte der Republik nach Rastadt fördern könnten, weil du des deutschen Staatsrechts kundig bist. — In dieser Hoffnung habe ich unsern dortigen [illegible], den Doctor Ordnung gebeten dich aufzusuchen und diesen Brief an dich abzugeben. Durch ihn kannst du dich, wenn du willst, von meiner jetzigen Lage näher unterrichten. Auch ist Ordnung ein guter Kopf und ich glaube, dass der Umgang mit ihm dir Freude machen wird, wenn du anders Zeit dazu hast. Ist es dir irgend möglich, so lass mir doch, sobald du kannst, ein paar Zeilen durch ihn zukommen und schreib mir, wie du gelebt hast und zu leben gedenkst.

Ich verließ Jena erst im September 96, promovirte

dann anderthalb Jahre in meiner Vaterstadt und setzte meine theologischen und philosophischen Studien fort. Im verwichenen Sommer machte ich eine Reise durch die Schweiz und einige angrenzende Departements der französischen und cisalpinischen Republik, die in mehr als einer Hinsicht sehr wohlthätig für mich gewesen ist. Bald nach meiner Ankunft erhielt ich hier ein Amt, das ganz meinen Wünschen entspricht, ich bin nämlich Professor der Philosophie am hiesigen Gymnasium geworden und suche nun, so gut ich es vermag, das Meinige dazu beizutragen, um die Menschen, die die Sphäre meines nähern Wirkungskreises umfasst, mit ihrer Menschheit vertrauter zu machen. Du weisst, dass es mir dazu an gutem Willen nicht fehlt; meine Kenntnisse und Einsichten bemühe ich mich durch tägliches Studium zu vermehren und besser zu begründen, und damit es mir nicht an einem nothwendigen Erforderniss glücklicher Wirksamkeit gebreche, damit ich mir Heiterkeit des Sinnes und ein froher Gefühl meines individuellen Lebens erhalte, stehe ich jetzt im Begriff mich mit einem trefflichen Mädchen, das ich seit mehreren Jahren liebe und schätze, noch näher zu verbinden. Willst du die Freude meiner Hochzeit vermehren helfen, so darfst du nicht lange säumen, in der Neujahrswoche musst du dann spätestens in Bremen sein. — Ich lebe hier in einem Kreise trefflicher Menschen und habe kein einziges geistiges Bedürfniss, für dessen Mittheilung ich einen theilnehmenden Freund vergebens zu suchen hätte. Auch meine äussere Lage entspricht meinen Wünschen; ich lebe in einem kleinen Staate, der kein bedeutendes Blatt in den Annalen unseres Zeitalters einnimmt, aber den Ansprüchen seiner Bürger auf ihre fortschreitende Cultur weniger Hindernisse in den Weg legt, als irgend einer, zu dessen Kenntniss ich bis dahin gelangte. Du erinnerst dich doch wohl an das, was wir mehr als einmal über den reinen Föderalismus miteinander sprachen. Unsere drei nordischen Hansestädte sind die einzigen in Deutschland, die diesem schönen Verhältnisse so nahe gekommen sind, wie es ihnen möglich war. Ich denke deswegen gar nicht darauf, den erlangten Wirkungskreis in meiner Vaterstadt zu verlassen, so lange sie sich ihre jetzige glückliche Lage erhält. Mit ihrem [illegible] Flor ist freilich auch der Neid ihrer übermächtigen Nachbarn gestiegen; aber doch hoffen wir, dass die Besorgnisse, die einiger dêswegen hegt, durch den allgemeinen Frieden, an dem du jetzt arbeiten hilfst, völlig aufgehoben werden dürften. Kannst du vielleicht etwas dazu beitragen, dass man bei der Berechnung des Allgemeinen, die hier vorfällt, auch dem Besonderen seine Aufmerksamkeit nicht entziehe, — kannst du vielleicht zur rechten Zeit an etwas erinnern helfen, was als Kleinigkeit minder geachtet werden könnte, so fordere ich dich nicht bloss als Freund und als Bürger, sondern wirklich auch als Kosmopolit dazu auf. Für dich und alle die wie du denken, weiss ich, ist das genug gesagt, — aber für andere dürfte vielleicht ein Blick auf den Nutzen, den die Freiheit der Hansestädte und der nur dadurch allein begründete Handelsflor derselben der Republik während dieses Krieges verschaffte, von grösserer Bedeutung sein. So hat z. B. der Umfang des Absatzes französischer Producte an die Vereinigten Niederlande mit dem, was bremische Schiffe in Frankreich einkauften, schon vor dem Kriege herzhaftig balancirt. — Vergiss es also nicht, Lieber, und nimm dich dieser Sache an, so sehr es deine Lage erlaubt. Wundre dich nicht darüber, dass ich dich darum bitte. Das „Nil volentibus arduum" steht so gut in deinem Herzen wie in dem meinigen. Dass die Republik nicht unterdrückt werde, kann dir nicht mehr am Herzen liegen, als mir die Freiheit meiner Vaterstadt, und du kannst gewiss so wenig wie ich denjenigen schätzen, der bei einer Aufforderung, für Menschenwohl thätig zu sein, erst die Köpfe zu zählen versucht und sich fragt, ob es auch der Mühe wohl werth sei.

Du wünschest gewiss von unsern alten Freunden einige nähere Nachricht zu haben. — Borger*) hat sich 1½ Jahre in der Schweiz aufgehalten, ich habe dort vorigen Sommer manche frohe Stunde in dem Umgange dieses guten und herrlichen Menschen erlebt — jetzt ist er nach Copenhagen zurückgegangen. — Breuning lebt in Bonn, nach dem letzten Briefe, den ich im verwichenen März von ihm erhielt, nicht sehr zufrieden. Es drückte ihn damals sehr, dass die Kommandado auf den

*) Ueber ihn und andere der im Folgenden genannten Freunde Smidt's siehe oben S. [illegible] ff.

Charakter seiner Landsleute so nachtheilig wirken. Der versteckte Egoismus, scheint es, kommt bei dieser Gelegenheit allenthalben zum Vorschein, jeder sorgt nur für sich selbst, an Gemeingeist ist nicht zu denken. Er hat mich eingeladen an einem Journal mitzuarbeiten, das er im künftigen Jahre mit Pfeiffer, der auch in Bern lebt, herausgeben will. Bis jetzt habe ich ihm noch nichts für dasselbe schicken können. — Baruhoff lebt als Hofmeister bei einem Kaufmann in Petersburg; eine unglückliche Liebe hat eine wunderbare Veränderung bei ihm hervorgebracht, sein heiterer Sinn ist verschwunden, aber doch regt sich noch Kraft genug in ihm. Ein so seltner Charakter wie der seinige muss Zeit haben um sich zu organisiren. Auch von ihm habe ich seit einem halben Jahre nichts gehört. — Krüger ist Hofmeister in Curland, Pohrt bei den Kindern der Dichterin Friederike Brun in Copenhagen, Meister seit einiger Zeit Prediger in Altona. Lindner und Siegemann leben als Aerzte in Riga und Mitau. Vielleicht kommt mit dem preussischen Gesandten von Dohm sein Schwager Horn*) nach Rastadt, der nach deiner Abreise Mitglied unserer literarischen Gesellschaft wurde. Suche ihn kennen zu lernen, er ist ein vortrefflicher Mann, der deiner Freundschaft werth ist. Er wird dich mit der neuesten deutschen philosophischen Literatur näher bekannt machen können.

Fichte schreibt mir bisweilen; er arbeitet noch immer auf dem gewohnten Wege fort. — Hast du sein Naturrecht schon gelesen? Das von ihm vorgeschlagene Ephorat ist vielleicht auch da, wo die legislative und executive Gewalt getrennt sind, das einzige Mittel, die Constitution auch im dringendsten Nothfall keinem Eingriffe bloss zu stellen, der wenn er in seinen Folgen auch noch so wohlthätig sein mag, doch immer noch ein Monopol der Constitution verräth. Sieyes soll bei Entwerfung der letzten Constitution der Republik ähnliche Ideen geäussert haben. — Im angewandten Naturrecht hat mich die Deduction des Familienrechtes sehr interessirt, die eheliche Gesetzgebung will mir indess nicht recht gefallen; es ist leicht möglich, dass die individuelle Lage des Verfassers auf seinen freien Blick hier einen nachtheiligen Einfluss gehabt

*) Vgl. oben S. 81.

17*

habe. — V. lebt übrigens jetzt sehr glücklich, seine Frau hat ihm einen Sohn geboren.*)

Noch viel hätte ich dir zu sagen, lieber Perret, aber ich will erst sehen, ob meine Ahnung, die sich nach Rostock verirrt hat, gegründet ist. Gieb mir doch bald durch ein paar Zeilen Nachricht von dir. Herr Doctor Gröning wird gern so gütig sein, sie zu besorgen. Du hörst dann bald mehr von

Deinem

Smidt.

---

2. Aphorismen

über das gegenwärtige politische Interesse der drei freien Hansestädte, mit vorzüglicher Rücksicht auf die Beantwortung der Frage, ob die Aufnahme in den Rheinischen Bund wünschenswerth für dieselben sei, oder nicht?

Geschrieben um die Mitte Aprils 1808.**)

§ 1.

Bei dem Vermögen, welche kleine unabhängige Freistaaten, wie die Hansestädte es sind, in der freien Bestimmung ihrer inneren Organisation nach den jedesmaligen Zeitbedürfnissen genießen, ist es dagegen ihr unvermeidliches Loos, in Hinsicht der Bestimmung ihrer äußeren politischen Verhältnisse von dem allgemeinen Gange der grösseren Weltbegebenheiten abhängig zu sein, und sich gegen dieselben immer verhalten zu müssen, wie diejenigen grösseren Mächte, deren Kräfte zu

*) Heinrich Gröning. Siehe vorn, [illegible] S. 45.

**) Für den Abdruck [illegible] Manuscript [illegible] „Dieser Aufsatz [illegible] Hamburg [illegible] Lübeck und Hamburg [illegible] Mecklenburg und Oldenburg [illegible]

[illegible]

§ 2.

[illegible]

Anspielen zu bilden, und schien sich mit einem desfallsigen Aufrufe war deshalb um so übriger an die Hansestädte zu wenden, weil derselbe sonst überall eine Stimme in der Wüste blieb. Auch sie benutzte indess eine glückliche Abwehr unglücklicher Zukunft auf diese Stimme zu hören. Die Befestigung innerer Eintracht, ein näheres Aneinanderschliessen und Festhalten an ihrem schwesterlichen Bunde, schien ihnen dagegen das erste was Noth sei, um kommenden Stürmen nicht so viel leichter einmals zu erliegen.

§ 3.

Während in den hanseatischen Conferenzen zu Lübeck im September und October 1806 die Städte sowohl ihre gegenseitigen Verhältnisse zu ordnen, als ihr wahres Interesse in Beziehung auf ihre äussere politische Lage, und die nöthigen und möglichen Schritte dasselbe geltend zu machen, zu erwägen bemüht waren, schienen sie zugleich die Aufmerksamkeit grösserer Mächte in einem Grade zu erregen, der ihnen ein temporäres Ansehen politischer Wichtigkeit gab, an welches sie sich indessen um so weniger freuen konnten, je dunkler es ihnen blieb, ob sie es wagen durften, sich und die Beförderung ihres wahren Wohls bei diesen ephemeren Betrachtungen als Zweck zu betrachten, oder ob dieser unerwartete Glanz nicht vielmehr als Mittel zu anderen Zwecken grösserer Mächte angesehen werden müsste. Dunkel war und blieb es ihnen, wie die scheinbar [illegible] Aufforderungen zu Nachsuchung einer speciellen Protection des französischen Kaisers von ihnen zu nehmen seien; einstimmiger fanden sie die wiederholte Aufforderung zum Beitritt des neu zu organisirenden norddeutschen Bundes ihrem Interesse zuwider. Höchst überraschend waren für sie die Erklärungen über die Wichtigkeit ihrer Unabhängigkeit für den Welthandel, welche der französische Kaiser in seinem Ende September 1806 an den Rheinbund gerichteten Schreiben, und in dem im officiellen Regierungsblatte abgedruckten Berichte des Ministers Talleyrand so unumwunden der Welt vorlegen liess; besonders wichtig die in diesen Actenstücken enthaltenen Behauptungen, wie das Interesse Deutschlands und selbst Europas es erfordere, dass sie keiner Gewalt irgend einer besonderen

Confoederation werden dürften, und dass jede Veränderung ihres gegenwärtigen Zustandes mithin als ein Hinderniss mehr zur Herstellung des allgemeinen Friedens zu betrachten sei und solcher auch von England bei den Friedensverhandlungen declarirt werden. Die schönsten Hoffnungen für die Zukunft schienen ihnen aus dieser Uebereinstimmung der grössten Land- und Seemacht erblühen, und der Beschluss eines ruhigen Abwartens der weiteren Entwicklung der grossen Weltbegebenheiten musste um so mehr das Resultat ihrer gemeinschaftlichen Berathungen werden.

§ 5.

Der Ausbruch eines fürchterlichen Krieges in Deutschland im October 1806 veränderte alle bisherige Conjuncturen gewaltsam und schrecklich. Mit der Schlacht vom 14. October war Preussens Einfluss auf die deutschen Angelegenheiten und die ganze Truppenmacht eines nordischen Bundes unter seinen Auspicien plötzlich von der Scene verschwunden. Was von deutschen Staaten der Vernichtung entging, flüchtete schüchtern unter die Aegide des Rheinischen Bundes, der von nun an seine Tendenz zu einem gemeinsamen Bunde unter einem französischen Kaiser deutlich an den Tag legte. Es galt jetzt nur die Wahl mehr, Amboss oder Hammer zu sein, und glücklich, wem diese Wahl noch freigestellt blieb, oder wer zur Ergreifung des letzteren sofort den Muth zu fassen sich entschliessen konnte; — er [illegible] doch einem weniger [illegible] dem Gedränge der Zeiten, er hatte den Becher des Unheils doch bis auf die Hefen nicht auszuleeren.

§ 6.

Es konnte nicht anders sein, als dass die Hansestädte bei dem Festhalten an der Idee ihrer kosmopolitischen [illegible], welche zugleich ihrem kaufmännischen Interesse so vollkommen entsprach, leider grade zwischen dem Amboss und Hammer ihren Platz finden mussten, und Schlag auf Schlag traf sie von nun an die Last der Zeit und der Missverhältnisse der ganzen Art ihres bisherigen Daseins zu der neuen durch den Willen Napoleons geschaffenen und mit eiserner Consequenz durchgeführten Continentalpolitik des umgestalteten Europa. Statt dem Frieden und seinem Handel ein ruhiges Asyl zu bieten, wurden sie der Schauplatz des wildesten Kriegsgetümmels. — Sturm, Schlacht und Plünderung sahen selbst diejenige unter ihnen, welche sich am sichersten wähnte, in ihren Mauern. Der theils mitten im Frieden, theils bei ausdrücklich anerkannter Neutralität während des Krieges von den Städten mit England getriebene Handel wurde ihnen zum Verbrechen gemacht, vor Jahren und Jahrzehnden vorher [illegible], wohl erworbenes und bezahltes Eigenthum englischer Waaren und Colonialproducte wurde, in welchen Händen es sich finden mochte, für gute Beute erklärt, und nur eine nochmalige Bezahlung des Werths desselben konnte einen Privatbesitz sichern, dessen Rechtmäßigkeit bis dahin von keinem Tribunale der Welt in Zweifel gezogen worden wäre. — Doch war dies nur ein Theil der von nun an über die friedlichen Städte verhängten Uebels. Als sei der Handel überhaupt und vor allen der [illegible] Pest der Völker, wurden sie fast von jeglichem Verkehr abgeschnitten, ihre bedeutendsten Nahrungsquellen verstopft, und Requisitionen aller Art, vor allem aber die Last der Ernährung und Verpflegung zahlreicher in ihre Mauern verlegter Truppen und der harte [illegible] das Leben der [illegible] Führer derselben, zehrte von nun an unaufhörlich an dem Mark ihres bisherigen Wohlstandes, und bis auf den heutigen Tag sehen sie einem Ende dieser Drangsale vergeblich entgegen.

§ 6.

Auch selbst über die Fortdauer ihrer freien Verfassung und unabhängigen Existenz schien eine Unglück drohende Wolke sich zu verbreiten. Gleich anderen eroberten Staaten wurde ein Militär-Gouvernement ihnen vorgesetzt, dessen [illegible] in ihre innern Verhältnisse von Anfang selbst nur als eine Contribution zur Erwiderung der ihm gewordenen guten Aufnahme geltend gemacht wurde. Ihre Deputirten, welche in Berlin und Posen nach langem vergeblichem Harren das Ohr des Kaisers erreichten, vernahmen harte Worte aus seinem Munde, kein Versprechen der Erhaltung der Unabhängigkeit nach beendigtem [illegible] war von ihm zu erhalten. Ich werde [illegible], aber ich verspreche nichts, meine Protection habt ihr nicht gewollt, in den Rheinischen Bund aufgenommen zu werden, habt ihr nicht begehrt, ich bin also zu nichts gegen euch verpflichtet." Während der ganzen ferneren Dauer des Krieges gegen Preussen und Russland hatten die den siegreichen Armeen des Kaisers folgenden hanseatischen Senatoren in Berlin, in Posen, in Warschau, [illegible] zu einer weiteren Audienz zu gelangen, ohne von dem Kaiser oder seinem Minister ein Wort des Trostes zu vernehmen. Auch das kleinste günstige Zeichen der Zukunft begierig ergreifend, las man in diesem Zeitpunkte zwar in einem übrigens nicht weiter motivirten Artikel des Moniteurs, dass die Erhaltung der Hansestädte zwar ferner für die handelnde Welt von Wichtigkeit bleiben, indem [illegible] so nothwendig, dass sie bis zum Frieden mit England unter der näheren Direction derjenigen Macht blieben, welche bestimmt sei den Handelsdespotismus zu zerstören und die Freiheit der Meere wieder herzustellen; aber in dem gleichen Zeitpunkte ersah man mit Schrecken aus den Mittheilungen der Actenstücke über die letzten Friedensverhandlungen im englischen Parlamente, dass Frankreich selbst die Städte damals zu einer Entschädigung für den König von Neapel feil geboten, und dass Aeusserungen dabei vorgefallen, welche es selbst wahrscheinlich gemacht, dass man sie zu gleichem Zweck auch dem Könige von England zu einer Vereinigung derselben mit seinen hannoverschen Staaten nicht versagt haben würde. Mit ängstlicher Hoffnung harrte man [illegible] der Publication des Tilsiter Friedensschlusses. Die [illegible] Danzigs von den [illegible] erschien als ein erfreuliches Omen, wenngleich die Verbindung desselben mit dem Herzogthum Warschau unangenehmen Nebendenken Raum gab; aber noch niederschlagender war es, die Hoffnung einer Intercession Russlands für die Städte bei dem Anblicke jenes Artikels gänzlich aufgeben zu müssen, in welchem dasselbe alle von Frankreich besetzten deutschen Staaten, mit Ausnahme einiger wenigen ausdrücklich genannten, der Disposition des französischen Kaisers gänzlich überliess. Zwar schmeichelte man sich noch mit der Hoffnung, dass in einem geheimen Artikel etwas zum Besten der Städte stipulirt sei, eine Hoffnung, die weiterhin bei dem Erscheinen einer in Paris unter den Augen der Regierung gedruckten Schrift über die Vortheile des Tilsiter Friedens für Europa noch vermehrt wurde, indem dieselbe unter den gedachten Vortheilen auch wesentlich die Befestigung der Unabhängigkeit der Hansestädte mit aufführte, allein auch diese Hoffnung wurde durch spätere, von dem Petersburger Hofe gegebene Winke, welche die Städte lediglich auf den vorerwähnten, Deutschland völlig in Napoleons Hände gebenden Artikel des Tilsiter Friedens verwiesen, gänzlich wieder vernichtet. Mehr noch als jene vorgedachten günstigen Zeichen der Zeit schien ein beruhigendes Wort aus dem Munde des Kaisers selbst zu sagen, indem er gegen die, bei seiner Rückkehr von Tilsit ihm nachgereisten hanseatischen Deputirten in Dresden unaufgefordert sich äusserte: um die Hansestädte stehe es gut, er habe noch [illegible]. Doch auch diese tröstliche Zusicherung musste bald nachher durch eine andere, ebenfalls directe Aeusserung des Kaisers gegen die Deputirten des Königreichs Westfalen, welche in Paris vor ihn gelassen wurden, wieder [illegible] erscheinen. Mehreren unter diesen sagte der Kaiser: „Das Königreich, welches ich meinem Bruder gegeben, hat zwar schon jetzt einen ziemlich bedeutenden Umfang, es dürfte indessen mit der Zeit noch beträchtlich vergrössert werden. Wenn die Dinge den Gang nehmen, wie ich es mir denke, so kommt in der Folge ganz Hannover dazu, und dann auch Hamburg und Bremen." Man hat anfangs die Richtigkeit der Erzählungen der westfälischen Deputirten von diesen Aeusserungen des Kaisers bezweifeln wollen, allein später von verschiedenen Seiten desshalb gemachte Nachforschungen haben dieselbe durchaus bestätigt. Leider ist diese Aeusserung über das künftige Schicksal der Städte die letzte aus des Kaisers eigenem Munde, von der uns einige Nachricht zugekommen; denn bei der [illegible] Audienz, welche die hanseatischen Deputirten bei dem Kaiser in Paris hatten, und in welcher sie demselben ein Memoire, die hanseatischen Wünsche enthaltend, übergaben, äusserte derselbe sich durchaus nicht, und erwiderte weder damals noch späterhin auf den Inhalt desselben auch nur ein einziges Wort. Es kostete sogar grosse Mühe, diese

Audienz zu erwirken. Man wollte die Deputirten nicht mehr für ausserordentliche Abgesandte anerkennen, sie wurden nicht mehr wie sonst an den Audienztagen zu den diplomatischen Tafeln geladen, und diese Audienz selbst wurde im Moniteur auf eine Weise angezeigt, welche dieselbe in eine Classe mit der am nämlichen Tage einigen Deputirten eines mediatisirten Staats (wo ich nicht irre, Venedig) gegebenen Audienz setzte. Bei dem Erscheinen der Deputirten in den nachherigen gewöhnlichen öffentlichen Audienzen, hat der Kaiser im Vorbeigehen wohl dann und wann einzelne Worte mit diesem oder jenem derselben gesprochen, sich auch dem Schicksal der Städte erkundigt, und wenn man die Last derselben in den gegenwärtigen Zeiten beklagte, wohl mit einigen hingeworfenen Worten auf die Hoffnung besserer Zeiten verwiesen, — jedoch bloss in Hinsicht der Erleichterung von militairischem Druck und Wiederaufblühen des versunkenen Handels, nie indess mit Hindeutung auf Erhaltung der Unabhängigkeit der Städte; zu einer anderen Zeit sind ihm aber auch einmal die drohenden Worte entfallen: Hamburg und Bremen seien englisch gesinnte Städte, das könne und werde nicht so bleiben. Alle Aeusserungen, welche in den letzten Zeiten die Hoffnung für die Erhaltung der Unabhängigkeit der Städte etwas wieder gehoben haben, kamen nicht aus dem Munde des Kaisers selbst, sondern nur von dem immer günstig für sie gesinnt gewesenen Fürsten von Benevent und seltener von ihm selbst als von seinen Umgebungen. Uebrigens scheint der Kaiser bis zu diesem Augenblicke die Hansestädte noch als freie unabhängige Staaten anzuerkennen. Der Minister-Resident ist und bleibt bei dem Kaiser in Paris accreditirt, und geniesst fortwährend alle Prärogativen sonstiger diplomatischer Personen seines Ranges. Herr Abel steht in dem neuesten Almanac Impérial als Minister-Resident unter der Rubrik „Villes anséatiques", die in der 4. Section unter der Hauptrubrik „Ambassadeurs Ministres des Puissances Etrangères résidant près S. M. l'Empereur des Français", in alphabetischer Ordnung vorkommen, (dabei aber mit Cursivlettern gedruckt wird, wie unter ihnen in diesem Abschnitte nur Lucques et Piombino). Fortdauernd ist auch ein französischer Ministre Plénipotentiaire bei den Hansestädten accre-

führt, obgleich sich dieser nur Ministre près les Princes et Etats de [illegible] nennt und auch so nur in dem oben gedachten Almanac vorkommt. Auch den Hansestädten sind wie anderen verbündeten Staaten Geburts- und Heirathsfälle, Thronbesteigungen u. dgl. Ereignisse, welche in der kaiserlichen Familie stattgefunden, angezeigt worden, und die französischen Bundesstaaten haben grösstentheils ein gleiches Benehmen gegen sie beobachtet. Zur Annahme des Code Napoleon wurden sie auf eine ihre Unabhängigkeit schonende und vorzugsweise Weise eingeladen; indess darf man an der anderen Seite auch nicht verhehlen, dass in einzelnen sonstigen Fällen, z. B. in der Matrosenaushebungsangelegenheit und in Ansehung des Antwerpschen Hafens, diese Formen schon weniger beobachtet, und durch kaiserliche Decrete dem Brauch Vorschriften gegeben sind, die mit der sonstigen Anerkennung ihrer Unabhängigkeit auffallend zu contrastiren scheinen.

§ 7.

Um auf die jetzige und künftige Interesse der Hansestädte ein einiges Licht werfen zu können, bedarf es eines Totalüberblicks der gegenwärtigen politischen Lage von Europa, der handelnden Welt überhaupt und ihrer wahrscheinlich folgenden Zukunft.

Frankreich herrscht in diesem Augenblicke beinahe unumschränkt auf dem ganzen Continent von Europa. Nur das in seiner insularischen Kraft noch immer unbezwungene England vertheidigt durch die Macht seiner Flotten noch einen Theil des zur activen Mitwirkung gegen Frankreichs Allgewalt zu schwach befundenen Schwedens und die Inseln des mittelländischen Meeres; um die Herrschaft über die in der Ostsee belegenen dänischen Eilande kämpft es im gegenwärtigen Momente einen noch unentschiedenen Kampf. Auf der ganzen pyrenäischen Halbinsel, in Italien und Deutschland, in den preussischen und österreichischen Staaten, in der Türkei und in Russland — wo es dem letzten [illegible], ob freiwillig oder im gleichen furchtbaren Gefühle der Uebermacht — wird der Wille Napoleons zur Ausführung gebracht, werden seine auf die Zertrümmerung der englischen [illegible] herrschenden [illegible] und Vorschriften beinahe [illegible] befolgt.

Mit der Ausschliessung des englischen Handels von dem ganzen europäischen Continent hat auch der Seehandel des letztern beinahe ganz aufgehört, es ist ein geschlossener Handelsstaat geworden, und wenn auch in diesem Augenblicke ein lebhafter Handelsverkehr im Innern desselben herrscht, so ist dies doch nur [illegible] wenigstens das Resultat der auf jene gewaltsame Absperrung folgenden krampfhaften Zuckungen, die sich aber mit noch [illegible] längeren Dauer eines solchen Zustandes sich verlieren und eine gänzliche Lähmung des Tauschhandels der europäischen Völker zur Folge haben dürften, wenn nicht fortwährende und vergrösserte [illegible], veranlasst durch Bemühung und Züge unternehmender kriegerischer Heere zu östlichen oder südlichen Expeditionen in andere Welttheile, diesem Mangel merkantilischer Relationen eine längere Dauer [illegible] bringen sollten. Selbst der grösste civilisirte Handelsstaat der neuen Welt, die Vereinigten Staaten von Amerika haben sich dem verderblichen Einflusse dieses Vernichtungskampfes der grössten See- und Landmacht Europas nicht entziehen können; um nicht in [illegible] Ausdehnung der einen oder der andern sichere Beute zu werden, haben sie einem freiwilligen Entbehrungs-Systeme allen auswärtigen Handelsverkehr den Vorzug ertheilt und der Schnecke gleich, die Fühlhörner eingezogen, in Erwartung der endlichen Beschwichtigung dieses Sturmes [illegible] mit der ersten freundlichen Berührung des östlichen und westlichen Continents.

Aber wann wird dieser Sturm enden und wie? — Die gegenwärtigen Aussichten zu einer wahrscheinlichen Lösung dieses Räthsels führen zu ganz verschiedenen Resultaten, je nachdem man a) Englands Besiegung oder b) dieses oder c) Frankreichs frühere Erhaltung oder endlich d) die Zwischenkunft irgend eines [illegible] zu [illegible] als das entscheidende Ereigniss des nächsten Jahres oder des nächsten Jahrzehends hypothetisch anzunehmen sich geneigt findet. Werfen wir auf jede dieser Möglichkeiten und ihre wahrscheinlichen Folgen einen flüchtigen Blick!

a) Noch steht England, was man auch Gegentheiliges aus-

Amerika mehr noch, um zu frischen Kräften zu gelangen) — ein dritter und vielleicht der einzig wirksame Plan zu seiner Vernichtung ist ihm nicht entgangen und auch diesen hat er bereits mit starker Hand zu ergreifen begonnen und wird, so lange er lebt, nach seinem Ziele streben mit der ihm verliehenen eisernen, alle Hindernisse zermalmenden Consequenz. Und dieser Plan ist kein anderer, als der, durch welchen nach langem vergeblichen Kampfe und unter bei weitem minder begünstigenden Umständen einst die Macht Carthago's eine endliche Beute römischer Anstrengung wurde. Nicht einmal Schiffe zu bauen verstanden die alten Herrscher der Welt, als zwischen ihnen und den damaligen Herren der Meere die erste Fehde begann, und schlecht gelang ihnen ihre erste Nachbildung eines an den Küsten Italiens gestrandeten carthaginiensischen Seglers; aber durch ununterbrochene jahrelange Uebung und Anstrengung auf Flotten und Küsten wurden ihre Legionen endlich mit dem Meere vertraut, und mit dem ersten kleinen Siege, den ein römischer Feldherr über ein punisches Geschwader erfocht, war auch der Untergang Carthago's in den Strom der Zeiten geworfen. Sammelt nicht jetzt schon Napoleon an allen Küsten und an allen Handelsplätzen des seinem Winke unterworfenen Europa die Trümmer der vernichteten Handelsmarine, stehen nicht jetzt schon von Jütlands Spitze bis zur Meerenge von Gibraltar und bis zu den jonischen Inseln alle mit den Wellen vertraute Männer sich in den sichern Häfen zusammen, in welchen ein Linienschiff nach dem andern den Stapel verlässt und kleinere Fahrzeuge bei Tausenden ausgerüstet werden? Wird nicht die Zahl dieser Schiffe mit jedem Monate sich mehren; wird er nicht der Begierde sich noch ferner in ungleichem Kampfe einzelne Flotten auszusetzen zu wollen, so viele Jahre lang entsagen, bis er eine dreifach überlegene Zahl zum Opfer darbieten und die durch ihre Bewegung ermüdeten Feinde im ähnlichen Momente durch seine von allen Punkten abgehenden Landungsflotten in ihrer Heimath überfallen kann?

Dies die wahrscheinliche Geschichte der endlichen Besiegung Englands, wenn man ausgegangen von Napoleons Willen und Zauberkraft und ihre ununterbrochene Wirksamkeit annehmend, seine Bahn im Bereiche der Möglichkeiten zu verfolgen sich erkühnt.

Aber was wird aus Europa werden, wenn so der Schleier der Zukunft sich löst? Nehmen wir das Extrem, so ist es Despotismus ohne Gleichen, Untergang aller Künste und Wissenschaften mit [illegible] Ausnahme aller derjenigen unter ihnen, welche dem Kriegsgotte huldigen. Brod und Schauspiele, damit kann man nichts anderem frage. Und was wird das Schicksal der Hansestädte sein in dieser Zeit? Das des Tropfens am Eimer! — ob er hängen bleibt, ob er zur Erden falle, wer wird sich darnach umsehen?

b) Angenommen aber, der Genius der Menschheit bewahre dieselbe vor solchen Extremen, angenommen, der gordische Knoten löse sich durch Englands frühere oder sogar baldige Ermattung, durch eine Thronveränderung in England oder durch veränderte Gesinnung des Königs, der Minister oder des Volks, ein Ereigniss, welches schon einmal in diesem Kampfe sich zutrug und als dessen Resultat der Friede von Amiens erschien, was dürfen wir dann hoffen oder fürchten?

In diesem Falle will England den Frieden, wenigstens einen Waffenstillstand für mehrere Jahre; Frankreich wird ihn nicht ausschlagen. Denn angenommen auch, es fühlte es ganz wohl, dass Englands Interesse nur einen Waffenstillstand begehren kann, so lange es sich doch die Kräfte Frankreichs und des ganzen Continents in einigen Friedensjahren wieder besser sammeln, und mehr Kraft wird geschöpft zu künftiger angestrengterer Thätigkeit. Aber wie wird der Friede beschaffen sein? England sucht ihn in diesem Falle; daher wird Frankreich ihn im Grunde dictiren, jedoch diejenige Mässigung dabei beobachten, welche erforderlich ist, um diesen Frieden wenigstens einige Jahre bei dem englischen Volke populär zu erhalten. Man wird vielleicht den Codex des Seerechts für den Kriegszustand [illegible] lassen und für den Frieden aber einige allgemeine Sätze sich vorbehalten. Der Handel Englands mit dem Continente wird wieder freigegeben, der König von Portugal wird vielleicht wieder eingesetzt; England giebt einige Inseln wieder heraus und lässt etwa Hannover zu Frankreichs Disposition oder bedingt es für einen englischen Prinzen. Denn, dass der König von England nicht zugleich der [illegible] französischer Vasall sein könne, darüber hat die Nation sich schon deutlich genug erklärt, und seiner Herrschaft über Deutschland mittelst dieses Bundes wird Napoleon nie aufgeben. Ein solcher oder doch dem ähnlicher Friede (denn dass hier von Details nur beispielsweise die Rede sein kann, ergiebt sich von selbst) dürfte in dem angegebenen Falle etwa zu erwarten sein, er dürfte dauern, bis Frankreich, das auch während eines solchen Friedens seinen Plan zur Vernichtung der Handelsübermacht Englands nicht weiter verfolgen wird, eine so drohende Gestalt gegen England annimmt, dass dieses seine Existenz nicht anders als durch Erneuerung des Kriegszustandes retten zu können glaubt — und dann ist alles wieder wie zuvor; nur mit dem Unterschiede, dass Frankreich mit grösserer Kraft schlägt wie bei Ausbruch des gegenwärtigen Krieges und also seinem Ziele um so viel näher ist.

c) Denken wir uns den dritten Fall: Frankreich ermüde zuerst (denn seine Bezwingung durch England lässt sich nicht wohl denken). Gesetzt also, die fortwährenden Lasten des Krieges und die Sehnsucht nach Frieden würden in Frankreich und in den mit ihm verbundenen Ländern so gross, dass die Regierung es nicht für rathsam hielte, den Bogen noch weiter zu spannen, — was hätte sich in solcher Voraussetzung zu erwarten? Dem bisherigen Gange der Dinge nach lässt sich kaum annehmen, dass eine solche Situation eintrete, oder wenn sie eintrete, zur allgemeinen öffentlichen Kunde kommen dürfte. Die gewandte Politik des französischen Cabinets würde vor Eintritt derselben schon durch sehr gemässigte Friedensvorschläge das englische Cabinet zu gewinnen wissen, und der Friede würde da sein, eher man ihn ahnte. Auch ist es schwer anders zu denken, als dass durch eine von Frankreich selbst ausgehende nach Frieden verlangende Stimmung dieser Fall eintreten könnte, denn an die dermaligen Bedürfnisse der mit Frankreich jetzt verbündeten Staaten und selbst Russlands würde man sich wenig kehren; [illegible] den vereinten Kräften Frankreichs, Spaniens, Deutschlands, Preussens etc. bald zu einem Gesammtwerk zu bewegen wissen. Dem, der einmal die Zügel mit so fester und sicherer Hand zu halten weiss, wie Napoleon in unsern Zeiten, sind sie schwer zu entreissen. Im Ganzen scheint von diesem allen das Resultat zu sein, dass nur durch Frankreichs Friedensbedürfniss herbeige-

[illegible]

letzten Frieden von dem eben zuvor geschilderten nur in wenigen verschieden sein und nur im Ganzen etwas vortheilhaftere Bedingungen für England in Hinsicht des Continents zur Folge haben dürfte, — wobei indess Frankreich noch immer am Ende der Fehde in einer furchtbareren Gestalt erscheinen würde, als nach dem Frieden von Amiens, auf den der gegenwärtige Zustand der Dinge erfolgt ist. Für die Dauer des Friedens dürfte sich nicht mehr hoffen lassen als im vorhergehenden Falle.

d) Eine von allen vorhergehenden gänzlich verschiedene Aenderung der Dinge wäre endlich durch die plötzliche Erscheinung eines Deus ex machina möglich. — Ich bediene mich dieses sprichwörtlichen Ausdrucks, um damit eine Menge von Möglichkeiten zusammenzufassen, die bei der gewöhnlichen Calculation mit dem mächtigen Franzosen nicht in Anschlag kommen, und denke mir darunter nicht bloss einen etwaigen unerwarteten Tod des immer sterblichen Napoleons, sondern auch manche andere mögliche Erscheinungen: z. B. eine fürchterliche Verwüstung Europa's durch Erdbeben, Pest, gelbes Fieber, ein gewaltsames Vordringen nordöstlicher asiatischer Barbaren gegen Europa, einen im Drange der Zeiten zur Geburt kommenden und alles umwälzenden neuen religiösen Enthusiasmus und dergleichen Dinge mehr. Ich würde dieses vierten Falles gar nicht gedacht haben, wenn es nicht dem Menschen so natürlich wäre, in ausserordentlichen Zeiten auch ausserordentlichere Dinge zu erwarten und diesem dunkeln Gefühle, wenn er es nicht ausdrücklich bei sich zur Sprache bringt, einen geheimen aber desto wirksamern Einfluss auf sein Urtheil zu verstatten. Bei einer näheren Beleuchtung fällt indess die hohe Unwahrscheinlichkeit aller solcher Ereignisse von selbst in die Augen, und selbst das Abtreten des grossen Kaisers von dem weiten Schauplatze seines Wirkens, das dem Loose der Natur zufolge freilich irgend einmal eintreten muss, lässt sich bei der blühenden Gesundheit, welche er geniesst, in den nächsten 20 Jahren nicht erwarten. Gesetzt aber einmal der Tod raffte ihn dahin in der Kraft seiner Jahre — was würde daraus folgen? Entweder dieser Fall tritt in einer Zeit ein, wo er die Präponderanz Frankreichs durch zahlreiche auf den Geist der Söhne und der übrigen lebenden Generation berechneten

Anstrengungen und Institute so organisirt hat, dass auch nach seinem Hinscheiden der von ihm vorgezeichnete Gang von einem seiner Nachfolgern am Ruder bleibt, so wird dadurch wenig verändert; oder dieses Ereigniss findet während der Dauer der gegenwärtigen Krise noch Statt — und wer vermag dann seine Wirkungen zu berechnen? sie könnten schrecklicher sein für Europa wie alles Furchtbare, was wir bis dahin erlebt zu haben glauben.

Das Resultat dieses kurzen Ueberblicks der jetzigen politischen Krise und ihrer wahrscheinlichen nächsten Folgen dürfte also, um es kurz zusammen zu fassen, etwa Folgendes sein: Entweder dauert der grosse Kampf zwischen Frankreich und England bis zu des letztern völliger Besiegung ununterbrochen fort und mit ihm der Druck [illegible] des ganzen Continents in steigender bald auf diesem bald auf jenem Puncte tiefer empfundenen Härte, oder ein temporärer während der Dauer der gegenwärtigen französischen Uebermacht und der Englands Vernichtung erobernden Tendenz derselben nur einem Waffenstillstande gleichender Friede bildet früher oder später, längere oder kürzere Intervalle in diesem Kampfe. Die Bedingungen dieses Friedens mögen den Umständen nach mehr oder minder günstig für England ausfallen, immer wird Frankreich nach Abschluss eines solchen Friedens viel mächtiger dastehen und einen viel directern und wirksamern Einfluss auf den ganzen Continent haben und äussern, wie solches bei dem Frieden von Amiens und bei dem Ausbruche des gegenwärtigen Krieges der Fall war, und auch während eines solchen Friedens oder Waffenstillstandes wird Frankreich diesen Einfluss auf directe und indirecte Weise nicht unbenutzt lassen, um Englands Alleinhandel zu beschränken, seine Herrschaft über die Meere zu untergraben und sich furchtbare Hülfsmittel gegen die Zeit einer etwaigen Erneuerung dieses Kampfes zu bereiten.

§ 6.

Die jetzige und künftige Lage Deutschlands dürfte in Folge der obigen Erörterungen etwa folgende sein. Der dirigirende Einfluss auf die deutschen Angelegenheiten, um den früherhin Oesterreich und Preussen mit abwechselndem Glücke

18*

massen zu schützen, und der Gebrauch ihrer Kräfte konnte ihm auf keine Weise gleichgültig sein. Dies war der Geist, welcher den Rheinischen Bund dictirte, und nur dieser ist in der ersten Acte desselben ausgesprochen. Garantie der Unabhängigkeit durch die Kraft französischer Kriegskunst und Diplomatik wurde von der einen, Anerkennung des französischen Kaisers als Protector des Bundes und Stellung eines verhältnissmässigen Contingents zur Vermehrung seiner Landmacht von der andern Seite ausgewirkt und geleistet. Die Verbindung der deutschen Staaten unter sich ist in dem Bunde zwar angedeutet, aber inwiefern die nähern Bestimmungen derselben, die Organisation der Bundestage, die Gerichte u. s. w. als eine Folge der den verschiedenen Staaten zugesicherten individuellen Souverainität von ihnen selbst ausgehen sollte, oder vielleicht der Einfluss des Protectors oder wiederum durch den von diesem zu ernennenden Primas des Bundes seine weitere Organisation zu erwarten habe, ist bis auf diesen Augenblick noch unentschieden geblieben. Die deutschen Schriftsteller, in denen Kraft und Freiheit der Nation sich noch am lebendigsten erhalten, haben fortwährend auf Ausbildung des ersten Weges gedrungen, die Cabinette der Fürsten hingegen, ganz mit den drängenden Sorgen des Augenblicks belastet, scheinen vielmehr dem letztgenannten Gange der Dinge anhangen zu sehen und vermuthlich die Herstellung des Friedens oder die gänzliche Vereinigung aller deutschen Staaten vom zweiten und dritten Range durch Theilnahme an dem neuen Bunde abwarten zu wollen. In diesem Augenblicke, wo wahrscheinlich auch Oldenburgs Eintritt zum Bunde schon entschieden ist, befinden sich von den unabhängigen Staaten Deutschlands nur noch die drei Hansestädte ausser demselben, und von den grösseren der Rest der noch zu Napoleons Disposition stehenden vormaligen hannöverischen Lande.

Der Krieg, welchen die deutschen Staaten des Bundes mit Frankreich gegen Preussen und Russland geführt haben, ist gegenwärtig beendigt, die Contingentstruppen sind von der grossen Armee entlassen und in ihre Heimath zurückgekehrt. An dem Kriege Frankreichs gegen England nimmt der rheinische Bund nur in dem passiven Maasse Theil, wenn seit dem

Tilsiter Frieden der ganze europäische Continent genöthigt worden ist. Der Verkehr mit England ist gänzlich unterbrochen, und der Handel mit englischen Waaren wird wie Contrebande betrachtet; aller Seehandel hat so gut wie aufgehört, damit er direct oder indirect England nicht zum Nutzen gereiche; bloss die Hansestädte, welche noch nicht im Rheinischen Bunde sind, sind in den neuesten Tagen genöthigt worden, einen noch directeren Antheil an dem Kriege gegen England zu nehmen als alle übrige deutsche Staaten, indem sie durch Lieferung von Matrosen für die französische Marine wirklich Streiter aus ihrer Mitte zum Kampfe gegen England aufstellen und demselben dadurch [illegible] weit mehr schaden, als wenn sie zehnmal soviel an Landtruppen zum Dienste Frankreichs lieferten. Ob von den zunächst in den Bund aufgenommenen deutschen am Meere liegenden Staaten, ob von Mecklenburg und Oldenburg ein gleiches begehrt werden dürfte, muss sich bald zeigen; aber es ist kaum zu erwarten, dass eine solche Matrosenlieferung mit dem sonstigen ihnen auferlegten Bundescontingent in directer Verbindung stehen dürfte; denn eine Rüstung des Bundes ist der Constitutions-Acte zufolge nicht getrennt, sondern geschieht von allen Bundesgliedern zugleich.

Dies die gegenwärtige politische Lage Deutschlands; aber wie dürfte dieselbe künftig und vor allen in Beziehung auf die § 7 geschilderten verschiedenen möglichen Resultate des gegenwärtigen Kampfes zwischen England und Frankreich und dessen Bundesgenossen werden?

Deutschlands politische Autonomie scheint für eine lange Reihe von Jahren gar nicht oder doch nur sehr leise zur Sprache kommen zu dürfen. Es wird während dieser Dauer genöthigt sein, Frankreichs Zwecke zu befolgen, so wie es vormals nur den Planen Oestreichs seine Kräfte widmete; aber doch ist zu erwarten, dass die neue Periode, welche es beginnt, weniger blutig für seine Söhne, weniger verheerend für seine Provinzen sein werde, als die vorhergehende es war. Gesetzt der Vernichtungskampf Frankreichs gegen England dauere auch ein oder mehrere Jahrzehnde, er werde selbst in andern Welttheile verpflanzt, so werden zwar die deutschen Staaten wahrscheinlich genöthigt werden, ihre Contingente zur Ver-

wird er die Heiden seines Vaterlandes hervorbringen; Leinen und Wolle wird ihm nicht fehlen; die Uebervölkerung der grossen Städte wird sich verlieren, aber auf dem platten Lande wird es lebendiger werden als zuvor.

Angenommen indess, es sei keine lange Dauer des gegenwärtigen Zustandes der Dinge zu fürchten, angenommen der Friede würde durch Frankreichs oder Englands vereinigtes Bedürfniss in kurzem und wenigstens auf mehrere Jahre wieder hergestellt, wie dürfte es dann in Deutschland aussehen?

Der politische Einfluss Frankreichs auf Deutschland wird bleiben, er wird sich wahrscheinlich vorzüglich dahin äussern, dass Napoleon Deutschland wie Frankreich in eine Lage zu setzen suche, während der längern oder kürzern Friedensjahre von der englischen Alleinherrschaft über den Handel es [illegible] möglich [illegible], durch Schifffahrt Matrosen zu bilden, auf Erbauung von Flotten Bedacht zu nehmen, die dann freilich nicht ganz zu verwehrende Importation englischer Waaren und Producte durch hohe Imposten zu erschweren u. dergl. Die Verfassung des deutschen Staatenbundes wird er dahin etwas näher zu reguliren suchen, dass mehr Einheit und Ordnung in das Ganze komme und seine Disposition über Deutschlands Militairkraft ihm gesichert bleibe. Höchst wahrscheinlich lässt er sich zum deutschen (wenn nicht gar zum occidentalischen) Kaiser ernennen und wird in dieser Qualität einen ganz andern Einfluss haben und äussern, als die Kaiser aus dem österreichischen Stamme. Er wird dafür zu sorgen suchen, dass durch Stiftung grosser Institute, allgemeiner Unterrichtsanstalten, Polizeianstalten, Verbesserung der Wege, Versicherung und Erleichterung der innern Communication, durch gleiche Gesetze, Münze, Maasse, Gewichte u. dergl. Anstalten mehr, sein Name in Deutschland gross und unvergesslich bleibe. Die Nation wird im Ganzen an Einheit und Kraft dadurch gewinnen, aber an der andern Seite ist nicht zu leugnen, dass durch Nachahmung französischer Institute, Sitten und Gebräuche die Nation sich nicht zum Bessern wenden dürfte; dass französische Prinzen und Prinzessinnen auf deutschen Thronen mit dem Schweisse der Unterthanen den Glanz des Pariser Hofes auch in ihren Umgebungen nachzubilden wetteifern und dem verarmten Volke deshalb zu grosse Lasten aufzulegen genöthigt sein werden, dass ein schnelles allgemeines Erheben von den Drangsalen des letzten unglücklichen Jahrzehends schwerlich gehofft werden darf. Druck und Elend aber, wenn sie nicht bis zum Äussersten getrieben werden, erzeugen niedrige Denkungsart, und Despotismus steht in beständiger Wechselwirkung mit derselben. Erst bei einer folgenden Generation und wenn die neuen Dynastien sich fest auf ihren Thronen glauben und fühlen werden, lässt sich eine veränderte und bessere Tendenz in Absicht auf Wahrscheinlichkeit annehmen und hoffen. Schnell erneuerte Kriege mit England und langer Verzug der Beilegung derselben dürfte die endliche Beruhigung Deutschlands und den Beginn einer glücklichern Periode desselben sehr verzögern, und Frankreichs Einfluss auf dasselbe noch bedeutend vermehren. Es wäre in solchem Falle kein Wunder, wenn grosse Auswanderungen nach Amerika mit Hülfe englischer Schiffe von den Deutschen mit Leidenschaft versucht und ins Werk gerichtet würden.

§ [illegible].

Erst nach vorläufiger Erwägung der Lage Europa's überhaupt und Deutschlands insbesondere wird man auf die Gegenwart und Zukunft der Hansestädte einen leichtern Blick werfen und über ihr jetziges und künftiges Interesse, wenn auch nicht mit Sicherheit urtheilen können, doch der Gefahr entgehen, durch eine zu beschränkte und einseitige Ansicht der Dinge sich zu Missgriffen oder zu Erwartungen verleiten zu lassen, die früher oder später als Fehltritte oder Chimären erscheinen und eine verderbliche Reue zur Folge haben würden.

Es ergiebt sich aus dem Obigen insbesondere folgendes.

Die Hansestädte liegen auf dem europäischen Continent, sie liegen ferner innerhalb der Grenzen des vormaligen Deutschlands, sie stehen mit demselben unter Französischem mächtigem Einflusse, — dieser Einfluss wird sich bei der Fortdauer des gegenwärtigen Kriegszustandes gegen England nicht vermindern, sondern eher noch sich vermehren, auch bei auf kürzere oder längere Zeit hergestelltem Frieden wird er nicht ausbleiben, sondern in dieser oder jener veränderten Form fortwähren, und sie werden an den Maßregeln, welche Frankreich im Frieden wie im Kriege gegen England ergreift und ergreifen wird, gezwungen oder ungezwungen, direct oder indirect Theil nehmen, schon allein vermöge ihrer nicht zu verändernden geographischen Lage in Europa und vor allem in Deutschland und abgesehen von jedem anderen politischen Bestande, in dem sie sich befinden. Denn sie mögen künftig unabhängig oder mediatisirt, dem rheinischen Bunde angehörig oder wie in diesem Augenblicke isolirt da stehen, so lange sich ihre Einwohner nicht ausschiffen und jenseits des atlantischen Meeres einen neuen Staat gründen, so lange werden sie zur Partei Frankreichs gehören müssen bis die Zeit kommt, wo Frankreichs Herrschaft über Deutschland ein Ende hat. Die Hoffnung, dass die den Städten durch den Reichsdeputationsschluss von 1803 zugesicherte Neutralität bei künftigen Land- und besonders bei Seekriegen wieder anerkannt und wirklich respectirt werden dürfte, scheint auch gerade zu den chimärischen gezählt werden zu müssen. Möglich lässt sich ihre Realisation nur in dem Falle denken, wenn Frankreich bei dem Frieden mit England durch eine solche Stipulation zu Gunsten Englands, irgend einen andern bedeutenden Vortheil erreichen zu können glaubte und wenn England das nach den bisherigen Vorgängen seltene Zutrauen zu Frankreich setzte, anzunehmen, dass bei einem künftig wieder ausbrechenden Kriege zwischen beiden Mächten dennoch in diesem besondern Punkte der Friede nicht gebrochen, sondern im Kriege fortgehalten werden sollte, dass Frankreich, wenn es den englischen Handel künftig wieder verbietet und dessen Waaren vom Continent ausschliesst, dennoch den deutschen Städten erlauben würde mit England fortzuhandeln und seine Waaren [illegible]. Oder an der andern Seite müsste Frankreich voraussetzen, England würde es sich gefallen lassen, dass die hanseatischen Schiffe bei einem künftigen Kriege die Frachtfahrt zwischen Frankreich und dessen Colonien unterhielten, dagegen aber dem englischen Handel auch nicht den mindesten Vortheil brächten. Nur einzig in dem Falle lässt sich eine solche von beiden Mächten zugestandene hanseatische Neutralität beim künftigen Kriege zwischen Frankreich und England möglich denken, wenn dieser Krieg durchaus seinen bisherigen Character fällen und nicht mehr ein Krieg um Handels-Rivalität und Alleinhandel, um Herrschaft über die Meere, um Colonial-Erträge oder gänzliche Colonial-Lahmlegung sein oder bleiben wolle. Es gehört zu den [illegible] Fortschritten unserer Zeit, die aber vielleicht zur Erreichung eines besseren Zustandes der Menschheit nothwendig sind, dass den Kriegen in unsern Tagen grosse Ideen zum Grunde liegen, dass man sich nicht mehr um den Besitz einiger Inseln schlägt oder um eine kleine Landstrecke oder um persönliche Beleidigungen der Regenten zu rächen, sondern dass die wesentlichen Tendenzen der Völker sich bekämpfen, wodurch die gegenwärtigen Kriege, so zu sagen Kriege auf Leben und Tod sind. Unser Neutralitäts-Plan war das Resultat einer ganz andern Lage und Ansicht der europäischen Politik; er musste mit dieser stehen und fallen, wie es am Tage ist, und schon bei der Proclamation des Friedens von Tilsit und der durch denselben vollends organisirten Uebermacht und Herrschaft Frankreichs über Deutschland hätten wir eine Idee aufgeben sollen, die während Deutschlands Unabhängigkeit von Frankreich entstanden war und nur zu einem solchen Zustande passte.

Nur mit einem bangen Vorgefühle lässt sich nach den obigen Voraussetzungen zu der Frage schreiten: Mit welchem Fug und aus welchen Gründen dürfen die Hansestädte die Erhaltung ihres bisherigen unabhängigen Zustandes hoffen? Schon bei dem ersten Blicke scheint alles uns zuzurufen: Die alten Stützen sind dahin! — Die Deutsche Reichsconstitution — sie ist gefallen, und brachte schon, um nur noch einige Jahre länger ihr Leben zu fristen, unsere vormaligen Schwestern [illegible] zum Opfer. Der Wahn, man werde sich über die reichen Hansestädte nicht vereinigen können, keine Macht werde der andern sie gönnen? Frankreichs Kaiser verschenkt Königreiche, ohne jemand zu fragen, und Russland, die letzte Macht, welche ihm Widerstand zu leisten wagte, hat die Hansestädte wie den übrigen Rest von Deutschland zur Disposition des Siegers gegeben. Die Hamburger Bank? Napoleon wird sich viel um das Geschrei seiner Kaufleute kümmern; auch dem künftigen Handelsverkehr des Continents wird er neue Bahnen und Gesetze vorzuschreiben wissen, und schon die letzte Ge-

hauptung der Unentbehrlichkeit eines [illegible] Instituts der Art aus der alten Zeit könnte er bei öfter [illegible] für ein Uebergewicht seiner Güter anführen, das [illegible] einer [illegible]lichen Anwendung derselben nutzen könnte. Das allgemeine Wohlwollen aller Mächte, begründet durch das Handelsinteresse derselben? — Dieses hängt wieder mit der Unabhängigkeit Deutschlands, mit der hanseatischen Neutralität und vor allem mit dem System des europäischen Gleichgewichts zusammen; dies Bild der Vorzeit, paßt [illegible] nicht mehr auf die jetzige Lage Europas und des durch französische Präponderanz fast zu einem einzigen Staate gewordenen Continents. Kurz — alles zeigt uns, die Erhaltung oder Vernichtung der Freiheit der Hansestädte ist einzig und allein abhängig von dem Willen des Kaisers der Franzosen, und die Muthmaßung, welche man über seine derfälligen weiteren Willensäußerungen aufstellen könnte, fallen mit einer Erörterung seines möglichen Interesses in solcher Hinsicht zusammen. Aber welches könnte denn nun dieses Interesse sein, wenn das Resultat desselben unsern Wünschen entsprechen sollte? Die durch Napoleons bisheriges Benehmen, das sonst im Ganzen den republikanischen Verfassungen durchaus nicht günstig zu sein scheint, gegebenen Data sind zuförderst seine kurz nach der Stiftung des Rheinischen Bundes, und beim Ausbruche des Krieges mit Preussen öffentlich erklärten, und noch nicht öffentlich wieder zurückgenommenen oder anders interpretirten Aeußerungen über die Wichtigkeit der Erhaltung der Städte, — ferner, die durch den Frieden von Tilsit wiederhergestellte Freiheit Danzigs, die beruhigenden Aeußerungen einiger der ihm zunächst stehenden französischen Staatsmänner, und endlich die bis auf diesen Augenblick wenigstens den äusseren Formen nach fortdauernde Anerkennung der Unabhängigkeit unserer Städte, deren Vernichtung doch längst in seiner Macht war. Man könnte etwa die folgenden verschiedenen Ideen als diejenigen, welche Napoleon bei der bisherigen Erhaltung der Hansestädte geleitet haben können, und zum Theil auch bei ihrer weitern Conservirung bestimmen dürften, für möglich annehmen; denn welche unter diesen, oder ob vielleicht eine noch ganz andere, die wirkliche sei, weiß nur er selbst und möglicherweise auch er selbst noch nicht einmal recht bestimmt.

e) Er hat die Hansestädte bisher blos noch in ihrem bisherigen Wesen fortexistiren lassen, weil er mit sich selbst über ihre weitere Bestimmung noch nicht einig war, indem er es etwa auch immer für möglich hielt, dass England auf die Zurückgabe von Hannover ein besonderes Gewicht legen könnte, in welchem Falle denn die Hansestädte entweder mit in die Wagschale gelegt und nebst Hannover, und zu einem Ersatze für die an Westfalen cedirten Aemter, an England cedirt werden könnten, oder wenn England darauf nicht genug hielte, zum Königreich Westfalen geschlagen, oder den Umständen nach auch in ihrem freien Zustande erhalten werden könnten, wenn England darauf ein besonderes Gewicht legte, oder solches bei einer Restitution des ganzen alten Hannovers an England für Frankreich vortheilhaft befunden würde. Ebenso könnte der gegenwärtige nordische Krieg am Ende zu einer Theilung Schwedens, und diese wieder zu einer Disposition Frankreichs über das Holsteinische führen, wo dann ebenfalls die Entscheidung des Schicksals der Hansestädte von Bedeutung sein, und also jede frühere Disposition über sie [illegible] schiene. Aufmerksamkeit erregende Zeichen der Zeit in Beziehung auf diese verschiedenen Hypothesen sind z. B. die bei den vorigen Friedensunterhandlungen stattgefundene Anbietung der Städte zur Entschädigung für den König von Neapel, und die Muthmassung der englischen Korrespondenz, dass man sie auch dem Könige von England nicht versagt haben würde, die Vereinigung mehrerer hannoverschen Aemter mit dem Königreiche Westfalen, die vorerwähnten Aeusserungen des Kaisers gegen die westfälischen Deputirten in Paris, die Aeusserungen im englischen Parlament, dass der König von England mittelst des Rheinbundes nicht französischer Vasall sein könne, und dass der Friede um Hannovers willen nicht dürfe ausgeschlagen werden; die Behauptung in französischen Bülletins und officiellen Blättern, England habe die Herrschaft der Elbe jetzt und für immer unwiederbringlich verloren, es werde ihm nie wieder Einfluss auf den Continent gestattet werden; die so eilig betriebene gänzliche Demolirung von Hameln; die Vertheilung der hannoverschen

Domainen zu französische Dotation und Staatsgüter; die russische Erklärung über die definitive Besitznahme Finnlands, die an Dänemark zugesicherte Entschädigung für die Aufopferung seiner Flotte und Handelsmarine; die Accession Mecklenburgs zum Rheinischen Bunde und die wahrscheinliche Aufnahme Oldenburgs in denselben, die vielfachen Gerüchte, zufolge denen der Prinz von Ponte Corvo auf einen wenigstens noch mehrere Jahre dauernden Aufenthalt in Hamburg rechnen soll, und dergleichen mehr, wodurch übrigens nichts bestimmt oder wahrscheinlich gemacht, sondern nur gezeigt werden soll, dass diese verschiedenen Zeichen der Zeit zu den verschiedensten Muthmassungen über die künftige Bestimmung der Hansestädte Raum geben und eine Unbestimmtheit in den diesfälligen Absichten anzudeuten scheinen.

b) Napoleon betrachtet Deutschland vermöge des Protectorats des französischen Kaisers über dasselbe als einen Theil des von nun an unter seinem vorzüglichen Einflusse stehenden europäischen Continents, er denkt nicht von demselben fahren zu lassen, sondern alles, und auch die Hansestädte, zu dem Rheinbunde zu ziehen, sei es als active Mitglieder oder als associirte Staaten, worauf auch ein Fingerzeig in der Constitutionsacte desselben deutet, oder er verwandelt vielleicht bald sein bisheriges Protectorat in die alte deutsche Kaiserwürde, und die Hansestädte sollen dann Reichsstädte bleiben, und eine ganz besondere Protection als solche geniessen. Da seinem Plane nach, bei etwaniger Wiederherstellung des Friedens, der ganze Continent verschlossen soll, um Englands Alleinhandel Abbruch zu thun, so wird er dieses auch von dem ihm nächst Frankreich jetzt am meisten interessirenden Deutschland erwarten und begehren, und die Hansestädte, mit denen der Seehandel Deutschlands steht und fällt, werden dann seine vorzügliche Aufmerksamkeit auf sich ziehen. Er kann ihm, so abgeneigt er den Republiken auch ist, doch nicht entgehen, dass eine freie Verfassung den Handel begünstige, er wird ihnen diese also lassen, damit ihre Schiffahrt wieder aufblühe, damit durch ihren Seehandel zahlreiche Matrosen gebildet werden, die bei einem wieder ausbrechenden Kriege, entweder auf seinen Kriegsschiffen dienen, oder den Kranz zu einer dann zu errichtenden deutschen Marine bilden können.

Um die Handelsverbindungen derselben für ganz Deutschland nutzbarer zu machen, würden sie mit den übrigen deutschen Staaten in nähere Verbindung gesetzt, und die Schranken, welche der inländische deutsche Handelsverkehr, durch Flusszölle, Stapelrechte und Handelsschranken anderer Art, durch Abschluss und dergleichen erleidet, würden von ihm aufgehoben werden; gleiche Gesetze, Münzen, Mass und Gewicht würden alle deutschen Staaten verbinden, und jedem Einwohner eines solchen wird es möglichst leicht gemacht werden, in einer der Hansestädte Comptoire zu errichten, Commanditen zu halten u. s. w., um von den Früchten des Welthandels soviel an sich zu ziehen, als seine Kräfte es irgend verstatten. Wenn die [illegible] tröstlichen Winke für die Zukunft, welche von einzelnen französischen Staatsbeamten unsern Deputirten in Paris gegeben sind, irgend eine wirkliche Bedeutung haben, und nicht bloss als glatte Worte zu nehmen sind, so würden sie einer solchen Hypothese das Wort reden; auch die jetzigen [illegible] passen in dieses System.

c) Noch kann sich die Möglichkeit denken, dass Napoleon, in dessen Geiste man sich schon mehr als einmal verrechnet hat, die Hansestädte zur Realisirung noch höherer oder doch umfassenderer, wenn nicht kosmopolitischer, doch politischer Ideen aufbewahrt. Gesetzt er machte es sich nach befestigter Herrschaft über den Continent zum höchsten und seiner ganzen Energie zu verfolgenden Zweck, seinen Erbfeinden den Dreizack zu entreissen, gesetzt er sähe zugleich, dass er solchen ohne den [illegible] in seiner Gewalt zu haben nicht vermöchte, und dass dieser nur da leicht, bequem und kräftig geführt zu werden pflegt, wo es an einem gewissen Grade bürgerlicher Freiheit nicht gebricht, gesetzt endlich er habe sich aus der Geschichte des europäischen Handels bemerkt, dass erst nach dem Untergange der grossen hanseatischen Verbindung Englands Uebermacht im Handel und Seekriege mit Riesenschritten vorwärts sich bewegte, würde er nicht auf den Gedanken gerathen, nicht bloss durch Erhaltung der drei Hansestädte, sondern selbst durch Creation noch einer vierten

grössern Ansicht ähnlicher mit mehr oder minder [illegible] Freiheit zu [illegible] Gestalt des europäischen Continents einen neuen Wettstreit und eine neuere Lebendigkeit für den Handel zu begründen, dessen reichere Fortschritte im jedesmaligen Friedenszustande ihm zugleich ein kraftvolleres Auftreten des Continents bei jedem etwaig ausbrechenden Seekriege mit England gewährten. Daran scheint er sich wenigstens jetzt überzeugt zu haben, dass die alte besiegende Zaubergewalt der englischen Marine weder in der Schiffsbaukunst, noch in der Richtung der Kanonen, noch in der jedesmaligen Ueberlegenheit an Schiffen und Streiterzahl, sondern einzig in der grösseren Gewandtheit der durch den Handel gebildeten und mit den Meeren vertraut gewordenen britischen Seeleute und den aus ihrer Mitte hervorgehenden, von unten auf dienenden Führern derselben bestehe. Nach dieser Ansicht dürfte also der Kaiser unsere Städte zur Theilnahme an einer erneuerten von ihm neu zu stiftenden hanseatischen Verbindung aufbewahren, eine Hypothese, mit der die Aufrechthaltung Danzigs (welche indess freilich auch schon aus Localursachen hinreichend erklärt werden kann) und das vielfache, doch schwerlich bloss von müssigen Köpfen ersonnenen Gerüchte einer [illegible] mehrerer anderer grosser europäischer Seeplätze zu Hansestädten in Verbindung stehen könnten.

Dass unter diesen verschiedenen möglichen Motiven zur Erhaltung der Hansestädte nur die unter b und c angeführten ihren Wünschen entsprechen können, ergibt sich bei einigem Nachdenken von selbst. Jede Fortexistenz nämlich, welche sie aus einem der unter a angeführten Bewegungsgründe erwarten können, ist und bleibt prekär, ähnlich wie eine Wohnung auf vulkanischem Boden. Sollte sich England verleiten lassen, gegen die Herausgabe bedeutender Inseln den ihm immer unsicher bleibenden Besitz von Hannover wieder aufzugeben, sollte in Holstein und Jütland vielleicht ein neues Reich geschaffen werden und Frankreich es rathsamer finden, die freien Hansestädte dann zwischen beiden in ihrem bisherigen Wesen zu erhalten, so würden wir vielleicht, solange ein Friede zwischen Frankreich und England dauert, einiger Ruhe und der Wiederkehr blühender Zeiten uns zu erfreuen haben, aber bei jedem neuen

Kriegsausbruch wird auch der Jammer der gegenwärtigen Tage nen werden, und wo nicht schon dem Abend unseres Lebens, doch sicher unsern Kindern und Enkeln vorbehalten bleiben. Und wie wenig wahrscheinlich ist es selbst, dass Frankreich irgend grosses Interesse an der Erhaltung unserer Selbstständigkeit unter solchen Verhältnissen nehmen werde, es kann jetzt im Grunde gar kein anderes haben, als das, durch das Aufblühen unseres Handels einiges Gewicht in die Handelsbalance gegen England zu werfen, denn der Nutzen, welchen Frankreich sonst direct aus unserem Zwischenhandel zog, ist vorbei, seitdem kein von Frankreich ganz unabhängiger Staat zwischen uns und jenem grossen Reiche weiter belegen ist, seitdem es auf dem ganzen Continent von Europa fast nur befreundete Häfen findet. Gelingt es ihm vollends, was jetzt mit der äussersten Anstrengung versucht wird, das Mittelländische Meer durch Besetzung aller Küsten desselben in den drei alten Welttheilen zu erobern, und die Engländer von demselben auszuschliessen, welche besonderen Vortheile sollte ihm die freie hanseatische Schifffahrt noch gewähren, die nicht auf anderem Wege eben so gut zu erreichen sein würden? Schiffsbauholz findet es dann hinlänglich in den dalmatischen Wäldern, auf dem Libanon, in Macedonien; Getreide liefert Aegypten und das bald zur alten Blüthe emporstrebende Nordküste Afrikas, französischen Wein wird Deutschland immer bedürfen und abholen oder sich zuführen lassen, ob in Schiffen, die republikanische oder monarchische Wimpel führen, ist in dieser Hinsicht gleichgültig und ohne besonderes Interesse für Frankreich.

Selbst die Erklärung des Kaisers an den König von Baiern vom 21 September 1806 und der gleich darauf folgende im Moniteur abgedruckte Bericht des Ministers Talleyrand, worin es heisst, dass die Hansestädte keiner partikularen Conföderation beitreten dürften, sondern selbst und unabhängig bleiben müssten, geschah unter ganz andern Umständen. Damals, vor Ausbruch des Krieges mit Preussen, existirte der Rheinbund nur im südlichen Deutschland, und es war von einer andern Conföderation im nördlichen Deutschland unter Preussens Auspicien die Rede, wenn dieser die Hansestädte geben wollte, dies wollte der Kaiser als Protector des süddeutschen Bundes nicht zugeben,

so

weil die Hansestädte als Haupt-Aus- und Einfuhrhafen von ganz Deutschland dadurch dem südlichen Deutschland mehr oder minder entzogen worden wären, weshalb in jener Erklärung auch ausdrücklich vom Interesse des südlichen Deutschlands die Rede ist. Wie ganz anders ist aber die gegenwärtige Lage der Dinge, wo von partikularem Interesse eines Theils von Deutschland und von besonderen Conföderationen in demselben gar nicht mehr die Rede ist, wo der Rest von Deutschland bis auf Hannover und die Hansestädte in eine Conföderation vereinigt ist, wo England nicht nur die Barrière der Elbe verloren hat, sondern selbst die des Sundes und der Ostsee zu verlieren im Begriff ist.

Das Wiederaufblühen des deutschen Handels und das des europäischen Continents überhaupt zur Schwächung und Beeinträchtigung des englischen Alleinhandels im Frieden und zur Bildung für Frankreich brauchbarer Matrosen zum Behuf eines künftigen Krieges ist also das einzige Interesse welches Frankreich dem Obigen zufolge an einer dauernden Erhaltung der Freiheit der Hansestädte nehmen kann, und die dem Kaiser bei einer solchen Erhaltung leitende Idee kann wohl nur eine von den unter b oder c angedeuteten sein. Die bisherige völlig republikanische Verfassung der Städte dürfte aber weit eher vollständig erhalten werden, wenn die Hypothese, nach welcher durch die Städte vorzüglich das Aufblühen des deutschen Seewesens beabsichtigt werden soll, sich begründete, als wenn von einer ausgedehnteren neuen Continental-Hanse die Rede wäre. Es würden zu dieser nämlich Städte aus monarchischen Ländern und selbst aus Frankreich geschlagen werden, alle würden eine gleiche Constitution erhalten, und dann schwerlich eine, dem Interesse jedes einzelnen unter den alten hanseatischen Bürgern so entsprechende, wie die welche er von seinen Vorvätern ererbt, welche auf eigenem Grund und Boden frei und fröhlich zu seiner Beschirmung erwuchs.

§ 10.

Wir gingen von dem Grundsatze aus, daß den kleinen Staaten, ungeachtet des ihnen durch die Natur ihrer Existenz durchgängig dictirten passiven Verhaltens, doch eine unerläßliche

aufgenommen werden müsste, indem die Hansestädte dadurch nur ihre Unabhängigkeit und Unbrauchbarkeit für Napoleons Plan darthun würden. Es kann bei ihnen gar nicht die Frage davon sein, ob der Beitritt zum Rheinischen Bunde vortheilhafter für sie sei, oder die Behauptung ihres bisherigen Zustandes, — denn letzterer existirt nicht mehr und kommt nie wieder, — sondern nur davon, ob sie fortfahren wollen, einem ihre Unabhängigkeit vernichtenden Decrete mit jedem Tage ängstlicher entgegenzusehen, oder ob sie noch einen Versuch machen wollen, dieselbe unter der Aegide des Rheinischen Bundes zu retten. Sollte Napoleon bereits eine solche Vereinigung beschlossen haben, oder Willens sein vor abgeschlossenem Frieden nichts über sie zu bestimmen, so wird freilich ein solcher Versuch vergeblich sein; aber es ist Pflicht alles Mögliche gethan zu haben, zumal da bei einem solchen Schritte kein Schaden, wohl aber Vortheil abzusehen ist. Dass dem so sei, sollte billig schon aus dem Obigen (seine Richtigkeit übrigens vorausgesetzt) klar sein; für diejenigen, welche es nicht so ansehen, mögen noch einige Bemerkungen über einige [illegible] Zweifel. Durch den Zutritt zum Rheinbund heisst es, würden wir es ganz und gar mit England verderben, es wird uns dann sicher alle unsere Schiffe confisciren und beim Frieden kein weiteres Interesse für uns zeigen; und wenn wir uns einmal zur Theilnahme an dem Rheinbund entschlossen haben, werden wir je wieder heraus können? Aber auch abgesehen davon, dass wir, da wir uns von dem Continent nicht trennen können, es doch einmal früher oder später mit England verderben müssen, der Rheinbund ist ja durchaus kein Bund gegen Seemächte, sondern wie die Constitution desselben ausdrücklich sagt, tritt seine Bewaffnung und Theilnahme nur bei Continentalkriegen ein, und nicht einmal bei allen; demnach hat dieser Bund, wie schon oben erwähnt, jetzt keinen einzigen Krieger gegen England im Felde. Die Hansestädte hingegen liefern noch täglich neue Matrosen zum französischen Seedienst. Werden nicht alle die ungeheuren Geldsummen, welche Frankreich jetzt von den Hansestädten erpresst, gegen England angewendet, und würde England deshalb nicht sogar Vortheil davon haben, wenn durch den Beitritt der Städte zu dem Rheinbunde diese Erpressungen weniger würden? Wenn England beim Frieden die alte Ordnung der Dinge in Europa und besonders in Deutschland nicht wieder herzustellen vermag, — und dies wird es nie, — so ist sein Interesse für die [illegible] nur gering, und alles, was es für sie auswirken könnte, würde ein kurzes, nur für wenige Jahre oder Jahrzehnde dauerndes Glück sein. Wir sind aber schuldig, nicht egoistisch bloss für die nächste Gegenwart zu sorgen, sondern auch auf das Wohl unserer Nachkommen bedacht zu sein, und ihren Fluch nicht auf uns zu laden. Der Furcht vor dem Beitritt in den Rheinbund getreten zu sein, endlich, liegt, wenn [illegible], nichts anderes zum Grunde als der [illegible] schon erwähnte Aberglaube an den Sturz [illegible] und an eine mögliche Wiederkehr der alten Ordnung der Dinge. Wir können aber nun einmal nicht wieder zurück zu den Fleischtöpfen Aegyptens; das rothe Meer liegt hinter uns, jedes Rückwärtsschauen hält uns nur länger auf in der Wüste; diese kann unsere Heimath nicht bleiben; wir müssen hindurch und mit Anstrengung jeglicher Art für uns und unsere Kinder das Land der Verheissung erringen. Scheuen wir diese Anstrengung, so werden wir sofort dauernd werden den [illegible] der Fremde um uns her, und uns am Ende glücklich preisen müssen die Brosamen zu geniessen, welche von ihren Tischen fallen. Doch ohne Bild und Gleichniss: Die Aufnahme in den Rheinischen Bund bringt uns keinen Nachtheil, den wir nicht sonst auch, und in noch grösserem Maase zu befahren hätten; aber der möglichen Vortheile lassen sich viele von einer solchen Vereinigung erwarten, falls es uns gelingen sollte, sie auch zu erreichen. Beispielsweise verdienen die folgenden angeführt zu werden.

a) Wir sichern dadurch nicht allein unsere Unabhängigkeit vor der wandelbaren Laune der Herrscher, und vor der Vergrösserungssucht mächtiger Nachbarn wenigstens ebensosehr, als die Selbstständigkeit der grösseren Bundesstaaten der Könige von Bayern, Sachsen etc. es ist, sondern wir haben auch als Mitglieder des Rheinischen Bundes volle Hoffnung, uns unsere bisherige Verfassung zu erhalten, als selbst dann, wenn unsere Unabhängigkeit ohne Theilnahme an diesem Bund fürs erste eingeleitet wurde. Den Bundesgliedern ist die Souveränität zugesichert, diese ruht in den Städten bei Rath und Bürgerschaft, und diese können sich daher ohne fremde Einmischung zur Beibehaltung oder Abänderung ihrer bisherigen Verfassungen selbstthätig bestimmen; und die Rücksicht auf die grösseren Mitglieder des Bundes und Napoleon abhalten, diesen Akt der Souveränität bei ihnen beschränken zu wollen, welches ohne eine solche Rücksicht leicht der Fall sein könnte, und dass denn eine neue Constituirung der Städte sicher [illegible] wie ihre bisherige enthalten dürfte, lässt sich wohl nicht bezweifeln.

b) Wenn gleich die gänzliche Aufhebung aller Kriegsdrucks in den Hansestädten von diesem Beitritt nicht zu erwarten ist, solange der Krieg gegen England und im Norden noch währt, so kann man doch nach den Beispielen, welche in dieser Hinsicht den benachbarten Staaten gegeben werden, auf eine beträchtliche Erleichterung derselben rechnen. Wären wir z. B. vor einem halben Jahre dem Rheinischen Bunde getreten, und hätten unser Contingent mobil gemacht (welches wir in unserm Militär schon haben, denn mehr als 1000 Mann wird man von den Städten doch nicht fordern, da der zum Collegio der Könige gehörige Grossherzog von Würzburg nur soviel stellt, und der Fürst Primas nur 960), so wäre sicher von der Soldzahlung für die französischen Truppen auch nicht einmal die Rede gewesen. Der Versuch, ein solches Contingent im Gelde stipulirt zu erhalten, und nicht in natura, ist, beiläufig gesagt, durchaus nicht anzurathen, denn der Geldbetrag würde unserm doch zugesagt und wahrscheinlich auch im Frieden gefordert werden, mithin zu einem Tribut ausarten. Da bei der Truppenzahl doch das Bevölkerungsverhältniss, welches bei den andern Mitgliedern stattfindet, nicht überschritten werden dürfte, und da auf einen baldigen Continental-Frieden zu rechnen ist, — denn wer wollte ihn [illegible]? — so werden die Städte ihr Naturalcontingent wie bisher als ihr eigenes Militär gebrauchen können, ohne weitere Kosten davon zu haben. Ebenso gefährlich und noch mehr als der vorhergehende würde aber der Versuch sein bei dem Eintritt in den Bund darauf anzutragen, dass eine benachbarte Macht die Stellung des hanseatischen Con-

es einst einmal zu voller Selbstständigkeit sich wieder erheben sollte, so werden sie wegen egoistischer Absonderung von ihren Landsleuten nicht ausgeschlossen, sondern — des brüderlichen Mitgenusses aller seiner Vortheile werth befunden werden.

Und weiter würde ich diesem für jetzt nichts hinzuzusetzen, es möchten denn die prophetischen Worte der Apokalypse sein: Was Du thust, das thue bald, denn die Zeit ist nahe!

J. Smidt*)

---

3. Bedeutung der Presse.**)

Frankfurt, d. 26 Septbr 1816.

Schon vor beinahe 14 Tagen ist mir beiläufig von dort geschrieben, es sei bei Gelegenheit einiger Beschwerden über gewisse Artikel der Bremer Zeitung im Senat ein Bericht erstattet worden, wobei zur Sprache gekommen, ob und wie die Zeitung unter Censur zu setzen und ob es nicht rathsam sein möchte, die Zeitung künftig zum besten der Schule zu verpachten, da die Ausgaben derselben bisher die Einnahme überstiegen hätten, worüber auch meine Meinung zu hören gewünscht worden.

Ich habe der deshalbigen officiellen Aufforderung und der Communication des gedachten Berichts, ohne welche ich über die Sache halb im Dunkeln zu urtheilen Gefahr laufe, seitdem mit jedem Posttage vergebens entgegengesehen, und nehme mir deshalb heute die Freiheit, soweit es für eine nähere Kunde des Details möglich ist, einiges über jenen Gegenstand anzuführen.

Zuvörderst gehe ich von dem Grundsatze aus, dass es unserm Staate keineswegs gleichgültig sein könne, ob bei uns eine vorzügliche und allgemein gelesene Zeitung herauskomme oder nicht, und dass im Gegentheil der Besitz einer solchen

*) Wir berichtigen hier den in der Note auf S. 2[illegible] [illegible] [illegible] Ausdruck [illegible] [illegible] Theil (Nr. [illegible]), [illegible] [illegible] gewidmet. D. Red.

**) Der nachfolgende Auszug ist Nr. 45 der Frankfurter Gesandtschaftsberichte, [illegible] Abdruck [illegible] werden.

Zeitung als ein mitwirkendes Hülfsmittel zu betrachten sei, um die Selbständigkeit zu behaupten und seinem Einflusse auf Deutschland förderlich zu sein, indem da wo die physische Macht gebricht, die geistige, welcher jene doch am Ende immer untergeordnet bleibt, desto ernstlicher in Anspruch genommen werden muss.

Zur Rechtfertigung dieses Grundsatzes erlaube ich mir hier die Abschrift eines Privatbriefes einzuschalten, den ich beim Nachsuchen unter meinen Papieren so eben wieder aufgefunden habe. Ich schrieb diesen Brief während meines Aufenthalts in Wien an einen meiner Herren Collegen, wenn ich nicht irre, an Herrn Syndicus [illegible], und nahm Abschrift davon, weil ich mir schon damals vornahm, die Principien, welche unserm Gemeinwesen in politischer Hinsicht zum Grunde zu liegen sein dürften, nach meinen Ansichten gelegentlich etwas näher auszuarbeiten.

Wien, den . . . . .

Unter den zweckmässigen Einrichtungen, welche die gegenwärtige Verbesserung unserer Art und Weise die Staatsgeschäfte zu betreiben, herbeiführen werden, denke ich mir eine permanente Commission für die hanseatischen, deutschen und auswärtigen Angelegenheiten. Diese Commission würde die Fäden, wodurch wir uns gegenwärtig als selbständiger Staat in Verbindung mit andern Staaten anschliessen und begreifen, fortzuführen und lebendig zu erhalten im Stande sein, wenn sie sich mit Eifer und Liebhaberei der Sache unterziehen will. Die Fortführung und Unterhaltung jener Fäden ist aber ein nothwendiges Mittel zur Sicherung, zur Verstärkung und zur Veredlung unseres politischen Lebens. Ob und wie sich auch gegenwärtig eine Art provisorischen Zustandes in Deutschland gestalten möge, es wird dennoch jeder einzelne, und besonders jeder kleine deutsche Staat, sowohl das allgemeine deutsche Staatsleben, als die Behauptung seiner Individualität in der Gemeinschaftlichkeit noch lange sorgfältig erwägen und festhalten müssen, da auch keiner der grösseren Staaten, durch deren Einfluss und Willen ein solcher gemeinsamer Zustand die gehörige Stabilität erhalten könnte, durch eigene Bildung seiner Centrifugal- oder Centripetalkraft hinreichend mächtig geworden, um der Idee jenes

Zustande seine Vergrößerungs- oder Erhaltungsmacht unterordnen zu können. Nicht von oben herab, sondern von unten hinauf wird Deutschland sich begreifen lernen und seine Bestimmung erstreben. Der Geist gemeinsamer Institutionen ist im Volke vorherrschend geworden, aber die revolutionären Tendenzen spielen wetterleuchtend fast allenthalben in den obern Regionen. Die Weisheit unserer Staatsmänner hat sich in der letztern Generation nicht auf eigenem Boden erzeugen und freithätig und lebendig gestalten können; sie ist eine erlernte, und in ihrem ganzen Wesen, Thun und Treiben fast ohne Ausnahme durch und durch französischer Art und Kunst, denn man hat jederzeit seinen Blick dahin gewendet, woher die Kraft kam, und der nur anhängige Deutsche lernt immer, wenn er nicht handelt. Ein deutsches Staatsleben läßt sich daher erst erwarten, wenn durch die hoffentlich doch jetzt zu Stande kommende allgemeine Einführung landständischer Verfassungen in den verschiedenen deutschen Staaten, ein constitutioneller Geist aus dem Volke in die Regierungen allmählich übergegangen ist, dessen Tendenz dann auch keine andere sein kann, als das individuelle Streben in den allgemeinen deutschen Verhältnissen ausgesprochen und lebendig dargestellt zu sehen. Dieser Uebergang aus dem Geiste des Volks in den der Regierung ist aber nirgends leichter, und wird sich nirgends schneller effectuiren als gerade in den freien Städten. Es wird sich die im Entfalten ihrer Flügel begriffene Deutschheit bei ihnen am ersten der Hauptsache entledigen, wenn man sie nur gewähren läßt, und den unerfreulichen Anblick, welchen das ängstliche Mühen und Drehen und Winden bei solchen Abstraktionen hier von öffentlichen Arbeitführern [illegible], nicht als einen eigenthümlichen Zustand betrachtet, der bleibend sein würde, wenn man ihm nicht von außen zu Hülfe käme. Wir haben daher alle Ursache die selbständige Fortexistenz unserer kleinen Staaten wollen, und den Einfluß welchen dieselbe auf Deutschland haben dürfte, als heilsam und wohlthätig annehmen zu können.

Nicht minder aber wird die Unterhaltung jener Verbindung auf uns selbst eine sehr wohlthätige Rückwirkung äußern. Die Mängel und Einseitigkeiten, welche gerade unsere Kleinheit mit sich führt, ergänzen und verlieren sich durch fortwährende

eine Zeitung gut zu redigiren, und wer hierzu erforderlichen ansässig ist, darf sich's leicht gestehen, dass er nicht ohne Antheil an der Weltregierung sei. Seine täglich sich erneuernde unmerkliche Einwirkung auf die Gemüther gleicht der eines unaufhörlich fallenden Tropfens. Sie bildet sich ein taktisches Element bei ihm aus, das auch den geringfügigsten Umständen Bedeutung zu geben weiss. Die kleine Reihenfolge der jedesmaligen Artikel und der dadurch motivirte Gedankengang der Leser wird ihm schon zu einem Gegenstande der Ueberlegung und des Entschlusses, sie gehört dem Reiche der Ideen an, sobald er sie dem des Zufalls [illegible] entzieht; das Unterstreichen einzelner Worte und Sätze; die Periode bei der ein Artikel, der den Umständen nach nicht vollständig in demselben Blatte gegeben werden kann, gerade abgebrochen wird; der Totaleindruck, den das Aggregat der in einem und demselben Blatte mitgetheilten Nachrichten geben muss; die Rückweisungen und Erinnerungen an früher in der Zeitung mitgetheilte, oder historisch bekannte Daten; die Wiederholung dieser oder jener Facta unter anderer Form und Einkleidung; die Bildung der Sprache bei den Uebersetzungen und Auszügen; und hundert andere Dinge der Art verwandeln unter seinen Händen eine scheinbar handwerksmässige Arbeit in ein geistiges und höchst interessantes Geschäft, in welchem die Pflicht des Menschen, des Staatsbürgers und des Weltbürgers, wie in wenig andern, eine folgenreiche Sphäre der Ausübung finden. Ist der Redacteur einmal von diesen Ansichten bewegt, stehen Talente und Kenntnisse bei ihm in gehörigem Verhältnisse zu denselben, ist er mithin von einem lebendigen Gefühl der Bedeutung seines Geschäfts ergriffen, so kann es nicht fehlen, dass er sich auch mit Eifer der mehr oder minder bei demselben dennoch vorkommenden mechanischen Arbeiten unterziehen werde, da er deren sorgfältige Bearbeitung als den Boden, und als die nothwendige Bedingung seiner höhern Wirksamkeit ansehen muss.

Einen Redacteur unserer Zeitung mit solchem Sinn und solcher Tendenz aufzufinden, wird nun mein Bemühen sein, falls er mir, meinem Vorschlag zufolge, überlassen wird; und dass ein solcher, wenn er gefunden würde, jener Commission würde in die Hände arbeiten, dass seine Zeitungscorrespondenz auch von ihm würde zweckmässig benutzt werden können, ergiebt sich von selbst.

Soweit die gedachte Abschrift.

Ich kann nicht läugnen, dass diese Ansichten, welche ich im Anfange des Jahres 1816 niederschrieb, mir auch jetzt noch als die richtigen erscheinen. Würden sie es auch von M. H. R. angesehen, so käme es vorzüglich auf die Frage an, wie der geschilderte Zweck zu erreichen und wie etwaige Missbräuche und Unannehmlichkeiten dabei zu verhüten seien?

Zuvörderst fällt es in die Augen, dass die Person des Redacteurs und das Maass von Einsicht, Umsicht und Gewandheit, welche sich bei ihm vorfinden, dabei von der grössten Wichtigkeit ist. Wenn ein geschickter Redacteur die Absicht hat, in dem Gemüthe der Leser seiner Zeitung eine gewisse Gedankenreihe und Gedankenfolge zu erregen und lebendig zu erhalten, so kann er dies auch bei der genauesten Befolgung der strengsten Censurgesetze, und auf eine Weise, dass ihm niemand in der Welt etwas dabei anhaben kann, dennoch bewirken. Es kommt also wesentlich darauf an, dass der Redacteur den Willen, die Fähigkeit und die Kunde habe, welche dazu erfordert wird, eine Zeitung zu schreiben, wie sie dem Zwecke unsers Staats, der nur der besten und rechtlichsten sein kann, gemäss ist. Dazu wird nun auch der beste Redacteur immer mehr oder minder erzogen werden müssen, und es scheint sich zu solcher Erziehung kein besseres Mittel darzubieten, als freundschaftliche Leitung in gelegentlichen vertraulichen Unterredungen mit solchen Männern die jene Kunde besitzen, eine dem Redacteur gegebene Erlaubniss, Befugniss, und bei vorkommenden Verhältnissen in Hinsicht specieller Gegenstände ihm auferlegte Verpflichtung, mit solchen ihm namhaft gemachten Männern zu berathen, ihre Winke einzuholen und dieselben zu befolgen. Dadurch wird sich bei dem Redacteur der erforderliche Tact, welcher allein mehr als die sorgfältigste Instruction auf den rechten Weg führt, nachgerade auszubilden im Stande sein. Den gegenwärtigen Redacteur kennt man dort jetzt länger und näher als ich ihn kenne, und ich kann daher bloss sagen, er ist mir so vorgekommen, dass er sowohl der Geschicklichkeit als des guten Willens, welche zu einer solchen Ausübung gehören, fähig sei.

Die Lage worin sich unser Zeitungswesen gegenwärtig in der Hinsicht befindet, dass das Eigenthum oder die Verwaltung derselben keiner Privatperson, sondern einer Stiftung zusteht, die sich unter Aufsicht des Staats befindet, scheint für die Verhältnisse unsers kleinen Staats sehr glücklich gegeben zu sein, da sie eine solche Einwirkung möglich macht, welche als keine directe erscheint, da man den Redacteur für alles so verantwortlich machen kann, als wäre die unbeschränkte Pressfreiheit da, und man dennoch in Hinsicht dessen, was nicht gesagt werden soll, nicht nöthig hat, mit ihm zu disputiren, was bei voller Pressfreiheit mit jedem Privateigenthümer der Zeitung mehr oder minder der Fall sein würde. Jetzt kann man Anstössigkeiten ohne Eclat vermeiden, und wenn äussere Anfechtungen kommen, kann man den Redacteur immer vor den Riss treten lassen, und die Art seiner Vertheidigung erforderlichenfalls leiten. Die Inconvenienzen einer completen Pressfreiheit werden vermieden, und zu gleicher Zeit auch die noch grösseren einer speciellen Censur, wo man wegen alles dessen was in der Zeitung steht, schon den Staat in Anspruch zu nehmen versucht, weil er es durch die von ihm angestellte Censur nicht habe streichen lassen, und wo so leicht der Censor persönlich ins Gedränge kommen kann.

Eine genaue und strenge Censur einzuführen, ist bei der Lage unseres Postenganges fast unthunlich. Die Posten und mit ihr die fremden Zeitungen kommen fast ohne Ausnahme erst Nachmittags an; giebt man die mit denselben ankommenden Neuigkeiten nicht gleich am folgenden Morgen, so ist die Zeitung ruinirt, weil dann die Hamburger, deren einige Postenzeiten ohnehin schon günstiger sind, (dann) einen ganz entschiedenen Vorsprung haben. Unsere Zeitung muss daher grösstentheils immer in der Nacht gedruckt werden, und man müsste, wollte man jene strenge Censur eintreten lassen, einen Censor bestellen, der als ein Nachtwächter gehalten wäre, jede Nacht zu arbeiten und am Tage dagegen auszuruhen. Ein solcher, der dabei

ist Preßfreiheit immer vortheilhafter als deren Unterdrückung durch eine strenge Censur. Unsere Regierung bemüht sich es, dass sie das Licht nicht zu scheuen hat, und würde ihre Tendenz zu irgend einem Zeitpunkt eine schlechtere, so wäre die Preßfreiheit das beste Mittel sie davon zurückzuführen. Unsere Meinungen und Absichten können benachbarten Staaten keine irgend gegründeten Besorgnisse einflößen, in unserer politischen Tendenz liegt es ganz klar, dass wir so wenig unterdrücken als unterdrückt werden wollen, und da diese Richtung diejenige ist, von welcher jeder redliche Mann in ganz Deutschland wünschen muss, dass sie die allgemein geltende werde, so ist es selbst Beruf und Pflicht für uns, dem freien Worte die beste Stätte bei uns nicht zu versagen.

In der That kann man es nicht unbeachtet lassen, dass diejenigen deutschen Staaten, in welchen Preßfreiheit herrscht, unzweifelhaft bei den übrigen an Achtung gewonnen und deshalb mit Achtung behandelt werden. So waren z. B. Baden und Darmstadt von den [illegible] bis gleich verschrieen und Baden wird es täglich mehr, weil es fortwährend die ängstliche Sperrsystempolitik befolgt und alles, was über seine öffentlichen Angelegenheiten gesagt wird, verbietet, dagegen Darmstadt, wo Freiheit der Presse herrscht, der den neuen Rheinischen Merkur und die Mainzer Zeitung schützt und schirmt, nachgerade wieder anfängt einiges Zutrauen zu gewinnen. So ist es auch mit Nassau und Württemberg. Andere hingegen, von denen man das Beste zu erwarten berechtigt war, kommen wegen Beschränkung der Publicität in der öffentlichen Meinung nachgerade wieder herunter, wie z. B. Hannover, und die Verhütung der Schriften für und wider den Tugendbund hat Preussen keinen Vortheil gebracht. Frankfurt war im vorigen Winter so verschrieen wie möglich; aber seit der Rath für und wider die neue Verfassung jedermann drucken lässt, was er wolle, hat sich das öffentliche Urtheil reichlich zu Frankfurts Vortheil umgewandelt. Noch kürzlich hat Humboldt die Frankfurter Preßfreiheit mit dem grössten Lobe gegen mich erwähnt.

Wirklich bin ich überzeugt, dass ein kleiner Staat an der Preßfreiheit nicht bloss ein Sicherungs- und Vertheidigungsmittel mehr hat, sondern dass man ihn in dieser Hinsicht selbst schonender behandelt und Rücksichten auf ihn nimmt, die man sonst nicht genommen haben würde. Weit entfernt z. B. zu fürchten, dass wenn unsere Zeitung über Hessen freimüthig spricht, man könne uns das von dieser Seite durch Aufkündigung des Capitals entziehen, bin ich vielmehr in der That der Meinung, dass dies gerade deshalb nicht geschehen werde, weil man sonst sichert, dass wir öffentlich sagen, wir haben aller Verführung getrotzt, so und so gegen Hessen gehandelt, und das ist nun der Dank dafür! Ueberhaupt ist die Aufkündigung dieses Capitals schon deshalb gar nicht zu besorgen, weil die Stände dann ohne Zweifel auf die Beantwortung derselben für das Land ihre Ansprüche leichter würden zur Rede bringen können. Es wird dem Kurfürsten im Gegentheil durchaus nichts angenehmer sein, als es noch lange sicher und gut bei uns belegt zu wissen. Ich habe vor einiger Zeit über die Vorsicht und die Geheimnisskrämerei, mit dem man dort bei Belegung eines Capitals im Auslande zu Werke gegangen, einzelne Details gehört, um nicht auf Grund dieser Meinung [illegible] zu kommen.

Eine gute Zeitung kann beinahe dem Schicksal nicht entgehen, dass sie nicht dann und wann einmal von diesem oder jenem Staate angeklagt, und selbst auf eine Zeitlang verboten wird, — welches man mitunter selbst nicht ungern zu sehen pflegt, weil es ihren Ruf in der Regel begründet, und den Absatz im Ganzen eher vermehrt als schwächt. So war der Rheinische Merkur fast in der Hälfte von Deutschland verboten. Die Allgemeine Zeitung ist bald hier bald da einmal verboten worden. Der Neue Rheinische Merkur ist jetzt im Badischen verboten und macht sich eine Ehre daraus. Die Bremer Zeitung wird jetzt im Ganzen zu denen gerechnet, welche die glückliche Mittelstrasse zwischen Freimüthigkeit und Licenz recht anständig zu halten wissen, ich höre sie immer noch mit dem grössten Lobe erwähnen, und ich wüsste auch in der That nicht, was man ihrer Unparteilichkeit irgend zu nahe sagen könnte, es wäre denn, dass die Beurtheilungen der deutschen [illegible] gegen Frankreich auch nach gestilltem Sturme hin und wieder etwas zu sichtbar hervortreten, worauf der Redacteur aber nur aufmerksam gemacht zu werden braucht, um sich in dieser

zu

Hinsicht etwas vorsichtiger zu benehmen. Gar viel überlassen, ist auch hier nicht einmal nöthig, denn die Nachsicht darf nicht soweit gehen, dass das freie Urtheil über Facta dadurch beschränkt wird, und wenn die Ultraroyalisten jetzt offenbar unterlegen haben, und die Erhaltung der öffentlichen Ruhe dadurch wahrscheinlicher geworden ist, was es noch vor vier Wochen der Fall war, so hat die freie Aeusserung der öffentlichen Meinung über ihr zeitiges Benehmen gewiss nicht wenig dazu beigetragen, den besseren Theil des Ministeriums zu [illegible] und den Entschluss des Königs über die bekannte Vereinbarung mit der Deputirtenkammer zu bestimmen.

In allem was wir Gerechtes wollen und Unrechtes von uns abzuwehren trachten, haben wir an der Publicität einen sicheren Schirm und Schutz, und ich bin überzeugt, dass wir unter diesem Schirm und Schutze am Ende auch die Aufhebung des Elsflether Zolls und die Beseitigung der Hannoverschen Anleihe zu erstreiten im Stande sein werden, ja dass man uns in beider Rücksicht auf diesem Wege viel mächtiger und furchtbarer hält, als wir selbst ahnen und glauben. Die fortgesetzte Freimüthigkeit der Bremer Zeitung wirkt sicher auch von dieser Seite als Demonstration, indem wir dadurch zeigen, dass wir die Waffe der Publicität wohl zu führen verstehen.

Nächstens, wo ich hoffentlich das Nähere darüber von dort erhalten haben werde, ein Mehreres über diesen Gegenstand, und dann auch besonders über die Beziehung der Zeitung zu der Schule, worüber ich noch mehrere Ansichten mitzutheilen habe, die dort nicht im ersten Augenblick auffallen können.

---

4. Aphorismen

(Über die neue Verfassung Deutschlands*)

Jede neue Constitution, die etwas mehr will als die gegenwärtigen Schranken und Formen der Bewegung schon vorhandener

*) In der Handschrift findet sich diese Anfang aus die Ueberschrift „Aphorismen." [illegible]

kräfte aufstellen, macht sich das Gebäude der Verfassung an, indem sie von der noch unbekannten Gestalt zukünftiger Dinge redet, sie gleicht einem speciellen Erziehungsplane für Kinder die noch nicht geboren sind. Verhält man sich passiv bei ihrer Ausführung, so wird sie immer eine papierne bleiben, und nicht bloss von jedem neuen Sturme, sondern selbst von jedem Winde der Zeit verweht und mit einem ähnlichen ephemeren Machwerk vertauscht werden können. Will man sie aber mit Gewalt aufrecht erhalten, so wird sie dem Bette des Procrustes gleichen, dem selten einer ohne abgeschnittene oder ausgereckte Glieder entgangen war.

Das Gesetz der Schwere macht sein Recht immer von selbst geltend, das der Elasticität nur bedingungsweise, und die Feder der letzteren wird nur gar zu leicht verknickt, wenn man sie in enge Schranken zu zwingen versucht.

Jede neue Constitution gleicht einem neuen Schuh, der ausgetreten werden muss, ehe er gehörig passt. Es ist aber ein Unterschied unter denen welche das Treten gewohnt sind und denen, welche ängstlich einher schreiten; den letzteren muss also der Schuh vorsichtig bequem gemacht und angepasst werden.

Für grössere souveräne Mächte ist das Bundesverhältniss das zweckmässigste Mittel zur Gerechtigkeit erzogen zu werden, und die Forderungen des Geistes der Zeit begreifen und practisch üben zu lernen. Es wird eine Schule der Regierungskunst für sie werden, denn indem sie sich durch dieses Verhältniss [illegible], auch gegen den kleinsten Staat gesetzmässig zu verfahren und auf das Recht des Stärkeren zu verzichten, befähigen sie sich dadurch auch in ihrem eigenen Lande constitutionell regieren zu können.

Der Grundsatz, dass kein Staatsbürger als solcher von irgend einem Amt im Staate nothwendig ausgeschlossen sein dürfe, sondern dazu erhoben werden könne, muss sich auch in einem Bundesstaate, dessen Bürger die einzelnen Staaten sind, aussprechen.

Jedes Ding welches Consistenz und eigenes selbständiges Leben gewinnen soll, fängt klein an und wächst allmählich zum grösseren empor. Das Bienenreich ist gleich einem Samkorn

Wir bedürfen einer Vereinigung durch Freiheit unter Conservation der Individualität. Selbstthätige Bewegung jedes Provinzes harmonisch geordnet, bringt den höchsten Grad lebendiger Gesammtkraft hervor.

Grosse Staaten bringen Kraft und Stärke in den Bund, die kleineren [illegible] zur Beweglichkeit und Constitutionsmässigkeit. Wer den Geist [illegible] wird, muss sich zeigen; es kann das Heil auch diesmal so gut von Nazareth und Galiläa, als von Jerusalem ausgehen.

Ein selbständiger Staat, gross oder klein, ist ein eigner und besonders angestellter Versuch, das Ideal des Staats zu realisiren. Die Combination dieser verschiedenen Versuche, in der grösseren Anzahl der kleinen Bundesstaaten, die in Verbindung mit den grossen Staaten nie gefährlich werden können, muss dem Bunde überhaupt ein ganz eigenes Leben geben und zu Anstalten führen, die nur wohlthätige Lichtfunken hervorbringen.

Die Ansprüche welche die öffentliche Meinung an das deutsche Gesammtwesen macht, und was sie von demselben erwartet dürfte etwa folgendes seyn:

Die Willkür soll aufhören. Das Recht soll wiederkehren. Deutschland soll in kräftiger Einheit dastehen gegen jeden auswärtigen Feind. Allgemeine Nationalinstitute sollen möglich werden, ohne Verletzung der Individualität der Staaten und ihrer Staatsautonomie. Das Gefühl der Bruderschaft der deutschen Völker soll gemeinschaftliche sichtbare Zeichen in der Verfassung des Bundes finden.

5. Schreiben Smidts an seine Schwester über die Huldigungsfeier zu Vegesack.*)

Bremen, den 26. September 1803.

Ihr werdet begierig sein, liebe Schwestern, von der Huldigung zu Vegesack noch etwas Näheres zu hören. Sie ist glücklich und wohl von Statten gegangen. Am Sonnabend Morgen um 8 Uhr versammelte sich der Rath in der Stadt London, stieg 10 Minuten nach 8 in die bei dem Schlachtpforte Hause liegende Jacht**), und unter dem Donner der Kanonen wurden die Anker gelichtet. Wir hatten das herrlichste Wetter von der Welt, warmen Sonnenschein und frischen Wind, der freilich uns etwas zu laviren nöthigte, welches aber um so interessanter war, da die Weser voll von kleineren uns begleitenden Schiffen voller Menschen war, die nun auch lavirend sich mit der Jacht beständig kreuzten, und dadurch in jedem Augenblick einen veränderten interessanten Prospect darboten. Einige dieser Schiffe, z. B. das Langboot, hatten Kanonen und beantworteten unsere Salven. Auf der Schlachte ward es gedrängt voll von Menschen wie wir abfuhren, und wie wir beim Brautwall und Stephanithorswalle vorbeifuhren, war es auch da wieder ganz schwarz von Zuschauern. Auf dem ganzen Wege wurde musicirt und zwischen jedem Stücke canonirt. Richter Oelrichs hatte die ganze Musik mit allen dazu gehörigen Salven den Musikanten vorgeschrieben und sie machten ihre Sachen wirklich recht gut. Die Matrosen der Jacht waren mit ihrem Commandeur alle in ihrer besten Uniform: weiße Jacken

---

*) Der Brief, welcher uns im Original vorliegt, ist an Smidt's Schwester, die Witwe des [illegible] gerichtet, [illegible] Vegesack, das mit Ausnahme [illegible] 1741 an Hannover [illegible] war, kam 1803 in Folge des Reichsdeputationshauptschlusses wieder an Bremen. [illegible] erfolgte aber erst durch den [illegible] Vertrag vom 13. August 1803 [illegible], welche dieser Brief beschreibt, fand am 24. September 1803 [illegible]

**) Die sogenannte [illegible] Vegesacker Hafen [illegible] wurde.

mit [illegible] langen Hosen, rothen Aufschlägen, eine rothe Schärpe; außerdem noch Constabler bei den Kanonen. Daß es an prächtigen Flaggen und Wimpeln auf der Jacht sowie auf den begleitenden Schiffen nicht fehlte, versteht sich von selbst. Zu der Jacht gehörte noch eine kleine Schaluppe, auch mit Constablern bemannt, worin die Herrendiener mit ihren rothen Röcken sich recht gut ausnahmen; diese führte auch einen Theil der Munition, denn wir mochten die 600 ℔ Pulver, die auf der Jacht allein verknallt wurden, doch nicht alle bei uns haben. Auch für den Magen war vortrefflich gesorgt. Caffee, Thee, Pfeifen, Taback, schöne Kuchen und Torten, vier Sorten Liqueur, Ingwer, Orangeschaalen u. s. w. gab es in Ueberfluss. Alles war sehr fröhlich und guter Dinge. Der alte Syndicus, der auch mit in der Jacht war, war ausserordentlich fröhlich, auch der Präsident (Heineken) war mit; Post war in der Stadt geblieben und hatte das Präsidium übernommen. Gondela war schon am Donnerstag hinunter gefahren, um alles zu arrangiren. Gegen 10 Uhr kamen wir zum Vegesack an. So wie man dort die Jacht ansichtig wurde, ging der Donner von dem mit Kanonen und Constablern ganz besetzten Hafen los, abwechselnd von der Jacht des Hafenmeisters, die vor dem Hafen auf der Weser lag und vielen anderen Schiffen die uns entgegen kamen; wir waren im Antworten nicht lässig. Das Ufer war ganz schwarz von Zuschauern. Flaggen und Wimpel wehten von allen Schiffen im Hafen und aus allen Fenstern. Vierzig Grenadiere standen auf dem Hafendamme unter dem Gewehr. Wir wurden mit lautem Hurrah empfangen und rückten unter dem Dampfe der Kanonen ins Hafenhaus ein, wo oben auf dem Saale erst wieder getrunken wurde. Auf dem Hafen waren Tannenbäume aufgepflanzt, der Platz vor dem Hafenhause war mit einer verzierten Balustrade eingerahmt, an dessen Seite ein grosses Zelt für den Senat prächtig decorirt, und ein kleineres auf einem Rasenhügel durch mehrere Stufen erhöhet, nach Art eines Thrones für die zur Entgegennahme der Huldigung bestimmten Commissarien des Senats (Synd. Eelking, Dr Gröning, Richter Oelrichs, Herr Wichelhausen und Herr Gildemeister) errichtet war. Letzteres hatte Säulen von Tannen, die mit Kränzen umwunden waren.

Die Vegesacker wurden nun von Dr. Gondela vom Fährgrunde bis zur Durchfahrt durch den Aumund an der anderen Seite namentlich zur Huldigung aufgerufen, und Mannschaft über uns geholt; dann rückte der Senat in Procession in sein Zelt und die Commissarien auf ihre Tribüne. Die huldigenden Vegesacker stellten sich an die Schranken der Balustrade. Eine Salve von 21 Kanonenschüssen eröffnete den Act. Syndicus Luthmg hielt dann die Huldigungsrede, mit seinem gewöhnlichen Wohllaut gesprochen, den aber die Vegesacker sehr erhaben gefunden haben. Nach Endigung der Rede wurde von dem Secretär Post der Huldigungseid laut vorgelesen und von den Vegesackern Wort für Wort nachgesprochen. Nach der Leistung schrieen sie ein Freudengeschrei: Es lebe die Republik Bremen! etc. und 21 Kanonenschüsse donnerten wieder dazwischen. Dann kamen ein Dutzend kleiner weiss und mit rosenrothen Bändern gekleideten Vegesacker Mädchen und überreichten auf einem rosenrothen seidenen mit Blumen verzierten Kissen ein Gedicht. Darauf wurde von 25 Musikanten das 'Te Deum' angestimmt, nach dessen Endigung dann wieder mit 21 Kanonenschüssen die Feierlichkeit geschlossen. Nun wurde ein Spaziergang durch Vegesack gemacht, wo die Häuser mit Blumen und Flaggen verziert, auch in der Gasse der Mühle eine grosse mit Laub, Blumen und Inschriften verzierte Ehrenpforte errichtet war. Um 2 Uhr wurde im Hafenhause gespeist, das Zimmer war ringsum mit Blumenguirlanden behangt, an der einen Seite waren die Attribute der Handlung und Schiffahrt und das bremische Wappen an die Wand gemalt, an der anderen ein Medaillon mit der Inschrift aus Schillers Wilhelm Tell, die ich einige Tage zuvor zu diesem Zwecke glücklich aufgefunden hatte:

Wir stiften keinen neuen Bund — es ist ein uralt Bündniss nur von Väter Zeit, das wir erneuern.

An der Tafel speisten der Rath, die Geheime Deputation und die vier ältesten Vegesacker Schiffer. Die Mahlzeit war prächtig mit Schiffen und anderen Conditoreiaufsätzen geziert. Die 25 Bremer Musikanten, noch ein Dutzend Oldenburger etc. machten schöne Musik und bei den 14 solennen Toasten, die während der Tafel getrunken wurden, erschallte bei dem Tusch zugleich der Donner der Kanonen. Unter den Toasten die Gewählt und ich einsetzten, erschienen auch folgende aus:

Dem patriotischen [illegible] des Herrn Senator [illegible], der Frankreich und England zu Bremens Wohl zu vereinigen wusste!

Möge der Compass der Neutralität uns glücklich durch alle Stürme des Krieges leiten!

Frei Schiff, frei Gut! möge dieser Grundsatz auf allen Meeren und von allen Nationen anerkannt werden!

Den sämmtlichen Einwohner von Vegesack! Möge das Fest ihrer Wiedervereinigung mit Bremen ihnen mit jedem Jahre theurer werden! u. dergl. mehr.

Nach Tisch wurde in dem grossen Zelte auf dem Hafen getrunken und viel [illegible] und [illegible]. Ein alter [illegible] Vegesacker Schiffer, Lüder König, erzählte uns viel von der alten Vorzeit und war von Herzen fröhlich. Abends wurde auf der Weser von Jacquemin ein grosses Feuerwerk gegeben, dann machte man noch eine Tour durch Vegesack, wo Ehrenpforte, Fenster und Schiffe illuminirt waren. Abends wurde wieder im Hafenhause gespeist. Es war gewissermassen offene und freie Tafel. Alles wurde [illegible], aß und trank, auch eine Menge Damen und andere Leute, die nicht zu der Gesellschaft gehörten. [illegible], Hampe, Daniel und Friedrike, [illegible] Thielen, [illegible], Hagelmanns, [illegible], Schulz und eine Menge anderer von unseren Bekannten waren auch dabei. Es waren überhaupt eine erstaunliche Menge Bremer herausgeströmt. Reitpferde sind mit 8 Thalern für den Tag bezahlt worden.

Ganz Vegesack hatte die folgende Nacht Einquartierung. Wir blieben alle dort. Den andern Tage wurde wieder im Hafenhause getrunken und gefrühstückt. Um Mittag fuhr die Jacht wieder ab.

— — — — — — — — — — — — — —

Lebe herzlich wohl! der Abgang der Post nöthigt mich zu schliessen.

Heinrich [illegible] S.